PERCA
PESO!
SEM FAZER
DIETA NEM
PRATICAR
EXERCÍCIOS

JJ SMITH

PERCA PESO!

SEM FAZER **DIETA** NEM PRATICAR **EXERCÍCIOS**

DESCUBRA OS **SEGREDOS** PARA EMAGRECER E **FICAR MAIS SEXY** E **MAIS SAUDÁVEL**

Tradução Ana Beatriz Rodrigues

BICICLETA AMARELA

Título original
LOSE WEIGHT
Without Dieting or Working Out!

Copyright © 2012, 2013 by Jennifer (JJ) Smith

Todos os direitos reservados.
Nenhuma parte desta obra pode ser reproduzida ou transmitida por qualquer forma ou meio eletrônico ou mecânico, inclusive fotocópia, gravação ou sistema de armazenagem e recuperação de informação, sem a permissão escrita do editor.

Copyright da edição brasileira © 2019 by Editora Rocco Ltda.

Edição brasileira publicada mediante acordo com
Atria Books, uma Divisão da Simon & Schuster, Inc.

BICICLETA AMARELA
O selo de bem-estar da Editora Rocco Ltda.

Direitos para a língua portuguesa reservados
com exclusividade para o Brasil à
EDITORA ROCCO LTDA.
Av. Presidente Wilson, 231 – 8º andar
20030-021 – Rio de Janeiro – RJ
Tel.: (21) 3525-2000 – Fax: (21) 3525-2001
rocco@rocco.com.br / www.rocco.com.br

Printed in Brazil/Impresso no Brasil

Preparação de originais: FÁTIMA FADEL

CIP-BRASIL. CATALOGAÇÃO NA PUBLICAÇÃO.
SINDICATO NACIONAL DOS EDITORES DE LIVROS, RJ.

S646p Smith, JJ
Perca peso!: sem fazer dieta nem praticar exercícios / JJ Smith; tradução de Ana Beatriz Rodrigues. – Primeira edição – Rio de Janeiro: Bicicleta Amarela, 2019.

Tradução de: Lose weight: without dieting or working out!
ISBN 978-85-68696-67-5
ISBN 978-85-68696-68-2 (e-book)

1. Nutrição. 2. Saúde - Aspectos nutricionais. 3. Dieta de emagrecimento. 4. Hábitos alimentares. 5. Qualidade de vida. I. Rodrigues, Ana Beatriz. II. Título.

18-53278   CDD-613.25   CDU-613.2

Leandra Felix da Cruz – Bibliotecária – CRB-7/6135

O texto deste livro obedece às normas do
Acordo Ortográfico da Língua Portuguesa.

Sumário

Prefácio 9
Introdução 13

PARTE 1 – O que nos engorda e adoece 23
    CAPÍTULO UM – Por que dietas não dão certo 27
    CAPÍTULO DOIS – Por que praticar exercícios não emagrece 36
    CAPÍTULO TRÊS – Por que o vício em açúcar é pior do que
    o vício em drogas 43
    CAPÍTULO QUATRO – Como as toxinas nos deixam gordos, doentes
    e cansados 50

PARTE 2 – Os cinco segredos para o emagrecimento
    permanente 65
    CAPÍTULO CINCO – Livre-se da sobrecarga tóxica no corpo 69
    CAPÍTULO SEIS – Corrija os desequilíbrios hormonais 102
    CAPÍTULO SETE – Acelere seu metabolismo 125
    CAPÍTULO OITO – Coma alimentos que emagrecem 138
    CAPÍTULO NOVE – Evite alimentos que engordam 169

PARTE 3 – O Sistema DHEMM: Um sistema de emagrecimento
    permanente 181
    CAPÍTULO DEZ – Desintoxique-se (D) – Elimine as toxinas
    e acelere o emagrecimento 190

CAPÍTULO ONZE – EAT (E) – Coma alimentos naturais
e balanceados para emagrecer de uma vez por todas 201

CAPÍTULO DOZE – MOVE (M) – Mexa-se sem frequentar
a academia ou "se exercitar" 224

CAPÍTULO TREZE – Histórias de sucesso com o Sistema DHEMM.. 239

PARTE 4 – Apenas para mulheres 257

CAPÍTULO CATORZE – Saúde, beleza e vitalidade para as mulheres
que já passaram dos quarenta.. 261

CAPÍTULO QUINZE – Interrompa o ganho de peso durante
a perimenopausa e a menopausa... 273

CAPÍTULO DEZESSEIS – Não é fã de exercícios? Experimente os
"SEXexercícios" 295

CAPÍTULO DEZESSETE – Motivação para ter um novo corpo e ser
uma nova mulher 299

PARTE 5 – Material adicional 311

CAPÍTULO DEZOITO – Dê o pontapé inicial no seu processo de
emagrecimento com o Detox de 10 dias
com sucos verdes... 313

Apêndice 319
Glossário 335
Bibliografia 339
Agradecimentos... 342

Nota importante ao leitor

As informações contidas neste livro destinam-se apenas a orientá-lo. Não têm o propósito de diagnosticar, tratar ou curar problemas de saúde ou oferecer assistência médica. Se você decidir seguir o plano, consulte um profissional de saúde e use o bom senso.

É importante ter uma boa orientação médica antes de tomar quaisquer decisões sobre nutrição, dieta, suplementos ou outras questões relacionadas à saúde aqui discutidas. Nem a autora nem a editora estão qualificadas a prestar assistência médica, financeira, psicológica, aconselhamento ou serviços. Cabe ao leitor consultar um profissional de saúde antes de acatar os conselhos apresentados neste livro.

Prefácio

Sou nutricionista, especialista em emagrecimento, e testemunhei em primeira mão que o que ingerimos é o aspecto mais importante para o controle do peso, muito mais importante do que as tradicionais dietas e programas de exercício. Escrevi este livro porque assumi o compromisso pessoal de ajudar as pessoas a emagrecer, a se tornar mais sexy, mais saudáveis. Apresentarei aqui o conhecimento, as habilidades e as diretrizes que você pode aplicar à sua vida não apenas para emagrecer, mas também para restaurar sua saúde e energia.

Quando eu tinha vinte e poucos anos, podia comer o que quisesse, sem engordar. Infelizmente, na época desenvolvi péssimos hábitos. Era viciada em junk food e em fast-food. Quando cheguei aos trinta, minha saúde começou a se deteriorar e, à medida que meu metabolismo se desacelerou, meu peso começou a aumentar. Acabei engordando 18 quilos e meu manequim aumentou quatro números. No entanto, minha maior preocupação relacionava-se aos inúmeros males e problemas de saúde que comecei a apresentar.

Experimentei diversas dietas populares, mas todas exigiam muita disciplina e funcionavam somente enquanto eu as estava seguindo. Além disso, quem gosta de viver de dieta? Aprendi que, se você segue uma dieta, ao sair dela, acaba recuperando todo o peso perdido. Quando estamos de dieta, passamos fome e sentimos aquele desejo incontrolável de comer determinados alimentos; terminada a dieta, voltamos a comer tudo que nos fez engordar. Para que o processo dê certo, é preciso eliminar o vício em alimentos que nos fazem engordar. Se sentirmos vontade de consumi-los, a dieta nunca vai dar certo... até conseguirmos romper com o hábito de uma vez por todas. Assim sendo, parei de fazer dieta e mudei meu estilo de vida com o objetivo de emagrecer, recuperar minha energia e restaurar minha saúde.

Em um determinado momento, quando tinha meus vinte e poucos anos, os médicos me receitaram antibióticos para curar acne, que precisei tomar diariamente durante meses. Anos depois, descobri que esse período prolongado de medicação havia cobrado um preço sobre o equilíbrio interno do meu organismo: eu desenvolvera um supercrescimento de bactérias intestinais e fui diagnosticada com candidíase. Além disso, durante anos, apresentei diversos problemas de saúde. Fui diagnosticada com sinusite, infecções por levedura, artrite, fadiga crônica, pré-diabetes/resistência a insulina, hérnias, pólipos e cistos ovarianos. Muitos desses males exigiram cirurgias. Às vezes, simplesmente me sentia esgotada, exausta, com pouquíssima ou nenhuma energia. A frustração tomou conta de mim. Eu não melhorava com as respostas que os médicos ofereciam. Passei então a pesquisar tudo que podia sobre diferentes maneiras de curar meu corpo e me tornar saudável. Quanto mais técnicas eu experimentava, melhor começava a me sentir e melhor ficava minha aparência. Na verdade, aconteceu algo muito interessante. Quanto mais eu aplicava práticas de cura natural, mais eu emagrecia e mais jovem aparentava ser. Era como se eu estivesse desfazendo a ação do tempo. Àquela altura, eu soube que estava no caminho certo para me manter em forma, saudável e ter minha vida de volta!

Ao chegar aos trinta e tantos anos, comecei a pesquisar, estudar e aplicar a fundo os conhecimentos adquiridos para curar meu corpo e emagrecer. Aprendi sobre a reação do corpo a diferentes alimentos, o papel dos hormônios no ganho de peso e como acelerar meu metabolismo para reverter a desaceleração natural do metabolismo que ocorre à medida que envelhecemos. E comecei a constatar resultados impressionantes. Resolvi então obter diversas certificações – uma delas como nutricionista e outra como especialista em emagrecimento. Hoje, aos quarenta e poucos anos, ensino aos meus inúmeros clientes as técnicas para manter a forma, restaurar os níveis de energia e voltar a ser sexy!

Percebi que, adotando uma alimentação adequada e um estilo de vida saudável – envolvendo limpezas e desintoxicações regulares –, eu poderia recuperar o controle do meu corpo e do meu bem-estar. Desde então, minha paixão se tornou instruir os outros e compartilhar com eles as soluções naturais que me ajudaram a recuperar a saúde maravilhosa da qual desfruto hoje. Passei a me dedicar inteiramente à alimentação e à vida saudáveis. Estudei muitas filosofias de saúde e cura natural e aprendi com alguns dos maiores professores do nosso tempo.

Hoje, enquanto muitas mulheres com mais de quarenta enfrentam problemas de peso, tenho conseguido manter meu corpo resistente à gordura, mesmo estando com quarenta e tantos anos, na perimenopausa. Descobri uma abordagem inteiramente nova ao controle do peso sobre as verdadeiras causas subjacentes ao ganho de peso. É algo muito mais complicado do que comer menos e se exercitar mais! Neste livro, aponto os verdadeiros motivos que nos levam ao sobrepeso e à obesidade. A maior parte dos programas de dieta aborda somente um ou dois desses fatores; meu sistema – que chamei de Sistema DHEMM – engloba todos eles.

Acredito veementemente que cada um de nós é responsável pela própria saúde e bem-estar. Se você quiser ser saudável, ter energia e uma aparência vibrante, precisa aprender o que tudo isso envolve e aplicar esse conhecimento à sua vida. Precisamos prestar atenção ao que levamos à boca, à quantidade de atividade física que praticamos, aos pensamentos que povoam nossa mente. É preciso limpar e desintoxicar o corpo e ingerir alimentos "naturais e balanceados" que forneçam nutrientes capazes de abastecer o corpo ao longo do dia. Assumi o compromisso de me manter a par dessas valiosas informações todos os dias. A boa notícia é que você pode fazer o mesmo! É muito fácil, levando em conta que esse conhecimento está prontamente à sua disposição. Evidentemente, profissionais de saúde podem lhe fornecer valiosas informações e ajudá-lo a tratar males e doenças, mas, em última análise, a responsabilidade está em suas mãos.

Milhares de estudos sustentam os princípios fundamentais do Sistema DHEMM aqui apresentado. E eu, pessoalmente, vi as técnicas funcionarem em mim e em milhares de pessoas que conquistaram saúde e vitalidade depois de sua adoção. Aplico tais princípios há mais de dez anos e atualmente realizo seminários a distância, orientando pessoas determinadas a seguir a experiência na qual você está prestes a embarcar. Os resultados possíveis em apenas algumas semanas são impressionantes.

Você, também, pode aproveitar o Sistema DHEMM que desenvolvi para alcançar o emagrecimento rápido e duradouro com base em uma alimentação e um estilo de vida saudáveis. É hora de parar de fazer dieta e começar a viver!

Introdução

Combater o excesso de peso pode ser uma das experiências mais frustrantes, desafiadoras e emocionalmente desgastantes da face da Terra. Mesmo com todas as dietas, programas de exercícios e pílulas mágicas para emagrecimento, os norte-americanos continuam engordando, ano após ano. Mais de dois terços da população adulta e um terço das crianças estão acima do peso atualmente. O índice de obesidade triplicou desde a década de 1960.*

As dietas abundam e o setor de dietas é imenso. A triste constatação, porém, é que cerca de 95% das pessoas que emagrecem fazendo dieta recuperam, em três a cinco anos, os quilos que haviam perdido. Não se consegue emagrecer de uma vez por todas seguindo rigidamente uma dieta especial, tomando remédios para emagrecer nem seguindo um programa de exercícios.

A boa-nova é que qualquer pessoa é capaz de emagrecer e manter o peso se simplesmente entender, abordar e corrigir as causas ocultas do ganho de peso. Para vencer essa batalha, é preciso constatar que o emagrecimento envolve uma importante mudança no estilo de vida.

---

* No Brasil, segundo dados do Ministério da Saúde divulgados em 2017, o índice de obesidade cresceu 60% entre 2006 e 2016. Isso significa que o percentual da população com a doença passou de 11,8% para 18,9%. Fonte: <http://www.brasil.gov.br/noticias/saude/2017/04/obesidade-cresce-60-em-dez-anos-no-brasil>. Acesso em 14 set. 2018. (N. do E.)

E, para garantir que você entenda corretamente o que quero dizer com "mudança no estilo de vida", gostaria de me dedicar aqui a explicar isso melhor. Como diz o título do livro, *Perca peso! – Sem fazer dieta nem praticar exercícios*, é preciso fazer duas coisas para concretizar tal mudança. Primeiro, é preciso esquecer as dietas! Em geral, você "começa" uma dieta, o que significa que, em dado momento, vai "sair da dieta". Uma dieta típica é algo que se faz durante um período específico. Mas o que acontece quando você "sai da dieta"? Recupera todos os quilos que havia perdido. Por isso, vamos retreinar as suas papilas gustativas a desejarem alimentos mais saudáveis e ansiarem por consumi-los para que você não precise mais pensar em fazer dieta. O Capítulo 1 explica por que as dietas não são a maneira mais eficaz de emagrecer de uma vez por todas. Além disso, você não vai ter que se estressar para manter uma rigorosa rotina de exercícios para emagrecer. Como explica o Capítulo 2, estudos mostram os motivos pelos quais exercícios intensos ou mesmo a prática de exercícios não são fundamentais para o emagrecimento. Vamos ensinar aqui a simplesmente começar a "se movimentar", tornando-se fisicamente mais ativo durante o dia, mesmo sem se "exercitar" na academia. Como diz o título do livro, a partir de agora você pode esquecer, de fato, as dietas e os exercícios, e se preparar para uma verdadeira mudança de "estilo de vida".

O objetivo deste livro é simples: mostrar como emagrecer *de uma vez por todas* e alcançar a saúde ideal. É possível fazer isso sem contar calorias, sem medir o tamanho das porções nem comer alimentos insossos, industrializados. Ao contrário: você desfrutará de alimentos frescos, deliciosos e saudáveis que nutrirão todas as células do seu corpo, permitindo que você não só emagreça, mas também se torne mais saudável e mais vibrante. Sua pele ficará mais luminosa, seus olhos brilharão, seus cabelos ficarão mais sedosos, e sua aparência em geral vai ficar radiante e bela!

As informações aqui contidas são diferentes das de qualquer outro livro sobre dieta ou desintoxicação. Trata-se de uma combinação de informações que adquiri como nutricionista e especialista em controle do peso. Obtive esses conhecimentos por meio de diversos professores, profissionais de saúde, programas de treinamento, mentores e amigos. Os conceitos que apresento baseiam-se em sólidas pesquisas e no trabalho de inúmeros médicos, cientistas e instituições de pesquisa. Alguns dos tópicos que discutirei ainda não fazem parte das práticas tradicionais nas áreas de nutrição e saúde. Entretanto, a boa-nova é que todas as minhas pesquisas, estudos e aplicação prática funcionaram para mim e para meus inúmeros clientes que emagreceram e não voltaram a engordar.

Este livro explica os princípios mais fortes, mais atraentes e mais bem fundamentados do emagrecimento duradouro que qualquer pessoa, independentemente do peso, nível de renda ou grau de instrução, pode seguir. E o resultado final é um corpo sexy, saudável e belo. Se você sofre do efeito-sanfona e vive na montanha-russa do emagrece-engorda, finalmente conseguirá se livrar desse ciclo e alcançar um peso saudável, ideal.

Este livro é para quem está cansado, acima do peso e frustrado; para quem já emagreceu e depois engordou tudo de novo; para quem vive seguindo dietas e programas de exercício, mas nem assim consegue emagrecer. Você já tentou:

- Contar pontos ou calorias ao longo do dia?
- Usar sua força de vontade para resistir a doces e junk food?

- Exercitar-se intensamente na academia quatro a cinco vezes por semana?
- Eliminar gorduras e carboidratos e medir o tamanho das porções de tudo que come?

As dietas tradicionais são uma tortura, e seu custo é elevado, sem garantia de resultados. Sei, porque já vivi isso. É preciso suprimir a vontade de comer determinados alimentos, comer apenas alimentos sem graça e sentir fome o tempo todo, apenas para recuperar todo o peso perdido depois que a dieta termina. Se você experimentou alguma dessas abordagens tradicionais de emagrecimento com pouco ou nenhum sucesso, saiba que não foi a única pessoa a fazê-lo. Essas abordagens simplesmente não são eficazes para a perda de peso permanente.

Há quem tenha escolhido este livro para eliminar alguns quilos para uma ocasião especial; outros talvez tenham uma quantidade maior de quilos a eliminar. Alguns descobriram que emagrecer é relativamente fácil, mas manter o peso no longo prazo é um desafio para o resto da vida. Talvez esteja solteiro ou solteira há muito tempo e deseje fazer um esforço concentrado para se tornar mais atraente. Talvez seja uma mãe ou pai tentando servir de exemplo para um filho que está acima do peso e precisa mudar seus hábitos alimentares. Todos os motivos são válidos para iniciar esta jornada rumo a emagrecer, curar o corpo e conquistar uma segunda juventude.

O Sistema DHEMM: Um sistema para emagrecer de uma vez por todas

Depois de concluir o *Detox de 10 dias: Como os sucos verdes limpam o seu organismo e emagrecem*, é hora de passar ao Sistema DHEMM, um sistema de emagrecimento permanente que o ajudará a alcançar o peso desejado.

A sigla DHEMM significa:

- **D: DETOX**: Use um dos diversos métodos detox apresentados no livro
- **H: HORMONAL BALANCE (EQUILÍBRIO HORMONAL)**: Equilibre seus hormônios e facilite o emagrecimento
- **E: EAT CLEAN (ALIMENTE-SE BEM)**: Tenha uma alimentação baseada em alimentos não processados, integrais e saudáveis
- **M: MENTAL MASTERY (DOMÍNIO MENTAL)**: Alcance a mentalidade correta para manter a motivação
- **M: MOVE (MEXA-SE)**: Movimente-se e aumente seu nível de atividade física

O Sistema DHEMM é uma solução revolucionária para o emagrecimento duradouro que queima a gordura do corpo, especialmente a gordura localizada em regiões como quadris, coxa e abdômen, desintoxicando e limpando totalmente o corpo, e abastecendo-o com alimentos saudáveis, ricos em nutrientes, que o manterão em forma. Mesmo que, no seu caso, a obesidade seja comum em sua família, pode romper esse ciclo hereditário com essa nova abordagem ao controle do peso. Você não pode modificar seus genes, mas, optando por uma alimentação inteligente, pode administrar as funções do seu corpo de modo a otimizar sua saúde.

O Sistema DHEMM faz muito mais do que as dietas tradicionais proporcionam. É um programa completo de controle do peso destinado a ajudar o corpo a eliminar os resíduos tóxicos que contribuem para o excesso de gordura corporal. Você vai aprender como o seu corpo responde a determinados alimentos, como ter uma saúde excelente e como manter o peso saudável e ideal.

Com o Sistema DHEMM, você nunca terá que contar calorias, seguir um plano de refeições complicado e caro ou voltar a medir as porções de comida que ingere. Depois da fase de desintoxicação inicial do Sistema DHEMM, você não só vai comer bem, como também começará a ansiar por alimentos naturais e saudáveis.

E aqui está minha parte favorita do Sistema DHEMM: você verá os resultados mesmo sem manter um programa de exercícios. Se já tem o hábito de se exercitar, obviamente seu progresso vai ser mais acelerado e você obterá os maravilhosos benefícios da prática de exercícios. Considerando-se que todos nós sabemos que a atividade física é benéfica à saúde em geral, vou apresentar algumas maneiras de fazer você "se mexer" sem ter que ir a lugar algum (por exemplo, sem ter que frequentar a academia) para cumprir sua cota de atividade física. No entanto, mesmo sem se exercitar, você verá resultados.

Uma surpresa aguarda aqueles que acreditam que recomendarei a prática de exercícios em academia três a quatro vezes por semana. Seguindo o Sistema DHEMM, é possível chegar ao peso ideal sem fazer qualquer programa formal de exercícios. Além disso, você desfrutará de quantidades generosas de alimentos saborosos e satisfatórios, entre eles sucos verdes. Acredito que a comida deva ser desfrutada e que deva nos ajudar não apenas a manter uma excelente saúde, mas também a nos manter esguios, em boa forma.

Adotando o Sistema DHEMM, você proporcionará ao seu corpo a nutrição de qualidade de que necessita, ao mesmo tempo que promoverá uma limpeza contínua das células. Vitaminas, minerais e outros nutrientes serão absorvidos de maneira mais eficiente pelo corpo, permitindo que as células fiquem novinhas em folha e que você pareça (e se sinta) mais jovem. Sua pele recuperará o viço e ficará mais radiante, porque suas células vão se tornar mais saudáveis. Em suma, você aprenderá a se tornar mais jovem, saudável e com mais energia de dentro para fora.

Mesmo que tenha desistido de emagrecer por causa da idade e de um estilo de vida atribulado, seguindo este programa você poderá perder o excesso de gordura corporal muito rápido. Poderá ter um corpo esguio e saudável para o resto da vida.

O que o leitor vai encontrar neste livro?

As estratégias aqui apresentadas proporcionarão muito mais sucesso no longo prazo do que qualquer outro programa de dieta ou exercícios que você possa ter seguido no passado. O livro aborda todas as causas subjacentes de ganho de peso e má saúde em um sistema abrangente que proporciona emagrecimento duradouro. Você perderá gordura corporal e verá seu manequim e suas medidas corporais diminuírem, ao mesmo tempo que observará sua saúde em geral e seus níveis de felicidade aumentarem de um modo que nunca imaginou ser possível.

Na Parte 1, discutimos o que causa sobrepeso e doenças na maior parte das pessoas. Isso vai ajudá-lo a entender o que acontece no seu corpo que provoca o ganho de peso. Você entenderá por que sente aquele desejo súbito de comer determinados alimentos e aprenderá quais alimentos queimam gordura. Começamos derrubando muitos dos mitos sobre emagrecimento. Você verá que grande parte do que aprendeu sobre dietas é equivocada, ineficaz ou pouco saudável.

Na Parte 2, apresento os segredos para transformar o seu corpo em uma máquina de queimar gordura que permite ao corpo perder peso sem fazer força. Você aprenderá técnicas e métodos para esculpir um corpo que queima gordura sem necessitar de exercícios vigorosos. Vai adquirir uma compreensão prática dos princípios por trás do emagrecimento duradouro, entre eles a eliminação de toxinas, o equilíbrio hormonal e a aceleração do metabolismo. Aprenderá também quais alimentos ajudam a se manter em forma e quais alimentos engordam.

Na Parte 3, apresento detalhes do Sistema DHEMM com o objetivo de orientá-lo em cada etapa do plano de emagrecimento. Você aprenderá a desintoxicar o corpo, ingerir alimentos benéficos e balanceados e se colocar em movimento sem precisar necessariamente "fazer exercício". Vou abastecê-lo com uma riqueza de informações, inclusive uma lista detalhada de alimentos deliciosos, suplementos e outros métodos de desintoxicação que o auxiliarão ao longo do programa. Você vai se surpreender ao descobrir que seu corpo começará a ansiar por alimentos saudáveis, permitindo-lhe seguir o programa com facilidade. Tudo que terá que fazer é seguir as diretrizes apresentadas em cada fase do programa e ouvir seu corpo, que o recompensará eliminando os quilos enquanto saboreia escolhas alimentares deliciosas e variadas. Acredito que o Sistema DHEMM é mais eficaz do que qualquer outro programa de emagrecimento disponível atualmente.

Na Parte 4, abordo diretamente os problemas de peso que afetam as mulheres. Discuto como ter saúde, beleza e vigor. Discuto também problemas específicos de mulheres de mais de quarenta, ajudando-as a combater o envelhecimento da pele, rugas, celulite e gordura abdominal – além do inexplicável ganho de peso que ocorre durante a perimenopausa e a menopausa –, além de apresentar maneiras divertidas e sexy de se manter em forma sem praticar exercícios tradicionais. Vou ajudá-la também a recuperar a autoconfiança e a autoestima para manter a motivação durante o programa.

No capítulo que ofereço como material adicional, "Dê o pontapé inicial no seu processo de emagrecimento com o Detox de 10 dias", explico como as toxinas prejudicam o emagrecimento e sugiro o uso de sucos verdes para desintoxicar o corpo antes da implementação do programa.

Sua jornada rumo ao emagrecimento começa hoje!

Meu objetivo é fazê-lo entender que você, leitor, pode evitar o desperdício de tempo e energia típico das dietas tradicionais, que só proporcionam emagrecimento temporário. Saiba que, mesmo comendo em abundância, você pode alcançar o peso ideal e ter uma aparência fantástica. Quando parar de se preocupar com o peso, vai poder se concentrar em seus sonhos e objetivos de vida.

Lembre-se de que cada um de nós é único, o que significa que a sua jornada rumo ao emagrecimento será sua, e somente sua. Você descobrirá as técnicas que melhor funcionam para você, quais obstáculos talvez tenha que contornar e, mais importante, como manter o estímulo e a motivação. Procurei explicar as etapas do Sistema DHEMM da maneira mais clara possível para que as mudanças alimentares e de estilo de vida garantam um progresso uniforme e consistente e não o sobrecarreguem. O Sistema DHEMM é a sua jornada pessoal rumo ao seu destino: a perda de peso.

Sugiro que leia este livro inicialmente apenas para entender o processo e, depois, volte a lê-lo com o objetivo de agir e iniciar sua jornada. Compre outro exemplar para presentear um familiar ou amigo, de modo que vocês possam estimular e apoiar um ao outro ao longo dessa transformação que vai mudar sua vida. Sua família, seus amigos e eu estaremos aqui para orientá-lo e apoiá-lo. Já me frustrei com o ganho de peso inexplicável. Já me esforcei para emagrecer apenas para descobrir que, a cada semana, só fazia engordar ainda mais. Saiba que você não está sozinho. Estamos juntos. Que sua jornada comece hoje.

Por fim, gostaria de parabenizá-lo pela coragem de recuperar o controle do seu peso e da sua saúde. Somos cercados por muitas escolhas alimentares insalubres que nos atraem e nos viciam. Entretanto, com a orientação e a motivação corretas, você pode deixar para trás os antigos hábitos alimentares e criar hábitos alimentares novos, mais saudáveis. Saiba, porém, que isso exigirá determinação, disciplina e capacidade de superar as tentações imediatas, mas essas tentações diminuirão significativamente depois do primeiro mês seguindo o Sistema DHEMM. Estou ciente da coragem necessária para começar uma nova vida e um novo relacionamento com a comida. Estarei ao seu lado, oferecendo apoio e estímulo ao seu esforço.

Atenciosamente,
JJ Smith

PARTE 1

O QUE NOS ENGORDA E ADOECE

O que nos engorda e adoece

Acredito que a maior parte das pessoas hoje com excesso de peso são naturalmente magras. Nosso corpo é complexo e projetado para se manter saudável. Ele é mais esperto do que qualquer pílula ou dieta da moda disponíveis por aí. Se você simplesmente mudar seus hábitos alimentares para se alinhar com a capacidade natural do seu corpo de se curar, ficar magro e ter energia, jamais terá que se preocupar com o peso novamente. Portanto, neste livro, vamos mudar para sempre a maneira como você pensa sobre comida e perda de peso.

Quem não luta contra a balança costuma achar que a causa da obesidade é simplesmente preguiça e gula. De fato, estou cansada de ver pessoas presumindo que quem está com sobrepeso ou é obeso deve apenas comer menos e se exercitar mais para emagrecer. Essa é uma visão excessivamente simplista do problema. O mantra "comer menos e se exercitar mais" não resolve os diversos e complicados fatores que afetam o ganho de peso para a maioria das pessoas. É preciso entender que o corpo humano é muito mais complexo do que isso no que se refere à perda de peso. Eu ouvi tudo, desde "pare de comer tanto" e "afaste-se da mesa" até "as pessoas obesas são preguiçosas e não têm força de vontade". É mentira dizer às pessoas obesas que a culpa é inteiramente delas. Simplesmente não é verdade. Provavelmente você já ouviu alguém com excesso de peso dizer: "Eu não como tanto assim, e apesar de tudo não consigo emagrecer." Na maior parte das vezes, estão dizendo a verdade. De fato, acho que todos nós conhecemos pessoas com excesso de peso que se esforçam muito para emagrecer, mas sem sucesso. Contam calorias, comem menos, praticam exercícios e não alcançam resultados duradouros.

Fato é que ninguém quer ser gordo. O excesso de peso se deve a uma combinação de fatores que muitas vezes estão fora do nosso controle, como genética, desequilíbrios hormonais ou a baixa qualidade dos alimentos mais prontamente à disposição. Não é sua culpa que você tenha problemas com o peso. Mesmo que tenha força de vontade suficiente para evitar comer quando seu cérebro lhe diz que você está com fome, ainda assim pode não conseguir perder peso. Existem muitos outros fatores em jogo que fazem você ganhar peso. Até que você compreenda as verdadeiras razões pelas quais ganha peso, jamais será capaz de perder peso permanentemente. A chave é aprender a acelerar naturalmente as capacidades de queima de gordura do corpo para auxiliar na perda de peso e se manter saudável.

Não há uma única razão pela qual um indivíduo tenha problemas com o peso; na maioria dos casos, há várias. Compartilharei todos eles aqui para que você possa entender como ajudar seu próprio corpo a se tornar naturalmente magro e saudável.

CAPÍTULO UM
Por que dietas não dão certo

Fazer dieta não é a melhor maneira de emagrecer de uma vez por todas. É preciso mudar de estilo de vida, o que inclui ter uma nutrição adequada e tornar-se ativo fisicamente para alcançar suas metas de emagrecimento. Pensar em dieta, para a maioria das pessoas, remete imediatamente a comer menos, uma técnica imperfeita que nos permite emagrecer no curto prazo, mas raramente nos impede de recuperar os quilos perdidos.

Mesmo que você consiga alcançar suas metas de emagrecimento seguindo uma dieta específica, aos poucos vai voltar a engordar. O problema é que você "começa" uma dieta, o que implica que, mais adiante, "termina" a dieta. Uma dieta típica é algo que ocorre durante um curto período. Eis o motivo pelo qual 95% das pessoas que emagrecem fazendo dieta acabam recuperando os quilos que haviam perdido. Na verdade, quando alguém me diz que perdeu 10, 15 quilos seguindo uma nova dieta maravilhosa, peço que retorne dali a seis meses. Se a pessoa não tiver voltado a engordar nesse período, estarei disposta a saber mais sobre essa dieta maravilhosa. Em muitos casos, ao longo desse período, infelizmente a pessoa já começou a recuperar os quilos perdidos.

Muitas dietas forçam as pessoas a ingerir alimentos insossos, industrializados e pouco atraentes ou milk-shakes com gosto de giz. Isso as leva a desejarem e fantasiarem sobre os saborosos alimentos que não podem comer por estar de dieta. Esses desejos ou imagens mentais desafiam a força de vontade delas e as fazem cederem aos alimentos dos quais sentem falta, fazendo com que se sintam ter fracassado mais uma vez. Meu programa permite descobrir alimentos naturais e integrais que são ao mesmo tempo saudáveis e palatáveis, sem calorias vazias.

A beleza dos alimentos frescos e naturais é que podemos ingeri-los em abundância e, ainda assim, emagrecer. Ao ingerir alimentos ricos em açúcar e em gordura, você tende a continuar comendo e comendo, porque açúcar e gordura não saciam e nos fazem sentir vontade de comer cada vez mais. Por outro lado, alimentos naturais e integrais (frutas, hortaliças, cereais integrais) são ricos em nutrientes e fibras, e saciam, impedindo-nos de comer demais.

Dietas exigem que você coma menos e reduza a ingestão de calorias, mas, se não lhe oferecermos a nutrição adequada, o corpo entra em modo de inanição e passa a armazenar gordura para uso futuro. As células de gordura respondem à inanição armazenando a gordura que já têm como mecanismo de sobrevivência, dificultando a eliminação de gordura no longo prazo. No entanto, se lhe oferecermos a nutrição adequada, o corpo eliminará gordura, e os quilos derreterão sem que você nem sequer se esforce. Quando oferecemos consistentemente ao corpo uma boa nutrição, o cérebro deixa de acreditar que o corpo está de dieta e, por isso, "relaxa" e para de dizer para armazenar gordura. Por exemplo, se você pular o café da manhã para cortar calorias e perder peso, seu estômago vai começar a roncar e enviará ao cérebro a mensagem de que você está passando fome; assim, o corpo imediatamente vai começar a armazenar gordura para usar no futuro, caso seu corpo não receba mais comida.

Qualquer dieta que nos prive de nutrientes sabota nossos esforços para emagrecer. Mesmo que você decida reduzir a ingestão de calorias, é necessário ingerir alimentos de alta qualidade que contenham grande quantidade de nutrientes e vitaminas. Eis o segredo do emagrecimento.

Por que não adianta contar calorias

Muitas dietas concentram-se em restringir calorias, reduzindo, em parte, a quantidade de alimentos ingeridos. No entanto, a restrição calórica, em si e por si, não funciona; para emagrecer não é preciso apenas comer menos. Na verdade, comer muito pouco dá início a uma cadeia de desequilíbrios químicos nos hormônios e no cérebro que na realidade podem ocasionar ganho de peso.

Sim, calorias são importantes. Mas não é a *quantidade* de calorias, e sim o *tipo* de calorias que consumimos que faz toda a diferença para o emagrecimento e para a saúde.

Na realidade, é possível ingerir quantidade idêntica de calorias de alimentos doces (uma fatia de bolo) e proteína magra (peito de peru), mas o efeito metabólico será inteiramente diferente. Os nutrientes presentes nos doces são diferentes daqueles contidos nas proteínas magras, e, por isso, provocam uma outra resposta hormonal, o que desempenha um papel fundamental ao que acontece com essas calorias, como, por exemplo, quantas delas acabam sendo armazenadas no corpo sob a forma de gordura. Por isso, contar calorias, apenas, não funciona para emagrecer.

O que é uma caloria? Uma caloria é simplesmente uma unidade de energia. Uma definição mais científica afirma que caloria é a quantidade de energia necessária para elevar a temperatura de um grama de água em um grau centígrado, em condições normais. Simplificando, calorias são unidades de energia que abastecem nosso corpo, assim como a gasolina abastece nossos automóveis. Obtemos calorias através dos alimentos que ingerimos. Quando consumimos alimentos, nosso organismo desmembra esses alimentos, transformando-os em energia. Consumimos calorias para ter o que queimar. Normalmente, um adulto típico precisa ingerir ao menos 1.000 a 1.400 calorias por dia para ter energia suficiente para abastecer órgãos-chave, como coração, cérebro e pulmões – ou manter as funções básicas do corpo em funcionamento. Essa quantidade mínima de calorias é denominada taxa metabólica em repouso e varia de acordo com o sexo, a idade, o peso e a quantidade de massa muscular do indivíduo. Precisamos também de calorias adicionais (400 a 600) apenas para nos mexermos e nos mantermos ativos durante o dia. Quando restringimos demais a ingestão calórica, o número de calorias que consumimos fica abaixo da taxa metabólica em repouso – a quantidade básica de energia necessária para nos abastecer ao longo do dia.

Diz a lógica vigente que, se você ingerir o mesmo número de calorias que queima, seu peso não sofrerá alteração. Se ingerir menos, vai emagrecer; se ingerir mais, vai engordar. Parece fazer sentido, mas não é bem assim. Por exemplo, vamos analisar a diferença entre 1.000 calorias de feijão em comparação com 1.000 calorias de um pãozinho light de passas com canela. Cada um desses alimentos tem uma quantidade diferente de proteínas, gorduras, carboidratos (açúcares) e fibras, e os nutrientes são absorvidos pelo organismo em velocidades diferentes, enviando sinais metabólicos distintos que, em última análise, controlam o peso. Os carboidratos presentes no feijão entram na corrente sanguínea muito lentamente, mas os de um pãozinho de passas com canela entram na corrente sanguínea muito rápido. As calorias do feijão serão absorvidas mais lentamente e, por isso mesmo, utilizadas ao longo de um tempo maior para gerar energia. Entretanto, as calorias do pãozinho são absorvidas de uma só vez, e as que não puderem ser usadas imediatamente para gerar energia serão armazenadas sob a forma de gordura. Isso significa que o pãozinho faz com que a pessoa armazene uma quantidade maior de gordura no corpo, ainda que ele tenha o mesmo número de calorias que o feijão. Eis uma regra geral: alimentos cujas calorias entram rápido na corrente sanguínea promovem ganho de peso, enquanto alimentos cujas calorias entram lentamente na corrente sanguínea promovem perda de peso. Portanto, fica claro por que não basta contar calorias para controlar o peso.

Não vamos contar calorias no Sistema DHEMM. Jamais contei calorias. Durante gerações, as pessoas se mantiveram esbeltas e saudáveis sem precisar disso. Décadas atrás, as pessoas não se preocupavam em contar calorias para manter a forma, e a obesidade não era um problema disseminado como é atualmente. O motivo, em parte, é que elas não ingeriam todos os alimentos industrializados, light e diet que ingerimos hoje. Ao se concentrarem em reduzir calorias, muitas pessoas bagunçaram de tal forma seu metabolismo que acabaram não obtendo a nutrição adequada para abastecer o corpo de modo a manter a forma e a saúde. É possível emagrecer comendo 2.000 calorias por dia de alimentos benéficos, ricos em nutrientes, e engordar ingerindo apenas 1.500 calorias por dia de junk food.

Se você costumava contar calorias e conseguiu, com este método, controlar seu peso, vá em frente e continue contando calorias. No entanto, se não teve sucesso, é importante se concentrar no que está comendo, nos tipos de alimentos que vem ingerindo e em como eles afetam o processo de emagrecimento.

A importância da desintoxicação para o emagrecimento

Outra razão pela qual as dietas tradicionais dão errado com tanta frequência é o fato de não abordarem a eliminação dos resíduos tóxicos presentes no organismo. Contar calorias, apenas, não desintoxica nem limpa o corpo. O emagrecimento não será duradouro se seus sistemas orgânicos forem preguiçosos ou se estiverem sob o impacto de resíduos ou, ainda, se você sofrer de sobrecarga tóxica. No Sistema DHEMM, nos certificamos de que você primeiro elimine as toxinas e o excesso de resíduos para garantir que seu organismo possa utilizar e metabolizar melhor os alimentos ingeridos.

É fundamental que você desintoxique seu organismo para romper o vício em alimentos que o deixam acima do peso e não voltar a consumi-los. Dietas tradicionais que envolvem resistir a alimentos por um determinado tempo para depois retornar aos velhos hábitos sempre farão com que os quilos perdidos voltem. Portanto, o objetivo é eliminar o vício em alimentos que causam sobrepeso para que você não sinta mais vontade de consumi-los. Em geral, as dietas tradicionais não abordam o papel da desintoxicação no emagrecimento duradouro e permanente.

Por que as dietas populares dão errado

Muitas pessoas que experimentaram dietas populares continuam na luta contra a balança. O principal motivo é que as dietas mais populares carecem da sustentação nutricional necessária para permitir que seu corpo se regule naturalmente e elimine os quilos a mais. As dietas muitas vezes funcionam no curto prazo, mas também causam problemas de saúde, como inchaço, fadiga, problemas de pele, ou agravam problemas já existentes devido à falta de nutrientes balanceados. Além disso, essas dietas não abordam problemas subjacentes, como desequilíbrios hormonais e metabolismo lento, que causam ganho de peso. Vamos analisar algumas das dietas populares atualmente e os motivos pelos quais elas não conseguem proporcionar emagrecimento duradouro.

Dietas ricas em proteínas/pobres em carboidratos. Algumas das dietas mais populares da nossa geração envolvem a redução ou eliminação da ingestão de carboidratos. Ao fazer isso, você emagrece, mas a eliminação de um grupo inteiro remove nutrientes necessários ao perfeito funcionamento do organismo. Nesse tipo de dieta, você pode comer grandes quantidades de proteína e gordura e, mesmo assim, continuar emagrecendo.

O problema principal dessas dietas é que elas restringem intensamente um grupo alimentar inteiro que contém nutrientes essenciais. São os carboidratos, como cereais, frutas e hortaliças, que nos dão energia. Quando deixamos de comer carboidratos, o organismo começa a degradar gordura mais rápido para substituí-los. Inicialmente, isso causa perda de peso. Porém, o corpo queima apenas uma pequena quantidade de gordura antes de deixar de usá-la como fonte de energia. Em seguida, começa a queimar água e, depois, tecido muscular. Nos casos mais graves, volta-se para o tecido conjuntivo e, em seguida, para os tecidos dos órgãos. O processo chama-se catabolismo e pode ser extremamente perigoso, até fatal. Em dado momento, a melatonina e a serotonina deixam de ser produzidas, o que suprime sua capacidade de funcionar normalmente e manter a energia. Dietas desse tipo podem causar baixa energia, fadiga, insônia, confusão mental, desmaios e vômitos. Você vai emagrecer, mas, infelizmente, assim que sair da dieta, voltará a engordar.

Dietas com baixo teor de gordura. As dietas com baixo teor de gordura estão entre as dietas com menor taxa de sucesso. Muitas pessoas se concentram em reduzir e limitar toda a gordura que ingerem. Sabemos hoje que as gorduras saudáveis constituem uma parte essencial do equilíbrio e da sobrevivência do nosso corpo. O uso da gordura pelo corpo determina o nível de satisfação que obtemos dos alimentos. A gordura ajuda a produzir importantes hormônios que auxiliam o funcionamento adequado do cérebro.

Quando as dietas com baixo teor de gordura se popularizaram, muitas empresas começaram a oferecer versões light de seus produtos. No entanto, lendo os rótulos, constatamos que muitos desses alimentos light na realidade contêm mais calorias do que os alimentos tradicionais. Isso se deve ao açúcar acrescentado para compensar o sabor perdido em decorrência da eliminação da gordura. Se você for adepto de alimentos light, na verdade não está fazendo grandes progressos na jornada rumo à perda de peso. Muitas pessoas acabam consumindo grande quantidade de alimentos e salgadinhos light na tentativa de emagrecer, mas, na verdade, estão ingerindo mais açúcar do que antes.

Dietas ricas em carboidratos. Uma dieta rica em carboidratos é composta de grandes quantidades de batata, pães, massas, cereais e arroz – considerados alimentos que dão energia. Embora os carboidratos sejam necessários em uma alimentação balanceada, seu consumo excessivo pode ter um efeito negativo nos níveis de açúcar no sangue, o que afeta o humor e o funcionamento cerebral. Além disso, o consumo excessivo de carboidratos pode criar uma condição chamada resistência à insulina, que abordarei mais adiante. A resistência à insulina é uma razão comum, ainda que não amplamente conhecida, pela qual tantas pessoas estão engordando em uma velocidade alarmante.

Além disso, carboidratos tendem a ter mais calorias do que outros alimentos. No longo prazo, uma dieta rica em carboidratos impede que o corpo queime gordura para gerar energia. Sendo assim, embora inicialmente você possa emagrecer, logo voltará a ganhar peso, ou seja, gordura.

Costumo dizer que não é difícil emagrecer rápido; o segredo é não voltar a engordar. O emagrecimento duradouro precisa vir da queima de gordura e da manutenção da maior quantidade possível de massa muscular. É preciso eliminar a sobrecarga tóxica do corpo para reduzir as células de gordura. Além disso, é importante também garantir um correto equilíbrio hormonal para que seus hormônios não atrapalhem seus objetivos de emagrecimento. O emagrecimento (ou perda de gordura) duradouro pode ser alcançado com conhecimento e esforço desde que você se lembre de que as dietas não dão errado por culpa das pessoas; a culpa é das dietas, em si. Em geral, as dietas simplesmente não ajudam o emagrecimento duradouro.

CAPÍTULO DOIS

Por que praticar exercícios não emagrece

Praticar exercícios faz bem à saúde? Claro que sim! É fundamental para quem deseja emagrecer? Definitivamente não! Entretanto, muitas pessoas acreditam que seja. Todos nós já ouvimos o mantra "se quiser emagrecer, coma menos e se exercite mais". Há aproximadamente 50 milhões de norte-americanos matriculados em academias. Eles gastam por volta de 20 bilhões de dólares por ano com mensalidades, mas, mesmo assim, as taxas de obesidade continuam aumentando drasticamente, ano após ano.*

Há inúmeras boas razões para praticar exercícios, como melhorar a saúde cardiovascular, mas o emagrecimento não é uma delas. A verdade é que, embora a prática de exercícios seja importante para a boa saúde, os alimentos que ingerimos são três vezes mais importantes para controlar o peso do que os exercícios que praticamos. Lembro-me de ler uma matéria de capa publicada na revista *Time* ("Why Exercise Won't Make You Thin", 9 de agosto de 2009) citando o proeminente professor e pesquisador

---

* No Brasil, segundo dados da Associação Brasileira de Academias, em 2014, o número de alunos matriculados estava em torno de 8 milhões, e o setor movimentou cerca de 2,5 bilhões de dólares. Fonte: <http://www.acadbrasil.com.br/mercado.html>. Acesso em 14 set. 2018. (N. do E.)

na área de exercícios, Eric Ravussin, que admitiu à revista que "em geral, para quem deseja emagrecer, exercícios são inúteis".

Para emagrecer meio quilo de gordura exercitando-se, é preciso queimar 3.500 calorias, o que equivaleria a correr mais de 55 quilômetros ou caminhar na esteira durante umas sete horas e meia (a uma velocidade de oito quilômetros por hora). Como podemos constatar, seria necessário praticar uma quantidade considerável de exercícios para ter um grande impacto nos seus objetivos de emagrecimento.

Em minha opinião, é importante observar que os exercícios proporcionam muitos outros benefícios além da perda de peso. Em geral, as pessoas que fazem dos exercícios um hábito tornam-se mais saudáveis, aumentando sua capacidade de atividade aeróbica, o que reduz a pressão arterial, além de melhorar o humor e a saúde mental. Acredito que, como a prática de exercícios é benéfica à saúde geral, muitos profissionais minimizam o fato de que um volume cada vez maior de pesquisas vem demonstrando que o exercício tem pouco impacto sobre o emagrecimento (mas continuam sendo excelentes para a saúde global).

É verdade que os exercícios queimam calorias e que é preciso queimar calorias para emagrecer, mas eles têm outro efeito que neutraliza essa queima: estimulam a fome, fazendo com que você coma mais, o que, por sua vez, anula qualquer peso que tenha perdido com a prática. O exercício não nos faz necessariamente perder peso; na verdade, poderia até nos fazer ganhar. A única vez na minha vida em que me exercitei com um personal trainer durante alguns meses engordei quase sete quilos. Quando me queixei com o personal, ele me disse que, na verdade, eu havia ganho peso em forma de músculo. *E daí? Não estou mais cabendo nas minhas roupas.* E odiei as novas formas do meu corpo –

não estava adquirindo um corpo curvilíneo, com formas definidas, e sim um corpo grande e volumoso.

Embora eu acredite ser esse um defeito meu, vou ser sincera com você: não faço exercício. Não faço exercício há anos. Já tentei, mas nunca consegui manter uma rotina durante mais de quatro meses, mesmo na época em que tive um personal trainer. Eu sei que a prática de exercícios faz bem e que todos nós devemos nos exercitar, mas, infelizmente, não tenho a disciplina necessária. No entanto, tenho um forte desejo de me sentir bem e ter boa aparência. Por isso, tive que descobrir uma maneira de emagrecer e não voltar a engordar, sabendo que eu não queria fazer dietas da moda nem passar o dia na academia. Felizmente, encontrei um sistema de vida saudável que rendeu resultados surpreendentes: emagrecimento duradouro, maiores níveis de energia e ótima saúde geral! Resultado: cheguei à conclusão de que manter a boa forma física tem a ver com a alimentação, enquanto ter bom condicionamento físico tem a ver com a prática de exercícios. Assim, desde que eu me concentre em ter uma alimentação saudável, continuarei em boa forma. Mas, se quiser chegar a um alto nível de condicionamento, vou ter que incorporar mais exercício à minha vida.

Concentre-se em praticar atividade física ao longo do dia inteiro

A pergunta que devemos nos fazer é: qual é a quantidade de atividade física necessária para ser saudável e bem condicionado? Atividade física tem a ver com movimento – práticas que o levem a se movimentar ao longo do dia, mantendo-o longe do computador, da televisão, da cama ou do sofá. Exercício é um tipo de atividade física no qual você reserva uma quantidade de tempo específica para colocar o corpo em movimento. Você pode ser fisicamente ativo durante todo o dia sem colocar os pés numa academia.

As pessoas tendem a superestimar a quantidade de calorias que queimam quando se "exercitam". A realidade é que, ao caminharmos na esteira por cerca de uma hora, queimamos apenas 350 a 400 calorias, que podem ser recuperadas se comermos um pão doce ou tomarmos uma ou duas taças de vinho. As pessoas normalmente queimam 200 a 300 calorias em uma sessão de trinta minutos de exercícios aeróbicos, mas quando tomam um Gatorade ao final da sessão repõem todas as calorias que acabaram de queimar. Outra maneira de pensar nisso é que é necessário fazer muito mais exercício do que a maior parte das pessoas faz em uma sessão típica de uma hora para queimar aproximadamente 500 calorias. Para queimarmos apenas dois pães doces, contendo 500 calorias, vamos ter que andar cerca de duas horas de bicicleta. Para queimar duas fatias de pizza de calabresa seria preciso nadar durante uma hora e meia. Sendo assim, é preciso exercitar-se muito mais do que a maior parte das pessoas acredita para fazer qualquer progresso real rumo ao emagrecimento.

Há algum tempo, os pesquisadores vêm constatando que as pessoas que se exercitam não emagrecem necessariamente. Um número cada vez maior de trabalhos revela que, a menos que a pessoa modifique também seus hábitos alimentares, os exercícios são bastante ineficazes para quem deseja emagrecer. O caminho mais eficiente para o emagrecimento é mudarmos como e o que comemos. Assim, na prática, os exercícios não constituem o método mais eficaz para emagrecer, a menos que você siga o regime de treinamento de um atleta olímpico ou profissional.

Não quero, com isso, dar às pessoas uma desculpa para não se exercitarem; ao contrário, quero que elas compreendam com exatidão o que o exercício pode ou não fazer por seus objetivos de emagrecimento. Aqueles que, entre vocês, praticam exercícios podem se orgulhar de si mesmos, e os encorajo a não abandonarem o hábito. Quando nos tornamos fisicamente mais ativos, também nos sentimos melhores com nós mesmos e mais inclinados a prestar atenção ao tipo de alimento que ingerimos.

Em notável experimento realizado pelo dr. Timothy Church na Louisiana State University, cujos resultados foram publicados no prestigioso *Journal of the American Medical Association*, centenas de mulheres acima do peso foram colocadas em regimes de exercício durante um período de seis meses com a finalidade de determinar os benefícios do exercício para a saúde. Um grupo exercitou-se setenta minutos por semana, outro 135 minutos, outro 190 minutos, e outro manteve sua rotina diária normal sem nenhum exercício adicional. As mulheres no estudo estavam todas na pós-menopausa, eram sedentárias, com sobrepeso e hipertensas. Para garantir 100% da conformidade com os regimes de exercício, elas eram supervisionadas, para que se pudesse monitorar com precisão os resultados.

Verificou-se que não havia diferenças significativas na perda de peso entre os grupos, mesmo que alguns tenham se exercitado durante diversas horas por semana e outros não tenham se exercitado. Na verdade, algumas das mulheres que se exercitaram chegaram mesmo a engordar. A possível razão para isso foi um problema identificado como "compensação". Aquelas que praticaram exercícios compensaram as calorias que tinham acabado de queimar comendo mais, normalmente como forma de recompensa pessoal por terem se exercitado ou para satisfazer o aumento do apetite provocado pelo exercício. É como se eu fosse comer um pão doce ou um pastel para comemorar todo o esforço que acabei de fazer durante o treino, mas, na realidade, simplesmente recuperei todas as calorias que havia queimado com o exercício. Assim, se você se comprometeu a se exercitar, o que é ótimo, não adquira o hábito de recompensar-se com comida.

Uma descoberta positiva do estudo foi que todos os grupos que praticavam exercícios relataram melhora na qualidade de vida, inclusive o que se exercitou por dez minutos ao dia. Isso significa que até mesmo dez minutos por dia proporcionam benefícios. Uma ótima notícia para quem consegue dedicar apenas dez a quinze minutos por dia aos exercícios, mas não encontra tempo para se exercitar durante uma hora, três vezes por semana.

Barry Braun, professor associado de cinesiologia na Universidade de Massachusetts, descobriu que os indícios gerados por sua equipe de pesquisa mostram que a prática de exercícios moderados, como a "deambulação de baixa intensidade" (ou seja, caminhada), pode ajudar a queimar calorias "sem desencadear um efeito de compensação calórica", o que significa que você não vai sentir imediatamente a necessidade de fazer um lanche após o treino como resultado da maior quantidade de hormônios do apetite que circulam no sangue. Isso significa que exercícios intensos praticados na academia na realidade podem ser menos eficazes para o emagrecimento do que exercícios mais leves, como caminhadas, porque o apetite não é estimulado.

Se analisarmos diversos estudos realizados ao longo dos anos, veremos claramente que os exercícios, isoladamente, não emagrecem; por sua vez, ser fisicamente ativo é um fator-chave para quem deseja emagrecer. No Sistema DHEMM, vamos nos concentrar em maneiras de nos tornar fisicamente ativos ao longo do dia, em oposição a nos exercitar algumas vezes por semana. Mesmo que você pratique apenas uma forma leve de atividade – fazer uma caminhada acelerada de ida e volta até o restaurante na hora do almoço ou usar as escadas em vez do elevador –, terá muitos dos benefícios dos exercícios. Isso porque o exercício pode elevar a frequência cardíaca e melhorar a saúde cardiovascular.

Outra consideração é que, para quem já está bem acima do peso, é muito mais difícil se exercitar ou frequentar a academia. No entanto, é provável que você ainda seja capaz de simplesmente "movimentar-se" ao longo do dia. Uma vez que começa a emagrecer e se torne mais saudável, será mais fácil incorporar atividades físicas mais intensas (ou seja, exercícios) à sua rotina.

O que falta às pessoas não é força de vontade; falta-lhes educação nutricional. A mudança nos hábitos alimentares deve vir em primeiro lugar com foco em alimentos ricos em nutrientes que não façam o corpo ganhar nem armazenar gordura. Acredito que mudar como e o que você come o ajudará a emagrecer. Ser fisicamente ativo auxilia o emagrecimento duradouro; por isso, você vai ver que duas partes importantíssimas do Sistema DHEMM são ter uma alimentação saudável (composta de alimentos saudáveis, ricos em nutrientes) e movimentar-se (ser fisicamente ativo ao longo do dia). Como sabemos que ser fisicamente ativo é bom para a saúde em geral, faz sentido nos concentrarmos nisso tanto quanto na mudança de hábitos alimentares.

CAPÍTULO TRÊS

Por que o vício em açúcar é pior do que o vício em drogas

Muitas pessoas são viciadas em açúcar sem sequer saber. Acredito que esse vício seja o motivo pelo qual muitas delas engordam. Como não costumam ingerir grande quantidade de balas, doces e tortas, acreditam não consumir grande quantidade de açúcar; ocorre, porém, que muitos alimentos, entre eles pães, muffins e até frutas secas, contêm açúcar. Em minha opinião, o açúcar é tóxico. Não possui valor nutricional, é altamente viciante e nos deixa doentes e gordos.

Determinados tipos de alimentos, como os alimentos industrializados e os carboidratos simples (balas, açúcar, doces), são ricos em açúcar, tóxicos para o nosso sistema digestivo, e nos levar a engordar e fazer escolhas alimentares inadequadas a longo prazo. Os alimentos industrializados e os carboidratos simples (açúcar) têm baixo valor nutricional e são altamente calóricos. Já ouvimos falar que o consumo excessivo de açúcar pode provocar uma vontade incontrolável de comer, desejos por determinados alimentos, compulsão alimentar e, pior de tudo, o vício em açúcar. O açúcar estimula os receptores de dopamina e opioides do cérebro, os mesmos receptores estimulados por outras substâncias viciantes, como cocaína e morfina. Assim como essas drogas, o açúcar pode gerar vício. Se tentar reduzir ou romper o vício em açúcar, você vai apresentar sintomas de abstinência, exatamente como os viciados em drogas. Com o tempo, o consumo excessivo de açúcar refinado ocasiona não apenas ganho de peso, mas também outras doenças graves, como doenças cardíacas, derrames ou diabetes tipo 2.

A dra. Judith J. Wurtman, nutricionista do MIT, mostrou que a ingestão de carboidratos refinados, como biscoitos, bolos, doces, massas ou pão branco, eleva os níveis de serotonina e endorfinas no cérebro, gerando a sensação de bem-estar e felicidade. É por isso que sentimos vontade de ingerir esses carboidratos quando estamos ansiosos ou estressados. No entanto, a sensação de "bem-estar" é apenas passageira; logo em seguida, passamos a ansiar por uma quantidade ainda maior desses alimentos, para que a sensação não desapareça. É então que começamos a nos automedicar – comendo doces para manter a calma e o equilíbrio. Não importa se você anseia por doces, pão ou massas, o efeito é o mesmo, porque tudo isso se transforma rapidamente em açúcar no corpo, fazendo-nos querer cada vez mais.

Como o açúcar nos engorda

Quando ingerimos açúcar, ele é armazenado no fígado sob a forma de glicogênio. Quando se torna sobrecarregado com açúcar, o fígado começa a se expandir e, quando chega ao limite, expulsa o glicogênio sob a forma de ácidos graxos (gordura). Esse excesso de gordura se deposita em regiões como barriga, glúteos, coxas e quadris. A situação fica mais perigosa quando os ácidos graxos restantes acabam em nossos órgãos principais, entre eles coração e rins.

Alimentos com açúcar (doces, balas, bolos, tortas, muffins e refrigerantes) e outros carboidratos refinados e amiláceos causam a rápida elevação nos níveis de insulina, que resulta em excesso de gordura no corpo. Depois de ingerido, o alimento é degradado, transformando-se em glicose para que, assim, possa ser usado para abastecer o corpo. A insulina é o hormônio que transporta a glicose do sangue até as células do tecido para ser usada como energia. Quando o excesso de glicose permanece no sangue, os níveis de insulina se mantêm altos. A elevação crônica da insulina pode provocar armazenamento de gordura e inflamação. Níveis elevados de insulina são um sinal para que o corpo armazene as calorias extras sob a forma de gordura e se abstenha de queimá-la. Níveis elevados de insulina significam que você terá mais gordura corporal, enquanto níveis baixos de insulina significam que você terá menos gordura corporal.

As pesquisas também mostraram que uma dieta rica em açúcar faz com que as células cancerosas se multipliquem mais rápido. Uma equipe da Universidade da Califórnia em Los Angeles realizou um importante estudo publicado no periódico *Cancer Research*. Os pesquisadores descobriram que, embora qualquer tipo de açúcar tenha oferecido sustento às células cancerosas, a frutose desempenhou papel fundamental em sua proliferação. Isso significa que o câncer se espalha mais rápido quando a pessoa segue uma dieta rica em frutose (açúcar das frutas).

A indústria alimentícia teve enorme sucesso no desenvolvimento de alimentos que conquistaram os corações e mentes dos amantes de comida. Os fabricantes de alimentos e os proprietários de restaurantes não compreendem inteiramente a ciência subjacente às razões pelas quais açúcar, sal e gordura vendem tão bem, mas estão cientes de que é exatamente o que acontece. Assim, eles nos oferecem alimentos repletos desses ingredientes. Quando um alimento apela a nossas papilas gustativas, dizemos que é palatável. Os cientistas sabem que a comida que é palatável estimula o apetite e a vontade de comer e nos faz querer comer mais. Na verdade, ficamos motivados a buscar aquele sabor repetidamente. Ingerir alimentos ricos em açúcar e sal nos faz querer comer mais alimentos que sejam ricos em açúcar e sal. Quanto mais comida saborosa ingerimos, mais comida saborosa temos vontade de comer.

Os norte-americanos consomem cerca de 45 quilos de açúcar por ano. Tornaram-se fisicamente viciados em carboidratos simples (doces, açúcar, balas). Em um estudo de 2007 realizado na França, ofereceu-se a ratos viciados em cocaína água com alta concentração de uma combinação de açúcar e adoçantes artificiais. Em apenas três dias, os ratos viciados em cocaína abandonaram a fidelidade à cocaína em favor da água com açúcar. A conclusão foi que, assim como a cocaína, o açúcar ativa os receptores de dopamina. Porém, ao contrário da cocaína, o açúcar não tem efeitos adversos sobre o sistema nervoso. Quando os ratos ingeriam a água doce, ficavam "doidões" como se tivessem usado cocaína, sem a desvantagem do aumento do nervosismo. Sabemos que a cocaína é uma das substâncias mais viciantes que existem; assim, podemos constatar como os seres humanos podem facilmente se viciar em açúcar. O açúcar provoca o mesmo efeito da cocaína em seus receptores de dopamina. Os seres humanos podem facilmente viciar-se em açúcar e ter uma crise de abstinência se não tiverem acesso ao açúcar imediatamente.

Você é viciado em açúcar?

Se você responder sim a mais de dez destas perguntas, é provável que seja um *viciado em açúcar*:

- ❏ Você coloca açúcar no café ou chá?
- ❏ Bebe refrigerante pelo menos uma vez por dia?
- ❏ Você bebe sucos industrializados ou naturais, ou bebidas isotônicas?
- ❏ Usa xaropes, compotas ou geleias várias vezes por semana?
- ❏ Comeu muito doce quando era criança?
- ❏ Sente uma vontade súbita de comer doces, massas ou pães, ou eles são seus alimentos favoritos?
- ❏ Você come pão, bagels, croissants, muffins ou donuts no café da manhã?
- ❏ Você vive cansado?
- ❏ Costuma comer sobremesa depois das refeições?
- ❏ Tem desejo de comer doce à tarde ou tarde da noite?
- ❏ Você compra bala quando vai ao cinema?
- ❏ Tem dores de cabeça frequentes?
- ❏ Você bebe bebidas alcoólicas ou adoçadas?
- ❏ Na sua casa tem sempre algum doce ou petisco?
- ❏ Nas festas ou no happy hour, você vai direto para os doces?

Muitos são os motivos para romper o vício em açúcar, mas o que encabeça a lista é o fato de que o açúcar engorda e adoece.

Como romper o vício em açúcar

Só de pensar em abrir mão do açúcar, você já está tendo um ataque de pânico? É preciso pensar na eliminação do hábito de comer doces como a eliminação de um vício. O segredo consiste em entender de onde vem o açúcar que você anda ingerindo e encontrar alternativas para não ingerir uma quantidade tão grande dele nos alimentos.

Comece conscientizando-se de tudo que contém açúcar. Primeiro, é preciso saber detectar onde está o açúcar nos alimentos, pois ele vem habilmente oculto nos rótulos. Praticamente tudo que comemos, em especial alimentos processados e industrializados – inclusive produtos light e diet –, contém açúcar.

É importante ler os rótulos para saber a quantidade total de açúcar nos produtos que você compra e verificar, na lista de ingredientes, os nomes de coisas que, na realidade, são apenas açúcar disfarçado. O açúcar branco refinado ou açúcar de mesa, a sacarose, é a forma de açúcar com a qual as pessoas estão mais familiarizadas. No entanto, outros açúcares comumente encontrados em alimentos são listados nos rótulos dos produtos industrializados, como xarope de milho com alto teor de frutose, glicose, frutose (açúcar das frutas), dextrose (açúcar do milho), maltose (açúcar do malte), lactose (açúcar do leite), adoçante de milho, açúcar cru, açúcar mascavo, açúcar em pó, melado e açúcar de bordo.

Comece analisando o rótulo das bebidas e de produtos industrializados que você tem em casa na geladeira e na despensa. Livre-se daqueles que tiverem alto teor de açúcar (5 gramas de açúcar ou mais por porção).

O açúcar é medido em gramas, e 4 gramas equivalem a uma colher de chá de açúcar. Assim, se um refrigerante tem 40 gramas de açúcar, isso quer dizer que estamos ingerindo o equivalente a dez colheres de chá de açúcar em um único refrigerante. Já dá para ver como tantas pessoas acabam ingerindo diariamente uma quantidade de açúcar tão grande. Eu acreditava estar sendo saudável quando comia mingau de aveia no café da manhã. No entanto, era um mingau semipronto, instantâneo, previamente adoçado, sabor maçã com canela, e não o mingau feito com aveia normal, e tinha cerca de 20 gramas de açúcar por porção, o que é muito.

Lembre-se de uma orientação geral: a melhor maneira de minimizar a quantidade de açúcar da sua dieta é optar por alimentos que tenham 5 gramas ou menos de açúcar por porção. Quando a bebida ou o alimento contém 5 gramas ou menos de açúcar por porção, o corpo não reage exageradamente. Isso significa que seu pâncreas não terá que secretar insulina em excesso, que pode causar armazenamento de gordura no corpo. (Explico esse conceito em um capítulo adiante.)

Para adoçar os alimentos, é sempre melhor usar estévia, ou algum outro adoçante à base de plantas, no lugar do açúcar. A estévia é um adoçante natural feito de uma planta nativa da América do Sul. Outros países utilizam a estévia como adoçante há várias décadas, uma vez que é praticamente livre de calorias e não afeta a glicose no sangue, tornando-se uma excelente alternativa natural ao açúcar e aos adoçantes artificiais.

Quando sentir uma vontade súbita de comer doces, experimente comer uma fruta, uma alternativa melhor. Na verdade, essa é a nossa melhor defesa contra picos de insulina e desejos súbitos de comer doces. Enfrentar essas vontades é o primeiro passo para se desintoxicar e reequilibrar seu corpo. Na realidade, essa vontade desaparecerá depois de três a quatro dias. E, uma vez que os enfrente, esses desejos não serão tão intensos, desde que você continue a deixar de fora da sua dieta alimentos ricos em açúcar.

Açúcar engorda, nos deixa irritadiços, mal-humorados e cansados; além disso, pode causar os mais variados problemas de saúde. Por isso, comprometa-se a eliminar esse vício hoje mesmo!

CAPÍTULO QUATRO

Como as toxinas nos deixam gordos, doentes e cansados

Eu estava orientando uma paciente quando ela me fez duas perguntas muito comoventes: "JJ, por que estou sempre doente? E o que me faz engordar sem parar?" Respondi: "Essa não é a pergunta do dia; é a pergunta do século." As toxinas nos engordam e nos adoecem! São a peça que faltava no quebra-cabeça dos motivos pelos quais não conseguimos emagrecer e por que estamos sempre nos sentindo sem saúde e sem energia!

O que são toxinas?

Toxina é qualquer substância que irrite ou cause efeitos danosos no corpo ou na mente. As toxinas estão em toda parte e, sem estarmos conscientes, enchemos nosso corpo delas todos os dias. Existem dois tipos de toxinas: as ambientais e as internas.

- As toxinas ambientais são encontradas fora do corpo/mente e incluem poluentes, *smog* (mistura de fumaça e nevoeiro), medicamentos controlados, hormônios, anticoncepcionais, produtos de limpeza, aditivos alimentares e pesticidas.

- As toxinas internas são encontradas dentro do corpo/mente e incluem crescimento excessivo de bactérias e fungos, infecções por parasitas, preocupação ou medo crônicos, alergias alimentares e implantes médicos ou dentários, como os de cirurgias estéticas, próteses ósseas ou obturações de mercúrio.

Vivemos em um mar de toxinas. É impossível evitá-las, mas podemos ajudar o organismo a se livrar de algumas delas. Todos os indivíduos têm resíduos de substâncias químicas ou metais em seus tecidos. Desde a virada do século XX, foram introduzidas cerca de 80 mil novas substâncias químicas sem que sua segurança ou interação com o corpo humano tenham sido testadas. Nosso ar é tóxico; nossa água é poluída; nossa comida é privada de nutrientes e repleta de substâncias químicas venenosas e hormônios. E não é só isso; nossas mentes e corações muitas vezes também são poluídos.

As toxinas criam uma pesada sobrecarga no corpo, o que provoca o funcionamento inadequado de muitos dos sistemas orgânicos. O acúmulo de toxinas sobrecarrega os órgãos vitais e outros sistemas do corpo, gerando uma série de problemas de saúde, entre eles fadiga, perda de memória, envelhecimento precoce, erupções na pele, acne, depressão, artrite, desequilíbrios hormonais, ansiedade, transtornos emocionais, dores musculares e articulares, câncer, doenças cardíacas e muito, muito mais.

Não existe uma maneira delicada de dizer isso, mas, até certo ponto, todos nós carregamos em nós toxinas, e essa é uma das principais razões pelas quais tantas pessoas estão acima do peso. O simples fato de estar acima do peso não garante que você tenha uma sobrecarga tóxica, e o fato de ser magro não significa que não tenha. Gordos ou magros, todos nós precisamos avaliar nossa sobrecarga tóxica individualmente. No entanto, é raro encontrarmos uma pessoa que esteja acima do peso e que, após livrar o corpo das toxinas, não emagreça também. Saiba, porém, que eliminar a gordura por meio de dietas e exercícios não é necessariamente sinônimo de eliminar toxinas. Elas são simplesmente reabsorvidas pelo corpo, criando novas células de gordura que prejudicam nossa capacidade de emagrecer de uma vez por todas.

Pesquisas sugerem que a epidemia de obesidade nos Estados Unidos deve-se à sobrecarga tóxica. Um artigo publicado na edição de abril de 2002 do periódico *The Journal of Alternative and Complementary Medicine* concluiu o seguinte: "Os principais fatores responsáveis pela obesidade atualmente, como o sedentarismo e os excessos alimentares, não explicam a atual epidemia. Como a epidemia de obesidade ocorreu rapidamente, foi sugerido que causas ambientais, e não fatores genéticos, poderiam ter uma grande parcela de culpa." Em outras palavras, o artigo levanta a hipótese de que as substâncias químicas encontradas no meio ambiente (ou seja, as toxinas), cujo número aumentou nos últimos cem anos, podem ajudar a explicar a disseminada epidemia de obesidade.

Tendo monitorado a exposição do homem a substâncias químicas tóxicas encontradas no meio ambiente desde 1972, a Environmental Protection Agency (EPA) iniciou uma pesquisa intitulada National Human Adipose Tissue Survey com o objetivo de avaliar os níveis de diversas toxinas no tecido adiposo. O estudo revelou que foram encontradas em 100% das amostras de tecidos cinco das substâncias químicas tóxicas mais conhecidas (OCDD ou octaclorodibenzo-p-dioxina, estireno, diclorobenzeno, xileno e etilfenol). Essas substâncias químicas geradas pela poluição industrial danificam o fígado, o coração, os pulmões e o sistema nervoso. Além disso, outras nove substâncias químicas foram encontradas em 91% a 98% das amostras, entre elas benzeno, tolueno, etilbenzeno e DDE. Essas toxinas encontradas em tecidos adiposos não só contribuem para nossos problemas de peso, como também são prejudiciais à saúde.

A boa-nova é que uma das maneiras de eliminar o excesso de toxinas no corpo é modificando aquilo que o causou em primeiro lugar: a alimentação. No Sistema DHEMM, apresentamos alimentos que ajudam a eliminar do corpo as toxinas, proporcionando maior energia, saúde e vitalidade.

Sobrecarga tóxica no corpo

Sobrecarga tóxica refere-se ao nível de toxinas encontradas nos tecidos do corpo humano por meio da análise do sangue e da urina. As toxinas são armazenadas em praticamente todos os tecidos, entre eles gordura, músculos, ossos, tendões, articulações/ligamentos e vísceras.

Quando o corpo está adequadamente nutrido e desintoxicado, o desempenho dos órgãos atinge seu nível máximo. No entanto, sempre que nossos canais de eliminação ficam obstruídos devido à sobrecarga tóxica e a uma alimentação inadequada, devemos seguir um abrangente programa de desintoxicação para melhorar seu funcionamento. Muitos talvez ainda não estejam familiarizados com a desintoxicação, mas trata-se de um processo bastante natural e benéfico. Da mesma maneira com que limpamos regularmente a casa, o carro e a parte externa do nosso corpo, deveríamos também limpar a parte interna do corpo.

Primeiro, para ter uma noção do que seja a carga tóxica no corpo, sugiro que você faça o breve teste a seguir.

Você conhece sua carga tóxica? Teste

Se vive enfrentando sintomas, como fadiga, ganho de peso, doenças crônicas, incapacidade de se concentrar ou envelhecimento acelerado, pode ser útil verificar se a sobrecarga tóxica no seu corpo está por trás de tudo isso. Faça o teste e veja os resultados para ter uma noção da sua carga tóxica.

Leia as perguntas a seguir e atribua um ponto a cada resposta afirmativa.

- ❏ Você sente desejo de comer doce, massa, arroz branco e/ou batata?
- ❏ Você come alimentos processados (pratos congelados, embutidos) ou fast-food pelo menos três vezes por semana?
- ❏ Toma bebidas cafeinadas, como café e mate mais de duas vezes ao dia?
- ❏ Bebe refrigerante diet ou usa adoçantes artificiais pelo menos uma vez ao dia?
- ❏ Dorme menos de oito horas por dia?
- ❏ Você bebe menos de dois litros de água pura por dia?
- ❏ É sensível a fumaça, substâncias químicas ou gases no meio ambiente?
- ❏ Já tomou ou está tomando antibióticos, antidepressivos ou outros medicamentos?
- ❏ Você toma ou já tomou anticoncepcionais orais ou outros estrogênios? Já fez ou faz reposição hormonal?
- ❏ Tem infecções fúngicas frequentes?
- ❏ Tem obturações dentárias "prateadas"?

- ❏ Você usa produtos de limpeza, cosméticos ou desodorantes comerciais?
- ❏ Você come hortaliças, frutas ou carnes que não sejam orgânicas?
- ❏ Já fumou ou foi exposto a fumaça de terceiros?
- ❏ Está acima do peso ou tem celulite?
- ❏ Sua profissão o expõe a toxinas ambientais?
- ❏ Você mora em uma grande área metropolitana ou perto de um grande aeroporto?
- ❏ Sente-se cansado, exausto ou "lento" ao longo do dia?
- ❏ Você tem dificuldade de concentração?
- ❏ Costuma ter sensação de empachamento, indigestão ou gases depois de comer?
- ❏ Você pega mais de dois resfriados ou gripes por ano?
- ❏ Sofre de congestão nasal, sinusite ou rinite recorrentes?
- ❏ Às vezes observa mau hálito, língua esbranquiçada ou urina com cheiro forte?
- ❏ Tem olheiras ou bolsas sob os olhos?
- ❏ Fica triste ou deprimido com frequência?
- ❏ Sente-se ansioso, impaciente ou estressado com frequência?
- ❏ Tem acne, erupções cutâneas ou urticária?
- ❏ Evacua de forma irregular e/ou sofre de constipação de vez em quando?
- ❏ Tem insônia ou dificuldade de ter um sono repousante?
- ❏ Tem visão embaçada ou coceira e sensação de queimação nos olhos?

Quanto mais alta a pontuação, maior a carga tóxica que você pode ter, e maior será o benefício de um programa de desintoxicação e limpeza. Se tiver feito 20 pontos ou mais, vai se beneficiar significativamente da desintoxicação, o que poderia levar à perda de peso, melhor saúde e mais vitalidade. Se tiver feito 5 a 19 pontos, pode se beneficiar de um programa de desintoxicação para ter melhor saúde e mais vitalidade. Se tiver feito menos de 5 pontos, talvez esteja, de fato, livre de sobrecarga tóxica, desfrutando de uma vida muito saudável. Parabéns!

Entre os sinais de sobrecarga tóxica no corpo podemos incluir:

- Inchaço e gases
- Constipação
- Indigestão
- Baixa energia/fadiga
- Confusão mental/depressão
- Ganho de peso
- Dor crônica
- Infecções
- Alergias
- Dor de cabeça

Um dos mitos mais comuns atualmente é o de que o corpo é capaz de se desintoxicar sozinho, sem ajuda. Talvez você já tenha ouvido falar nisso. Nosso organismo tenta, de fato, eliminar naturalmente as toxinas, mas a exposição excessiva a qualquer uma delas retarda a ação dos sistemas de desintoxicação do corpo. A verdade é que podemos ajudar o corpo. Se quisermos viver mais e melhor, podemos e devemos desintoxicar e limpar o corpo. Sim, as toxinas são reais, elas existem, e a boa-nova é que existem inúmeras maneiras de eliminá-las do organismo. Neste livro, apresentarei as técnicas mais práticas e eficazes.

Muitas pessoas têm dificuldade com dietas por causa dos fortes desejos súbitos de comer determinados alimentos. O controle desse desejo não depende apenas da força de vontade. Na verdade, os desejos súbitos de comer determinados alimentos podem ser eliminados com a adequada desintoxicação e limpeza do corpo. Quando engordei, aos trinta e poucos anos, aprendi que, embora meu metabolismo estivesse começando a desacelerar por causa da idade, aquela não era a verdadeira razão pela qual eu não conseguia emagrecer. Aprendi que meu excesso de peso não vinha apenas da gordura; parte vinha também do excesso de resíduos tóxicos causado por anos de má alimentação, que levava à retenção de líquido e à presença de resíduos intestinais no cólon.

Muitos profissionais que atuam na área médica afirmam que não precisamos ajudar o corpo a se desintoxicar e limpar. Entretanto, um número cada vez maior de pesquisas científicas mostra que toxinas industriais e ambientais podem ser um fator importante em muitas doenças, como Parkinson. Grande parte dos conselhos provenientes da comunidade médica com relação ao emagrecimento concentra-se em comer menos e se exercitar mais. Entretanto, nunca confio minha saúde e meu bem-estar apenas à comunidade médica; realmente sinto que não preciso de licença para entender meu corpo e minha saúde. Tenho enorme respeito pelos médicos, mas, em minha opinião, eles são treinados para tratar sintomas, e podem não ter muita experiência na compreensão do papel desempenhado pela sobrecarga tóxica em nossos problemas e males relacionados à saúde. Isso se aplica particularmente aos médicos mais antigos.

Porém, assim como fazemos antes de realizar qualquer mudança em nossa alimentação ou estilo de vida, não deixe de consultar seu médico ao iniciar sua jornada rumo a uma alimentação e uma vida mais saudáveis. Talvez você até o ilumine e proporcione valiosas informações que ele possa utilizar em sua prática para ajudar outros pacientes. Estamos aqui para nos ajudar uns aos outros na busca da saúde. Uma das minhas citações preferidas é a seguinte: "Saúde é um estado de completo bem-estar físico, mental e social, e não apenas a ausência de doença ou enfermidade." (Organização Mundial da Saúde, 1948)

Como a Dieta Americana Padrão (SAD – Standard American Diet) contribui para a sobrecarga tóxica no corpo*

Um elo importante entre o ganho de peso e a sobrecarga tóxica no corpo é a qualidade dos alimentos que ingerimos. Os alimentos são nossa fonte de energia e, quanto mais nutritivo o alimento, melhor o corpo funcionará. Se escolhermos alimentos ricos em nutrientes, orgânicos e livres de toxinas, o corpo receberá e absorverá a mais alta ingesta de nutrientes, permitindo-nos nos sentir saciados, sem ingerir calorias vazias, que nos levam a comer cada vez mais. Entretanto, atualmente estamos ingerindo cada vez menos desses alimentos saudáveis e ricos em nutrientes.

A dieta americana padrão consiste em alimentos altamente industrializados e refinados, entre eles alimentos congelados, fast-food e alimentos preparados, enlatados, embalados em caixas e processados, a fim de criar variedades "instantâneas", que são as menos saudáveis. Os restaurantes, em especial as cadeias de lan-

---

* Apesar da aparência técnica do termo, a SAD não é uma diretriz oficial, mas sim o nome dado ao conjunto observado dos hábitos alimentares norte-americanos. (N. do E.)

chonetes fast-food e também os supermercados estão repletos de alimentos ricos em gordura, açúcar, colesterol, sódio, sabores artificiais, pesticidas, hormônios e conservantes, todos os quais contribuem para a sobrecarga tóxica no corpo.

Vamos examinar mais de perto a dieta norte-americana padrão. Normalmente, inclui grande quantidade de produtos à base de trigo altamente refinado, como pão branco, biscoitos, bagels, massas e cereais, além de outros alimentos processados, como batata frita de saquinho e salgadinhos de milho. Não podemos nos esquecer de carnes gordurosas, como bife com gordura, hambúrguer, cachorro-quente, costeleta, bacon e carré. Agora, complemente com uma enorme quantidade de gordura saturada, óleo hidrogenado e óleos vegetais processados, como os utilizados em molhos para salada e na culinária, e maionese. Não é surpresa que exista no país uma epidemia de doenças cardíacas, câncer, diabetes e artrite, além de muitas outras doenças degenerativas. Para completar, de sobremesa entram os produtos de confeitaria, como bolos, tortas, cupcakes, cookies e brownies – e não nos esqueçamos dos donuts e chocolates. Em diversos aspectos, como muitos desses alimentos não existiam, as gerações que nos antecederam eram muito mais saudáveis. Hoje, porém, nosso estilo de vida tornou-se estressante e acelerado demais para que tenhamos tempo de seguir uma alimentação saudável. No entanto, devemos comer para "fornecer" ao corpo os nutrientes necessários para manter a saúde e a vitalidade.

Não é apenas a quantidade de comida que ingerimos que nos engorda, é também o que comemos e as substâncias às quais o corpo está sendo exposto e que causam uma sobrecarga tóxica. Embora tecnicamente não estejamos passando fome, como tantos passam em muitas outras partes do mundo, definitivamente estamos desnutridos. Comemos muito, mas nossas deficiências nutricionais manifestam-se sob a forma de "gordura abdominal", "quadril largo", "pelanca no braço", "barrigão de cerveja" e "celulite no bumbum". Quem já não ouviu falar?

Como as toxinas causam excesso de gordura no corpo

Diversos fatores contribuem para o ganho de peso, e um dos mais negligenciados pelas dietas tradicionais é a sobrecarga tóxica. Trocando em miúdos: as pessoas costumam ter dificuldade de emagrecer porque seu organismo está repleto de venenos. Quanto mais toxinas você ingere ou quanto maior a quantidade de toxinas às quais se expõe diariamente, mais toxinas você armazena nas células de gordura do corpo. É difícil livrar-se das toxinas armazenadas nas células de gordura apenas com uma dieta. É preciso antes se desintoxicar. Quando o corpo está sobrecarregado com toxinas, sua energia desloca-se da queima de calorias para o esforço em desintoxicar o corpo. Em outras palavras, o corpo não tem energia para queimar calorias. Entretanto, quando o corpo está se desintoxicando adequadamente, a energia pode ser usada para queimar calorias. Portanto, o Sistema DHEMM começa com a desintoxicação como o primeiro passo para ajudar a eliminar o excesso de peso.

Acredito que os programas de emagrecimento mais eficazes deveriam se concentrar tanto na perda de gordura quanto na desintoxicação. A desintoxicação, processo de eliminar toxinas do corpo, é fundamental para o emagrecimento porque muitas das toxinas no corpo são armazenadas nas células de gordura. Quando você começa a perder peso (gordura), as toxinas armazenadas nas células de gordura são liberadas na corrente sanguínea e precisam ser eliminadas do corpo para não causar doenças. Assim, o emagrecimento que inclui a desintoxicação resulta não apenas em perda de gordura, mas também na melhora geral da saúde e do bem-estar.

O corpo armazena a maior parte das toxinas nas células de gordura e, na verdade, é mais seguro que as toxinas estejam nas células de gordura do que na corrente sanguínea. O lado negativo disso é que, quanto mais gordura corporal você tiver, mais toxinas também estará armazenando. E, como o corpo sabe que a liberação de toxinas na corrente sanguínea é menos desejável do que seu armazenamento seguro nas células de gordura, ele as "segura" lá sem abrir mão delas, dificultando assim o emagrecimento. Desse modo, as células de gordura não se decompõem facilmente e literalmente aumentam o peso e as medidas corporais.

Sendo assim, o primeiro passo para o emagrecimento é a desintoxicação. Sem ela, milhões de pessoas ao redor do mundo perdem a batalha pelo emagrecimento permanente. Quanto mais toxinas o corpo armazena, mais gordura ele tende a acumular e reter. Não é por acaso que os níveis de obesidade entre os norte-americanos vêm aumentando paralelamente ao aumento das toxinas ambientais.

Como as toxinas impedem o emagrecimento

Um estudo publicado no periódico *Obesity Reviews* concluiu que, durante o emagrecimento, determinadas toxinas (por exemplo, pesticidas) são liberadas pelo tecido adiposo, onde costumam ser armazenadas. Essas toxinas podem poluir o corpo, retardar o metabolismo e dificultar ainda mais o emagrecimento adicional. Inúmeros estudos sugerem que as toxinas liberadas durante o emagrecimento interferem na função da tireoide e das mitocôndrias, afetando adversamente a taxa metabólica e reduzindo a capacidade do corpo de queimar gordura e calorias. Um estudo realizado por Catherine Pelletier, pesquisadora da Laval University, sustenta que as toxinas ambientais também podem afetar negativamente a tireoide, fundamental para a regulação adequada do nosso metabolismo. Sendo assim, para quem deseja emagrecer e eliminar o excesso de gordura corporal torna-se fundamental adotar medidas para desintoxicar o corpo de forma segura e evitar a desaceleração do metabolismo.

As toxinas podem interferir na capacidade de emagrecer das seguintes maneiras:

- *Desacelerando o metabolismo.* À medida que são liberadas das células adiposas, as toxinas podem fazer com que a atividade tireoidiana diminua, impactando negativamente o metabolismo. Quando a tireoide se desacelera, o metabolismo também o faz, provocando ganho de peso e baixos níveis de energia.
- *Reduzindo a capacidade de queimar gordura.* As toxinas liberadas durante a perda de peso interferem na função das mitocôndrias, o que reduz a capacidade do corpo de queimar gordura em até 20%.
- *Diminuindo o tempo necessário para termos a sensação de saciedade.* Existem hormônios que enviam sinais ao cérebro informando que estamos saciados e que é hora de parar de comer. A sobrecarga tóxica causa desequilíbrios hormonais que impedem o adequado funcionamento desses sinais.
- *Interferindo em nossos sistemas de controle do apetite.* Além de reduzir diretamente os níveis do hormônio da tireoide, a taxa metabólica e a queima de gordura, as toxinas

podem danificar os mecanismos responsáveis pelo controle do apetite, que são regulados por hormônios e neurotransmissores das células de gordura, do intestino e do cérebro.

O emagrecimento pode ser um desafio em si, mas quando acrescentamos o fato de que as toxinas nas células de gordura também desempenham um papel importante, torna-se um processo ainda mais difícil. Se estiver fazendo progressos no emagrecimento e, de uma hora para outra, chegar a um nível em que para de emagrecer e não consegue mais ir adiante, talvez seja importante avaliar se a sobrecarga tóxica no seu corpo não está impedindo seu progresso rumo ao emagrecimento.

PARTE 2

OS CINCO SEGREDOS PARA O EMAGRECIMENTO PERMANENTE

Os cinco segredos para o emagrecimento permanente

São cinco os mandamentos a serem seguidos para quem deseja alcançar o emagrecimento permanente, todos abordados no Sistema DHEMM:

1. Desintoxicar o corpo, principalmente o fígado, que precisa ser capaz de metabolizar adequadamente açúcares e gorduras para que você possa eliminar a gordura que teima em permanecer no corpo.
2. Corrigir os desequilíbrios hormonais para que cérebro e intestino se comuniquem um com o outro, a fim de orientar seu comportamento alimentar e controlar o apetite.
3. Aprender a acelerar o metabolismo (motor metabólico) para transformar o corpo em uma máquina de queimar gordura.
4. Consumir alimentos que emagrecem.
5. Evitar alimentos que engordam.

Entender os motivos desses mandamentos ajuda a manter não apenas o peso ideal, como também a administrar sua saúde a longo prazo e até mesmo reverter doenças crônicas. A consequência dessas mudanças será o emagrecimento sem grande esforço e uma sensação de vitalidade e energia renovadas. Você vai desfrutar de escolhas alimentares deliciosas, saudáveis e elaboradas por nutricionistas; tais escolhas alimentares possuem diversas propriedades curativas e de queima de gordura.

Seguir esses cinco mandamentos é fundamental para o emagrecimento permanente no longo prazo, que não depende de comer menos, e sim de comer uma maior quantidade de alimentos ricos em nutrientes e que ajudem o corpo a se manter esguio e saudável. Embora especialistas em emagrecimento tenham enfatizado um ou dois desses elementos, até agora ninguém integrou todos os cinco fatores fundamentais para o sucesso em um programa completo. Seguir o Sistema DHEMM garantirá o emagrecimento permanente e a boa saúde pelo resto da vida.

CAPÍTULO CINCO

Livre-se da sobrecarga tóxica no corpo

Como afirmamos no capítulo anterior, o maior segredo para o emagrecimento envolve eliminar as toxinas do organismo. Se você tentar emagrecer sem se livrar das toxinas, certamente vai recuperar todo o peso de volta – mesmo praticando exercícios para queimar gordura. Para emagrecer de uma vez por todas, é preciso se desintoxicar e limpar o organismo, livrando-se das toxinas que encontramos no dia a dia e impedindo-as de entrar novamente no corpo, criando mais e mais células de gordura.

O que significa desintoxicar o corpo?

Desintoxicação é o processo de limpeza e redução da sobrecarga tóxica que atualmente reside em nosso organismo. Como existem muitas toxinas nas células, nos tecidos e nos órgãos, a desintoxicação tem por objetivo trazê-las à tona, permitindo assim sua eliminação do organismo.

Muitas pessoas associam erroneamente a palavra "limpeza" a uma única experiência de jejum ou de limpeza do cólon que se faz durante alguns dias, de tantos em tantos anos. É o significado de "desintoxicação" em um sentido bastante limitado. Embora o cólon seja um dos muitos canais de desintoxicação para eliminação, a limpeza total do organismo vai muito além da limpeza do cólon. Envolve a limpeza de todos os órgãos de desintoxicação, o que inclui fígado, os rins, a pele etc. Assim como você não esperaria um ano para limpar sua casa, não deveria esperar um ano para "limpar" seu organismo. A limpeza regular garante a eliminação constante de toxinas, resíduos e sedimentos. Se esperar demais para limpar o organismo, as toxinas penetrarão mais profundamente nele, fazendo com que você se sinta velho e cansado, o que transparece em sua aparência e, em última análise, provocando doenças e ganho de peso. O objetivo não é passar o dia inteiro no banheiro, e sim incorporar métodos de desintoxicação que sejam graduais, porém estáveis, para evitar efeitos colaterais perturbadores. Assim, precisamos pensar na limpeza como uma atividade regular e contínua que realizamos para alcançar a saúde e o bem-estar ideais.

Desintoxicação é diferente de dieta no sentido de que seu principal objetivo é limpar o organismo como um todo. Entretanto, um dos resultados naturais da desintoxicação é a eliminação do excesso de peso. A ideia é simplesmente ajudar o organismo a realizar seu processo natural de autolimpeza.

Estamos continuamente eliminando o excesso de toxinas por meio dos sistemas digestivo, urinário, circulatório, respiratório e linfático, e também pela pele. Ajudar o organismo a se limpar não é algo antinatural. Há quem chame o ato de liberar toxinas dos tecidos de células de "desintoxicação", enquanto eliminar os resíduos ou toxinas do organismo é chamado de "limpeza". Para as finalidades deste livro, o processo como um todo será chamado de desintoxicação ou limpeza. Neste livro, as palavras desintoxicação, detox e limpeza são intercambiáveis.

Entre os benefícios da desintoxicação do organismo, encontram-se:

- Emagrecimento e a constatação de que você pode desfrutar de uma alimentação mais leve
- Melhor digestão; melhor eliminação; menos constipação, gases, inchaço e indigestão
- Menos reações alérgicas ou reações a alimentos
- Menos muco e congestão nasal, redução de espirros e tosse
- Mais energia, melhor absorção de nutrientes e melhora geral da saúde
- Sensação de saciedade, maior vitalidade e desejo de optar por melhores alimentos e desenvolver melhores hábitos alimentares, permanentemente

Como o corpo se desintoxica?

Lembre-se de que a desintoxicação é um processo contínuo que ocorre em nosso corpo todos os dias, o dia inteiro. Estamos constantemente eliminando toxinas por meio dos sistemas digestivo, urinário, circulatório, respiratório e linfático, bem como pela pele, e tudo funciona a contento. No entanto, devido à sobrecarga tóxica, à medida que envelhecemos, a eliminação dessas toxinas passa a não mais funcionar com tanta eficiência.

O corpo possui sete canais de eliminação: o sangue, o sistema linfático e cinco órgãos – cólon, rins, pulmões, pele e fígado. Todos possuem um papel específico na eliminação de toxinas e resíduos, e todos precisam funcionar adequadamente para que ocorra uma limpeza efetiva completa do corpo. Entretanto, a sobrecarga tóxica significa que esses órgãos e sistemas podem precisar de uma ajudinha para dar conta da demanda adicional que lhes impomos.

Vamos dar uma olhada nos principais órgãos e sistemas de desintoxicação do corpo:

- *Cólon*. O cólon tem quase dois metros e é a parte do sistema digestivo que transporta o material residual do intestino delgado até o reto. O intestino delgado absorve todos os nutrientes dos alimentos que ingerimos e, em seguida, encaminha os resíduos ao intestino grosso. À medida que transporta os resíduos até o reto, o cólon absorve água dos resíduos. Também pode absorver materiais danosos. Quanto mais longa for a passagem dos resíduos pelo cólon, maior será a chance de reabsorção desses materiais danosos de volta para o organismo. É por isso que é importante evacuar regular e diariamente para manter os resíduos fora do corpo.
- *Rins*. Os rins, localizados em ambos os lados das costas, são responsáveis por filtrar o sangue e eliminar materiais dos quais o corpo não precisa. Esses resíduos e água extra se transformam em urina, que flui para a bexiga, de onde será eliminada.
- *Pulmões*. Todos os dias respiramos cerca de 23 mil vezes, levando cerca de 10 mil litros de ar para os pulmões. O ar que respiramos contém diversos gases, inclusive oxigênio, necessário ao funcionamento das células. Cada vez que respiramos, os pulmões levam oxigênio fresco ao sangue, que então o transporta às células.
- *Pele*. A pele, o maior órgão do corpo, é um dos nossos mais eficientes órgãos de desintoxicação. Embora o fígado e os rins sejam as principais fontes de desintoxicação, a pele definitivamente tem um papel importante. Quando o corpo

se desintoxica de maneira adequada, a pele excreta água e toxinas, sal e outras substâncias químicas por meio da transpiração. As glândulas que estão conectadas a milhares de minúsculos folículos capilares encontrados nos poros do nosso corpo produzem o suor, permitindo que as toxinas sejam liberadas. Podemos monitorar o estado geral da nossa saúde por meio da pele. Uma pele com brilho saudável e macia ao toque indica que o corpo está se desintoxicando de forma adequada. Por outro lado, uma pele seca, com acne, erupções e urticária indica que nossos órgãos internos estão sobrecarregados de toxinas.

- *Fígado.* O fígado, o maior dos órgãos internos, realiza a função mais importante e abrangente de todos eles. Tem a capacidade de filtrar um litro de sangue por minuto e exerce funções metabólicas peculiares. À medida que o sangue flui para o fígado, inicia-se o processo de desintoxicação. O fígado excreta suas toxinas na bile. A bile produzida pelo fígado é armazenada na vesícula biliar. Em seguida, as toxinas são despejadas no intestino delgado e, posteriormente, eliminadas pelo cólon. Entretanto, em caso de constipação, essas toxinas e bile poderão permanecer no intestino durante muito tempo. Isso faz com que venenos tóxicos que deveriam ser eliminados na verdade sejam reabsorvidos pelo corpo. Essas toxinas podem ser armazenadas por meses e até mesmo anos, mas também podem ser liberadas pela transpiração como, por exemplo, durante a prática de exercícios ou na sauna, excelentes formas de excretar toxinas por meio da pele. Mais adiante, neste capítulo, voltaremos a abordar o papel e a função do fígado.
- *Sistema linfático.* O sistema linfático é um sistema circulatório secundário que sustenta a desintoxicação e o sistema

imunológico. O sistema linfático transporta o excesso de toxinas e fluidos, e as glândulas sudoríparas eliminam as toxinas pela pele. À medida que os tecidos ficam cheios de toxinas, após as funções normais corporais, o corpo as remove transportando-as pela corrente sanguínea para que sejam processadas pelo fígado. Isso ocorre por meio do sistema linfático, que também transporta gorduras e ácidos graxos, bem como células do sistema imunológico. Em um corpo saudável, o sistema linfático trabalha com eficiência; porém, quando o corpo está sobrecarregado de toxinas, o sistema linfático também pode ficar sobrecarregado. Sinais de que o sistema linfático está trabalhando de forma inadequada são inchaço nas mãos, nos pés, nas pernas, e celulite – isso mesmo, senhoras, celulite. No Capítulo 14, discutiremos algumas formas naturais de eliminar a celulite.

O órgão responsável por nos deixar gordos ou magros

O maior segredo para o emagrecimento é manter o fígado saudável, operando com força total. O fígado (conhecido também como órgão responsável pela queima de gordura) é a arma secreta número um para o emagrecimento. O fígado é responsável pela quebra, eliminação e neutralização das toxinas, bem como pela quebra de gordura.

Com o tamanho aproximado de uma bola de futebol americano e pesando entre 1,5 quilo e dois quilos, o fígado é o maior órgão do corpo humano. Imagine-o como uma máquina de lavar sangue. O fígado sustenta o sistema digestivo, controla os níveis de açúcar no sangue e regula o armazenamento de gordura. Caso venenos ou gorduras em excesso o obstruam, ele não poderá exercer sua função de queima de gordura. Quando o fígado não consegue realizar bem suas funções metabólicas, ficamos sem energia, não absorvemos nutrientes essenciais para a sobrevivência do corpo e não conseguimos combater doenças. O fígado é responsável por uma ampla variedade de funções de promoção da saúde que restauram a boa saúde e ajudam a manter o emagrecimento. São estas as suas funções:

- Filtrar o sangue, eliminando toxinas, como vírus, bactérias, fungos e outras substâncias estranhas venenosas. Quando exerce adequadamente suas funções, o fígado consegue eliminar 99% das toxinas do sangue antes de o distribuir para o restante do corpo.
- Metabolizar gorduras produzindo a bile, substância que quebra gorduras, permitindo sua digestão. Diariamente, o fígado produz mais ou menos um litro de bile, o que ajuda a digerir gorduras alimentares, decompondo-as para que possam ser utilizadas como combustível.
- Metabolizar carboidratos e ajudar o corpo a manter níveis saudáveis de açúcar no sangue.
- Decompor proteínas em aminoácidos, criando proteínas vitais para o sangue.
- Atuar como unidade de armazenamento, abrigando uma abundância de substâncias; entre elas, glicogênio (energia armazenada), ferro, sangue e vitaminas A, D e B12.
- Manter o motor metabólico em funcionamento e o corpo livre de toxinas, removendo do sangue drogas, substâncias químicas e hormônios – desativando-os e eliminando-os.

No meio em que vivemos atualmente, somos expostos a um número cada vez maior de toxinas, dia após dia: poluentes, pílulas anticoncepcionais, medicamentos controlados, produtos de limpeza doméstica, aditivos alimentares e pesticidas. À medida que envelhecemos, as toxinas se acumulam no nosso sistema e geram uma sobrecarga tóxica no corpo. Sobrecarregado de toxinas, o fígado tem dificuldade de eliminá-las; por isso, passa a armazená-las nas células de gordura. Quanto maior a quantidade de toxinas às quais somos expostos ao longo do tempo, mais células de gordura são criadas no corpo.

É muito mais fácil emagrecer quando o fígado está funcionando bem. O fígado precisa funcionar adequadamente para eliminar as toxinas que estão criando células de gordura no corpo. Se você tiver acúmulo de gordura, principalmente ao redor da cintura e na região da barriga, é possível que seu fígado não esteja funcionando adequadamente ou com tanta eficiência quanto poderia. Para perder esse excesso de peso, é necessário desintoxicar e limpar o fígado, o que não apenas afina a cintura, como também deixa o corpo mais esbelto.

A doença de fígado mais comum nos Estados Unidos chama-se esteatose hepática; nela, o fígado deixa de processar a gordura e começa a armazená-la na região da cintura. A esteatose hepática afeta 20% da população. Sua principal causa é o consumo excessivo de açúcar, xarope de milho rico em frutose e carboidratos refinados (como farinha de trigo, arroz branco e açúcar refinado). O excesso de açúcar também danifica as mitocôndrias, que são pequenas usinas produtoras de energia dentro da célula e convertem açúcar em energia. À medida que envelhecemos, as mitocôndrias tornam-se menos numerosas e menos eficientes. Quando somos jovens, cada célula tem mais de mil mitocôndrias; ao chegarmos aos cinquenta anos, porém, esse número é reduzido mais da metade. Isso significa que o corpo produz menos energia, desacelerando o metabolismo. Um dos principais motivos pelos quais engordarmos à medida que envelhecemos é o fato de o corpo produzir menos energia, e nós continuarmos consumindo a mesma quantidade de energia sob a forma de alimentos. Um fígado gorduroso também é um fígado inflamado, produzindo mais moléculas anti-inflamatórias em todo o corpo, o que danifica ainda mais as mitocôndrias. Impedir a ocorrência de danos às mitocôndrias é fundamental para sustentar o emagrecimento. Quando as mitocôndrias sofrem danos, não conseguimos queimar gordura ou calorias com eficácia, desacelerando o metabolismo e ocasionando maior ganho de peso.

A essa altura, você deve estar pensando: *acredito que meu fígado esteja funcionando perfeitamente bem*. Mas como podemos saber? Alguns dos sintomas da sobrecarga tóxica no corpo são inchaço, constipação, indigestão, baixa energia, fadiga, confusão mental, depressão, ganho de peso, dor crônica, infecções, alergias e dor de cabeça. Se estiver preocupado com as condições do seu fígado, há também exames de sangue capazes de revelar como anda seu fígado. Entretanto, esses exames não mostram a real extensão da sua capacidade funcional. Em outras palavras, uma leve perda na função hepática pode não aparecer nos exames de sangue convencionais. Esse tipo de desaceleração costuma ser chamado de "fígado preguiçoso".

Os sinais de um fígado preguiçoso são:

- Palidez ou vermelhidão no rosto
- Descoloração dos olhos
- Olheiras
- Língua amarelada

- Acne ou erupções ao redor no nariz, nas bochechas e no queixo
- Sabor amargo na boca
- Dor de cabeça
- Mau humor e irritabilidade
- Transpiração excessiva
- Excesso de vasos sanguíneos no rosto
- Vermelhidão nas palmas das mãos e nas solas dos pés, que também podem coçar e inflamar

Embora o corpo disponha de diversos órgãos de eliminação, os profissionais de saúde em geral concordam que o fígado é o principal órgão de desintoxicação. Já foi dito que a extensão e a qualidade de vida dependem do funcionamento adequado do fígado. Limpeza e desintoxicação são ótimos para recuperar o equilíbrio do trato digestivo e restaurar o bom funcionamento do fígado. Dessa forma, um dos órgãos que mais merece passar por um processo de limpeza é o fígado. Ele trabalha dia e noite para livrar o corpo das toxinas, como substâncias químicas, venenos, bactérias e outras substâncias estranhas. É fundamental mantê-lo saudável e em perfeito funcionamento.

Muitas coisas que fazemos em nosso dia a dia impõem um estresse adicional ao fígado. Coisas que podem dificultar a eliminação de gorduras e a quebra de gorduras são o consumo de açúcar, adoçantes artificiais, álcool, anti-inflamatórios vendidos sem receita médica e medicamentos controlados. O fígado precisa estar muito saudável para processar essas substâncias que são químicas/estranhas ou não são naturais. Quando tem uma sobrecarga dessas toxinas, o corpo simplesmente as armazena sob a forma de células de gordura. No Sistema DHEMM, vamos nos concentrar intensamente na desintoxicação e otimização da função hepática. Em suma, o fígado é responsável pela quebra de tudo o que entra no corpo, diferenciando os nutrientes que precisamos que sejam absorvidos das substâncias tóxicas ou desnecessárias que devem ser filtradas do sangue. Decompõe alimentos, bebidas, medicamentos controlados, vitaminas e até mesmo pesticidas dos alimentos. Entretanto, quando está obstruído e sobrecarregado de toxinas, o fígado não consegue desempenhar bem sua função de quebrar alimentos e processar nutrientes e gorduras. Portanto, se estiver preocupado com o peso, lembre-se de algo muito importante: quanto maior a carga tóxica do seu corpo, mais difícil será emagrecer de uma vez por todas.

Doze maneiras de desintoxicar o corpo

Existem diversos métodos de desintoxicação, os quais discutirei detalhadamente a seguir. Seria interessante você escolher dois ou três métodos a cada semana e incluí-los em seus objetivos de bem-estar e saúde em geral. Ao iniciar a desintoxicação, já nos primeiros dias você poderá notar uma mudança para melhor na saúde e os níveis de energia; outras pessoas, porém, podem levar meses para notar as mudanças. A sobrecarga tóxica varia de uma pessoa para outra e são muitos os fatores envolvidos; entre eles, as condições de saúde, peso, metabolismo, idade e genética. Seja paciente e fique firme durante o processo, não desista.

As doze melhores maneiras de desintoxicar-se e limpar efetivamente o corpo:

1. Ervas/suplementos para limpeza do cólon
2. Colonterapia

3. Ervas/suplementos de limpeza do fígado
4. Alimentos desintoxicantes
5. Sauna
6. Bikram Yoga
7. Almofadas desintoxicantes e escalda-pés
8. Água alcalina
9. Esfoliação corporal
10. Atividade física
11. Óleo de rícino
12. A grande limpeza

Já utilizei todos esses métodos de desintoxicação em diversas ocasiões e utilizo os meus favoritos com regularidade semanal. É necessário perceber a desintoxicação como uma atividade regular e contínua que ajudará você a se manter saudável e magro.

Ervas/suplementos de limpeza do cólon

As ervas de limpeza do cólon são usadas com segurança há séculos e funcionam um pouco mais lentamente do que a colonterapia na desintoxicação do corpo, mas com o tempo alcançam bons resultados. Existem sob a forma de suplementos em pó ou em cápsulas. Sua finalidade é forçar o cólon a expelir seu conteúdo.

Um dos benefícios da limpeza do cólon é a redução da constipação. Uma alimentação inadequada que prive a pessoa de nutrientes essenciais pode fazer com que as paredes intestinais fiquem revestidas com uma substância que se assemelha a uma placa e que definitivamente não faz bem à saúde. A limpeza do cólon não apenas ajuda a eliminar os resíduos das paredes intestinais, como também permite que os dejetos passem mais livremente. Outro benefício perceptível é a eliminação da diarreia. Trata-se de uma condição específica geralmente provocada por toxinas, que podem causar problemas ao processo de solidificação dos resíduos como um todo.

Um agente muito poderoso e eficaz de limpeza do cólon que já usei para obter resultados de um dia para outro é um suplemento de hidróxido de magnésio. Ele associa compostos de hidróxido de magnésio que foram ozonizados e estabilizados para liberar oxigênio durante doze horas ou mais ao longo do sistema digestivo. O magnésio atua como veículo de transporte do oxigênio ao redor do corpo e tem o efeito sutil de amolecer toxinas e resíduos ácidos, transportando-os para fora do corpo. O oxigênio também sustenta o crescimento de bactérias benéficas, que são essenciais para a adequada saúde digestiva e intestinal.

Para uma intensa limpeza do cólon, suplementos de hidróxido de magnésio usados por sete a dez dias são uma maneira eficaz de dar o pontapé inicial em um programa de desintoxicação. Seu uso regular é seguro e pode ser utilizado a longo prazo para desintoxicação diária e contínua. Ao contrário dos laxantes sintéticos, suplementos de hidróxido de magnésio de qualidade não formam hábitos e, na verdade, fortalecem todas as funções do corpo, o que os torna uma opção segura e de longo prazo. Como sempre, consulte antes o seu médico e não deixe de seguir as orientações na embalagem. Para a maioria das pessoas, de três a cinco cápsulas consumidas antes de dormir durante sete a dez dias proporcionam uma limpeza eficaz do cólon. Caso fique com intestino solto ou apresente outros efeitos colaterais, reduza a dose e tome o suplemento apenas uma vez ao dia.

O uso regular de suplementos de hidróxido de magnésio é seguro, mas eu recomendaria sua utilização apenas periodicamente durante a desintoxicação e limpeza pesadas para ajudar a manter o cólon limpo e intensificar a atividade intestinal. É também uma boa alternativa para meus clientes que não podem arcar com o custo da hidrocolonterapia ou não tenham acesso a esse tipo de terapia. Alguns clientes elogiam sua capacidade de diminuir o inchaço, gases e constipação. Entretanto, para mim, seu maior benefício é a eliminação de toxinas impactadas e resíduos ácidos do trato digestivo.

É possível também encontrar produtos para limpeza do cólon na internet ou em lojas de alimentos naturais ou farmácias. Entre eles estão fortes chás de ervas, enzimas, pós ou antiparasitários. Diferentes ervas exercem diferentes ações e, portanto, produzem diferentes resultados. Portanto, é importante saber que objetivo você gostaria de alcançar ao escolher uma erva para limpeza do cólon. Algumas atuam como laxativos, ajudando a eliminar a matéria fecal e evitando o acúmulo de substâncias tóxicas; outras matam bactérias danosas e parasitas; outras, ainda, amolecem as fezes, formam bolo fecal e intensificam a função dos músculos do cólon, promovendo a evacuação saudável e regular. Portanto, se quiser um produto que funcione apenas como laxante, deve escolher aquele diferente do preferido pela pessoa que deseja formar bolo fecal e limpar o cólon ou matar parasitas. Preste atenção às suas fezes e veja o resultado. Você ficará maravilhado e, muito provavelmente, enojado.

Colonterapia

A colonterapia, conhecida também como hidrocolonterapia ou irrigação do cólon, é um método utilizado para eliminar do intestino os resíduos e a matéria fecal impactada. A primeira máquina moderna para o cólon foi inventada há cerca de cem anos. Hoje em dia, higienistas do cólon ou terapeutas especializados em colonterapia realizam as sessões de hidrocolonterapia.

A colonterapia funciona de maneira análoga a um enema, mas envolve uma quantidade muito maior de água e nenhum de seus odores ou desconfortos. Com o paciente deitado sobre uma mesa, o terapeuta especializado utiliza uma máquina ou bomba para jogar lentamente uma enorme quantidade de água em seu intestino, por meio de um tubo inserido no reto. Após a água chegar ao cólon, o terapeuta pode massagear o abdômen do paciente. Em seguida, eliminam-se os fluidos e resíduos por meio de outro tubo. O processo pode ser repetido. Uma sessão pode durar até uma hora. O terapeuta poderá utilizar diferentes pressões e temperaturas da água.

O cólon pesa, em média, até dois quilos, mas não é difícil uma limpeza de cólon eliminar até cinco ou nove quilos de matéria fecal estagnada. O cólon pode armazenar uma grande quantidade de material residual que, quando não eliminado, apodrece, acrescentando-se à carga tóxica do seu corpo. A "barriguinha" que muitos apresentam pode, na verdade, ser composta de vários quilos de matéria fecal antiga e dura acomodada no intestino. Após a hidrocolonterapia, a pessoa pode apresentar uma perda de peso imediata.

É um equívoco comum acreditar que a irrigação do cólon fará com que o organismo elimine, ao mesmo tempo, as boas e as más bactérias. Se decidir fazer uma irrigação do cólon, saiba que o processo eliminará todas as boas bactérias do cólon – mas apenas temporariamente. Após o procedimento de eliminar tanto as boas bactérias quanto as bactérias ruins, é importante repor as boas bactérias, os probióticos. Seu corpo substituirá as boas bactérias em 24 horas, a não ser que você esteja extremamente doente ou fraco.

No entanto, deve-se sempre tomar suplementos de probióticos após uma irrigação do cólon para repor as boas bactérias imediatamente. Um bom terapeuta especializado em hidrocolonterapia sempre fornece probióticos (bactérias benéficas) ao final da sessão.

Caso você decida fazer uma pesquisa sobre a hidrocolonterapia e incluí-la em seu processo de desintoxicação, o mais adequado seria fazer pelo menos uma sessão por semana durante seis semanas, principalmente quando iniciar um processo de desintoxicação mais agressivo. Isso porque você estará liberando as toxinas do organismo e, se não forem eliminadas rápido, elas podem provocar sintomas de desintoxicação que talvez sejam desconfortáveis. Uma regra de ouro para decidir se vale ou não a pena realizar sessão de hidrocolonterapia é verificar com que frequência você costuma evacuar. Caso seu corpo esteja administrando adequadamente as toxinas e os resíduos por meio de evacuações diárias (uma a duas vezes por dia), você provavelmente não precisa fazer uma sessão de irrigação do cólon. Caso não evacue sequer uma vez por dia, seria uma boa ideia fazer uma sessão de hidrocolonterapia para normalizar a frequência das evacuações.

Não existem grandes limitações à colonterapia administrada por um terapeuta especializado e bem treinado. Você não precisa se preocupar com a segurança do procedimento, desde que seja realizado por um colonterapeuta confiável e com uma máquina de boa qualidade.

Avalie suas condições de saúde prestando atenção às suas fezes
Eis outra simples maneira de avaliar sua saúde. Por exemplo, fezes pretas ou avermelhadas indicam possíveis problemas de saúde. Fezes finas sugerem a necessidade de incluir maior quantidade de fibras na alimentação ou a existência de algum tipo de dese-

quilíbrio no trato digestivo. Se você sofrer de constipação crônica e suas fezes estiverem muito duras, pode ser sinal de que seu fígado está sobrecarregado. Caso sofra de constipação crônica ou fique sem evacuar durante um período extenso, procure ajuda médica.

Seu padrão de evacuação ajuda a entender o que está acontecendo com o seu organismo. Uma evacuação saudável deve:

- Ocorrer de duas a três vezes ao dia e *definitivamente* não menos do que uma vez por dia
- Não ter um odor forte, desagradável
- Ser de coloração amarronzada, ter o formato de uma banana e a largura de uma salsicha
- Ter de dez a vinte centímetros de comprimento e entrar na água lenta e suavemente

Essas diretrizes gerais podem ajudá-lo a prestar atenção à sua evacuação para avaliar constantemente a saúde geral do seu sistema digestivo e sobrecarga tóxica no seu organismo.

Ervas/suplementos para limpeza do fígado

No início deste capítulo, vimos a importância do fígado para o emagrecimento e a manutenção da saúde. O fígado é responsável pela quebra e eliminação de toxinas no organismo, bem como pela quebra de gorduras no organismo. Portanto, a limpeza hepática é essencial para melhorar a capacidade de desintoxicação do organismo e ajudá-lo a metabolizar e queimar gordura.

Uma maneira fácil de limpar o fígado é ingerir ervas/suplementos, tais como cardo-mariano, raiz de dente-de-leão e bardana.

São ervas totalmente naturais e muito eficazes na desintoxicação do fígado. Existem diversos produtos no mercado que associam essas ervas em um suplemento para que você possa alcançar os melhores resultados. Quando procurar produtos que auxiliem a limpeza hepática, utilize somente aqueles que forem completamente naturais e que tenham ação suave sobre o organismo Além disso, uma opção barata para limpeza do fígado é tomar uma a duas colheres de sopa de vinagre de cidra de maçã em 240 ml de água todos os dias, de manhã e à noite. Faça isso durante duas a três semanas ou até os sintomas do "fígado preguiçoso" começarem a melhorar.

A limpeza hepática pode ser uma experiência positiva e rejuvenescedora, proporcionando diversos benefícios à saúde. Melhorando a saúde do seu fígado, você aumentará a capacidade do corpo de se desintoxicar, aperfeiçoará sua capacidade de queima de gordura e alcançará a saúde ideal.

Alimentos que desintoxicam o organismo

Quando você ingere alimentos naturais, orgânicos, saudáveis, sobretudos crus, o corpo fica mantido limpo e tende a ter uma aparência radiante, independentemente da idade que tenha. Quando consome alimentos mais naturais, crus, você simplesmente se sente melhor, o que se reflete em sua aparência. Eis alguns alimentos e ervas que desintoxicam e limpam o organismo:

- *Hortaliças verdes folhosas.* Quando você estiver pronto para desintoxicar seu organismo, abasteça a geladeira de acelga, *wheatgrass*, espinafre, espirulina, alfafa, acelga suíça, rúcula e outras folhas orgânicas. Essas hortaliças atuam melhor na desintoxicação se consumidas cruas ou levadas cruas à centrífuga. Fornecem clorofila ao trato digestivo. A clorofila elimina do corpo quaisquer toxinas ambientais danosas provocadas por poluição, metais pesados, herbicidas, produtos de limpeza e pesticidas. As folhas também são ricas em enxofre e glutationa, substâncias que ocorrem naturalmente e ajudam o fígado a eliminar substâncias químicas prejudiciais.

- *Cebola.* Cebola, cebolinha verde e échalotes são fontes de aminoácidos contendo enxofre. Segundo Patrick Holford e Fiona McDonald Joyce, autores do livro *The 9-Day Liver Detox Diet*, o enxofre conduz um caminho fundamental para a limpeza hepática conhecido como sulfatação. Os aminoácidos presentes na cebola fornecem matéria-prima para a produção de glutationa, um composto desintoxicante no fígado. A glutationa desintoxica o acetaminofeno e a cafeína que passam pelo órgão. Os autores recomendam a ingestão de uma cebola pequena, uma échalote ou quatro cebolinhas verdes por dia para obter o efeito desintoxicante total. A cebola roxa é particularmente benéfica, pois contém quercetina, um anti-inflamatório natural que intensifica a função hepática.
- *Frutas cítricas (grapefruit, limão, lima e laranja).* As maravilhosas frutas cítricas ajudam o corpo a eliminar toxinas e também a dar o pontapé inicial nos processos enzimáticos no trato digestivo. Além disso, auxiliam o fígado nos processos de limpeza. Para intensificar a desintoxicação, comece o dia com um copo de água morna com limão. Lembre-se, a vitamina C transforma toxinas em material digestível.

- *Brotos de brócolis.* Os brotos de brócolis são extremamente ricos em antioxidantes e, como nenhuma outra hortaliça, podem ajudar a estimular enzimas de desintoxicação no trato digestivo. Os brotos são, de fato, mais eficazes do que a hortaliça crescida.
- *Alho.* Esse bulbo de sabor pungente estimula o fígado a produzir enzimas de desintoxicação que ajudam a filtrar os resíduos tóxicos no sistema digestivo. O acréscimo de alho fatiado ou cozido a qualquer prato ajuda qualquer dieta detox.
- *Nozes e sementes.* Incorpore uma quantidade maior de nozes e sementes altamente digeríveis à sua alimentação. Entre elas, incluem-se amêndoas, nozes e sementes de linhaça, de abóbora, de cânhamo, de gergelim, de chia, de cedro siberiano e de girassol.
- *Ômega-3.* Use óleos de cânhamo, abacate, peixe, linhaça e azeite para lubrificar as paredes intestinais, permitindo que as toxinas sejam absorvidas pelo óleo e eliminadas pelo corpo.
- *Feijão e leguminosas.* O feijão estimula uma potente enzima chamada colecistocinina, que reduz naturalmente o apetite e, ao mesmo tempo, fornece proteína ao fígado, ajudando a desintoxicar o corpo. Acrescente-o a saladas ou coma-o como prato principal ou acompanhamento.
- *Chá-verde.* Lotado de antioxidantes, o chá-verde não apenas elimina as toxinas do sistema por meio de seu conteúdo líquido como também contém um tipo especial de antioxidante chamado catequina, conhecido por maximizar a função hepática.
- *Sucos verdes.*

Saunas

A pele é o maior órgão de eliminação do corpo e a sauna ajuda a eliminar as toxinas do organismo por meio da transpiração. Adoro sauna porque me interesso por tudo o que possa proporcionar benefícios à saúde. Você pode matar três coelhos com uma cajadada só: elimina toxinas, queima calorias e sai de lá com a pele linda. Eu, pessoalmente, adoro fazer sauna. Tive uma cliente que aprendeu sobre saunas em meus telesseminários e descobriu que, após usar a sauna, sua acne sumiu: ela estava eliminando as toxinas pela transpiração em vez de permitir que entupisse seus poros.

Em alguns casos, para saber o quão saudável uma pessoa é, basta analisar sua pele. Uma pessoa que tem a pele limpa e radiante tem boas chances de ser saudável; uma pele seca, acneica e uma aparência inchada indicam que o organismo está passando por alguns problemas de saúde. Especialistas afirmam que uma sessão de sauna pode fazer mais para limpar, desintoxicar e simplesmente "renovar" a pele do que qualquer outra coisa.

Benefícios da sauna:

- *Emagrecimento.* Em 15 a 20 minutos de sauna, é possível queimar 300 a 500 calorias, o equivalente a uma ou duas horas de caminhada acelerada ou uma hora de exercícios. A sauna tem um efeito positivo no metabolismo, aumentando sua velocidade e intensidade, o que, por sua vez, resulta em emagrecimento.
- *Eliminação de toxinas.* As saunas a vapor induzem a transpiração, por meio da qual o corpo expulsa as toxinas e impurezas. O calor do vapor faz com que a temperatura corporal se eleve, o que pode ajudar a matar quaisquer vírus, bactérias, fungos ou parasitas presentes no corpo.

- *Melhora da pele.* O vapor abre os poros da pele, permitindo que as impurezas e toxinas sejam expulsas do organismo. O vapor também hidrata e nutre a pele, tornando saunas a vapor especialmente benéficas para pessoas que tenham a pele seca.
- *Fortalecimento do sistema imunológico.* O vapor da sauna a vapor abre os poros, permitindo que a pele elimine as toxinas que podem provocar doenças por meio da transpiração. A alta temperatura da sauna causa uma febre artificial, o que envia um chamado de "despertar" ao sistema imunológico e eleva a contagem de células brancas do corpo.
- *Relaxamento muscular.* O calor do vapor aquece e relaxa os músculos tensionados. Esse relaxamento ajuda a reduzir os níveis de estresse, intensifica a clareza mental e melhora a saúde física e emocional como um todo.

Na sauna a vapor, a pessoa tenta permanecer na presença de calor úmido durante 15 a 20 minutos. Em seguida, toma um rápido banho gelado para eliminar todas as toxinas que foram expulsas pela pele e sente-se inteiramente renovada.

O melhor tipo de sauna é a sauna por infravermelho, que produz o que se conhece como calor radiante. O calor de uma sauna por infravermelho também penetra mais profundamente, sem o desconforto e a moleza que muitos sentem em uma sauna a vapor convencional. Uma sauna por infravermelho produz duas a três vezes mais volume de suor e, devido às temperaturas mais baixas usadas (50 a 55 graus), é considerada uma alternativa mais segura para as pessoas que apresentam risco cardiovascular. Acelera a eliminação de resíduos e substâncias químicas tóxicos que são armazenados nos tecidos adiposos. A transpiração causada pelo calor profundo ajuda a eliminar as células mortas da pele, melhorando seu tônus e elasticidade. O calor produzido nas saunas por infravermelho é extremamente útil para vários problemas de pele, inclusive acne, eczema e celulite. Outro benefício da sauna é que você queima calorias. Estudos apontam que é possível queimar 600 calorias em trinta minutos de sauna por infravermelho. Qualquer que seja a sua preferência, tanto a sauna a vapor como a sauna infravermelha podem desidratar. Por isso, é fundamental hidratar-se bem antes e depois da sauna.

Algumas das minhas dicas pessoais para usar nas saunas:

- É importante experimentar diferentes tipos de saunas (a vapor, por infravermelho e de vapor de oxigênio): procure em spas para ver que tipo de sauna é mais do seu agrado.
- Há também a possibilidade de investir na aquisição de uma sauna a vapor para ter em casa. Comprei uma por 200 dólares, que é muito mais barata do que ir ao spa toda semana.
- Fazer sauna de uma a duas vezes por semana é ideal para obter os melhores resultados.
- Tome água antes e depois da sauna. Costumo tomar água de coco após a sauna por ser muito hidratante.
- Se tiver problemas cardíacos, pele especialmente sensível, asma ou se estiver grávida, não faça sauna sem antes consultar seu médico.

Bikram Yoga

Certa vez, ouvi dizer que praticar Bikram Yoga como método de desintoxicação é uma das melhores maneiras de fazer o corpo livrar-se de resíduos e toxinas indesejados. Agora que pratiquei essa modalidade de ioga, concordo plenamente! Durante uma aula de Bikram Yoga, o corpo elimina resíduos tóxicos pela pele, por meio da transpiração, pois a pele é um dos maiores sistemas de eliminação de resíduos que o corpo possui.

O ioga, em si, é uma excelente maneira de alcançar a boa forma física porque trabalha todos os músculos do corpo, tornando-os fortes e flexíveis. Em 90 minutos de aula de Bikram Yoga, são praticadas 26 poses, além de dois exercícios de respiração. As aulas ocorrem em uma sala com temperaturas que alcançam de 35°C a 37°C. Em altas temperaturas, começamos a suar em profusão, permitindo que os resíduos tóxicos sejam eliminados do corpo. Isso faz com que a pele converta toxinas provenientes de diversas gorduras em compostos mais simples, mais solúveis em água, que podem ser eliminados com facilidade. Calcula-se que em uma sessão de Bikram Yoga de 90 minutos você queime de 750 a 900 calorias. Bikram Yoga é uma maneira eficaz de se alcançar o equilíbrio entre mente, corpo e espírito.

Almofadas/escalda-pés desintoxicantes

As almofadas desintoxicantes (*detox foot pads*) são uma maneira rápida e fácil de eliminar as toxinas do corpo. As almofadas detox são aplicadas na planta dos pés durante a noite. Acredita-se que os seus ingredientes atraem as impurezas e toxinas, ajudando a eliminá-las do corpo durante o sono. Pela manhã, tire as almofadas e jogue-as fora. São úteis para dores, músculos doloridos, dores nas articulações, inchaços e edemas.

O escalda-pés (escalda-pés iônico) funciona mergulhando-se os pés em uma solução de água salina composta por diversos ingredientes que eliminam as toxinas. A atividade iônica da água penetra na gordura corporal e elimina as toxinas pelas centenas de poros presentes nos pés. Trinta minutos, em média, é o tempo necessário para um escalda-pés desintoxicante, que custa pouco mais do que as almofadas (15 dólares pelas almofadas e 60 dólares pelo escalda-pés iônico). Diz-se que o escalda-pés aumenta a mobilidade dos joelhos e cotovelos. É uma opção de medicina alternativa para pessoas que sofrem de dores de cabeça, ósseas e articulares crônicas. Um banho de desintoxicação para pés é muito simples e extremamente relaxante! Se quiser experimentar o banho de desintoxicação para pés, é possível encontrá-lo em spas com o nome de Aqua Chi Foot Bath.

Água alcalina

A água alcalina (água ionizada ou rica em hidrogênio) desintoxica o organismo e deixa a pele com aparência mais macia, mais elástica e mais jovial. Os benefícios da água alcalina são a desintoxicação, melhor hidratação e o aumento dos níveis de energia. É possível comprar uma garrafa que transforma a água normal em água alcalina ou adquirir um filtro (caro) que converte a água da torneira em água alcalina.

Recomenda-se *não* beber água alcalina junto com a comida ou nos 30 minutos que antecedem as refeições ou lhe sucedem. É importante aumentar gradualmente a quantidade de água alcalina que o organismo pode suportar, começando com cerca de 226 ml por dia. Se consumir uma quantidade muito grande de água alcalina rápido demais, você sentirá fortes sintomas de desintoxicação, como dor de cabeça e *rash* cutâneo.

Esfoliação corporal

Uma escova de cerdas naturais de javali, que pode ser encontrada em lojas de produtos naturais, é usada na esfoliação. A esfoliação regular alivia a sobrecarga sobre o fígado e elimina o excesso de resíduos do organismo. Estimula o sistema linfático, o sistema circulatório secundário sob a pele, responsável pela eliminação de resíduos tóxicos, bactérias e células mortas do corpo. Com a esfoliação, as toxinas são eliminadas do corpo. Sua aplicação dos pés à cabeça com a escova de cerdas naturais – concentrando-se nas regiões de drenagem linfática, como atrás do joelho – melhora a eficiência do sistema linfático como um todo.

A aplicação da escova sobre a pele com firmeza e, ao mesmo tempo, delicadeza auxilia a circulação sanguínea, limpa os poros obstruídos e permite que o corpo elimine as toxinas mais rápido. Remove as células mortas da pele e estimula a renovação celular, deixando a pele mais macia. Se o fígado é o órgão responsável pela queima de gordura, o sistema linfático pode ser considerado o sistema de processamento de gordura. Portanto, limpar o fígado e o sistema linfático é fundamental para emagrecer e reduzir a celulite.

O primeiro passo para a esfoliação corporal é despir-se. Comece passando a escova na sola dos pés. Em seguida, passe-a nas pernas, começando pelos tornozelos e subindo em direção à barriga da perna, concentrando-se na região atrás do joelho e usando longas escovadas ascendentes na direção do coração. Em seguida, passe a escova dos joelhos à virilha, passando pela coxa; passe-a também pelas nádegas. Se você for mulher, faça movimentos circulares nas coxas e bumbum para ajudar a mobilizar os depósitos de gordura, como celulite. (A esfoliação realmente ajuda a diminuir a celulite.) Em seguida, escove o tronco, evitando a região dos seios. Por fim, escove os braços, do pulso em direção aos ombros e à axila. O processo todo não deve levar mais de três a cinco minutos e o deixará revigorado. Os melhores momentos para a prática são pela manhã, antes do banho, ou à noite, antes de deitar-se.

Atividade física leve

A prática de atividades físicas leves oxigena o corpo, protegendo-o da sobrecarga tóxica. Movimentos simples aumentam o conteúdo de oxigênio do sangue, eliminando os sedimentos de gordura que se acumulam nas artérias. Em outras palavras, a atividade física elimina os resíduos da corrente sanguínea. Por exemplo, bastam trinta minutos de caminhada acelerada para promover esse tipo de limpeza.

Compressas de óleo de rícino

Os naturopatas costumam usar compressas de óleo de rícino para ajudar a estimular e desintoxicar o fígado. A compressa é colocada diretamente sobre a pele para estimular a circulação e promover a eliminação e cicatrização de tecidos e órgãos sob a pele. As compressas de óleo de rícino são usadas para estimular o fígado, aliviar a dor, estimular a circulação linfática, reduzir a inflamação e melhorar a digestão.

Para preparar compressas de óleo de rícino, mergulhe um pedaço grande de algodão ou flanela no óleo e depois o coloque sobre o abdômen, em especial sobre o fígado. Aplique sobre a flanela filme plástico e, em seguida, uma bolsa de água quente para aquecer a compressa. Mantenha a compressa no lugar por 30 a 45 minutos e procure relaxar. Descanse durante a aplicação da compressa, mas tome cuidado para não pegar no sono e deixar a bolsa de água quente sobre o abdômen a noite toda. Depois de retirar a compressa, limpe o local com uma solução de água e bicarbonato de sódio. A compressa pode ser armazenada na geladeira, em recipiente tampado, e reutilizada até trinta vezes. A recomendação geral é que a compressa de óleo de rícino seja usada de três a sete dias em uma semana como tratamento de desintoxicação.

A compressa pode ser aplicada do lado direito do abdômen para estimular o fígado ou diretamente sobre articulações que apresentem edema ou, ainda, em entorses musculares. Pode ser usada também no abdômen para aliviar a constipação e outros transtornos digestivos, e na pelve, em casos de irregularidades menstruais ou cistos uterinos e ovarianos. O óleo de rícino não se destina a uso interno. Não deve ser aplicado à pele ferida ou usado durante a gravidez, amamentação ou durante o fluxo menstrual.

Master Cleanse

O Master Cleanse é um método de desintoxicação avançado e uma ótima maneira de dar o pontapé inicial na perda de peso. Elimina as gorduras acumuladas nos tecidos e fígado e o acúmulo de líquidos no organismo. Seu objetivo é oferecer apoio aos órgãos envolvidos na desintoxicação – fígado, rins, pulmões, sistema linfático, cólon e pele.

Dietas de desintoxicação como o método Master Cleanse popularizaram-se e costumam ser anunciadas como uma maneira rápida e fácil de emagrecer. Entretanto, o método não é um sistema de emagrecimento; ao contrário, é uma maneira de desintoxicar e limpar o organismo, restaurando as condições ideais de saúde. Encare-a como um meio para alcançar um estilo de vida mais saudável. Na verdade, se decidir seguir o método, assim que completar os dez dias, deve começar a ingerir alimentos mais saudáveis e naturais para não recuperar todo o peso de volta.

O método Master Cleanse acelera a perda de gordura em áreas de armazenamento de gordura, como quadris, coxas, barriga e nádegas. Transforma o corpo com foco na diminuição de medidas e não de peso. Entretanto, muitas pessoas relatam a perda de até sete quilos em dez dias. As células de gordura encolhem conforme as toxinas em excesso nelas armazenadas e são eliminadas do organismo, garantindo que você perca peso sob a forma de gordura, edema e água, mas não de músculo.

Na primeira fase, é proibido ingerir alimentos sólidos durante dez dias. Toma-se uma bebida tipo "limonada" que limpa o organismo, serve de combustível e evita a fome. Você vai ingerir 1.000 a 1.200 calorias por dia. Essa carga calórica mais leve permite que o corpo metabolize e processe melhor as toxinas para removê-las do organismo.

O Master Cleanse, na verdade, não é um jejum, pois são consumidas até 1.200 calorias por dia, dependendo da quantidade de limonada que se tomar. O jejum de desintoxicação foi feito para mantê-lo energizado durante o trabalho e para desfrutar de suas atividades diárias. Na verdade, como o jejum de desintoxicação aumenta a capacidade de desintoxicação do organismo, você poderá sentir mais energia após muitos dias de jejum.

O Master Cleanse oferece muitos benefícios, como fornecer uma pausa no sistema digestivo. O corpo utiliza uma quantidade significativa de energia todos os dias para digerir, absorver e assimilar os alimentos. Portanto, o programa dá ao trato digestivo uma chance de descansar e se recuperar. Isso, por sua vez, proporciona ao fígado sobrecarregado uma chance de recuperar sua função de desintoxicação. Durante o jejum, as células, tecidos e órgãos expulsam resíduos acumulados, ajudando a recuperação e o fortalecimento das células. O Master Cleanse é útil porque limpa o fígado, o principal órgão de queima de gordura, além de lhe permitir um descanso, aumentando sua capacidade de partir gorduras de forma mais eficiente e operar no auge de seu desempenho.

O Master Cleanse oferece o benefício adicional de melhorar sua aparência ao limpar profundamente todas as células do seu corpo, ou seja, sua pele vai ficar mais radiante e o branco do seu olho vai perder o amarelado, até mesmo brilhar. Você terá a melhor sensação e aparência dos últimos anos. Sua energia será recarregada. O programa rejuvenesce o corpo física, mental e espiritualmente.

Algumas pessoas *não* devem fazer o programa. São elas:

- Pessoas que estão fazendo quimioterapia ou concluíram a quimioterapia nos últimos seis meses.
- Pessoas que estão se recuperando de grandes cirurgias ou de alguma lesão grave.
- Crianças em idade de crescimento (menores de 18 anos).
- Grávidas ou lactantes. Gravidez não é hora de desintoxicar o organismo, e sim de lhe fornecer nutrição.
- Pessoas alérgicas a "tudo" ou que apresentem sintomas frequentes de alergia.
- Pessoas obesas (mais de trinta quilos acima do peso).
- Pessoas em más condições de saúde.
- Pessoas com história de uso prolongado de medicamentos fortes ou psiquiátricos.
- Pessoas que usem medicamentos para problemas crônicos

de saúde, como diabetes, doença cardíaca, hipertensão ou colesterol alto.
- Qualquer pessoa com câncer ou doença terminal.
- Qualquer pessoa com falência renal ou função renal limítrofe (o médico poderá avaliar as condições dos seus rins por meio de exames de sangue).

Se você puder fazer o Master Cleanse, sugiro que leia dois livros que apresentam todos os detalhes para garantir o sucesso do programa: *The Master Cleanser*, de Stanley Burroughs, e *Lose Weight, Have More Energy, and Be Happier in 10 days*, de Peter Glickman.

Dez maneiras de desintoxicar sua casa

Para ajudar a minimizar as toxinas na sua casa e no meio ambiente, siga estes passos:

1. Não fume ou permita que fumem dentro da sua casa ou carro.
2. Tire os sapatos quando entrar em casa, não os levando para dentro.
3. Evite ou areje roupas lavadas a seco. Opte por uma lavanderia orgânica. Se não encontrar uma perto de casa e precisar utilizar lavagem a seco, deixe as roupas recém-lavadas a seco arejarem na garagem ou na varanda por alguns dias antes de levá-las para casa.
4. Utilize amaciantes e sabões sem cheiro para lavar a roupa.
5. Não utilize aromatizantes para o ar que contenham solventes.

6. Substitua o filtro do ar-condicionado/aquecedor a cada seis semanas, usando filtros de alta qualidade qualificados com valor mínimo de eficiência (MERV) de 7 a 9.
7. Compre para o seu quarto um purificador de ar que tenha filtros de carvão e de partículas de ar de alta eficiência (HEPA).
8. Substitua o carpete por pisos de cerâmica ou de madeira de verdade.
9. Elimine o mofo em qualquer lugar de sua casa.
10. Instale um filtro de cloro em chuveiro: isso também proporcionará ter cabelos e pele mais macios.

Em suma

Se, apesar do seu empenho, você não tenha conseguido emagrecer e não voltar mais a engordar, é provável que não tenha algo fundamental para o emagrecimento permanente: eliminar as toxinas do organismo. Uma das minhas clientes me enviou um bilhete que dizia: "Obrigada pelas ótimas dicas de desintoxicação, estão funcionando. Sem mudar minha alimentação, já perdi seis quilos com suas dicas de limpeza e desintoxicação." Recebo bilhetes assim com frequência. Quando você começa a desintoxicar seu organismo, torna-se mais ciente de como se sente após ingerir determinados alimentos e bebidas. Começa a prestar mais atenção ao que ingere. Começa a reconhecer o que nutre ou não seu corpo. Começa a livrar-se de toxinas emocionais junto com as toxinas físicas. Começa a se livrar de pessoas, lugares, coisas e emoções que são prejudiciais e não nutrem a mente nem o corpo.

Você já deve ter ouvido pessoas dizerem: "Toda caloria que entra tem que sair." Porém, de agora em diante, as frases que devem povoar a sua mente devem ser: "Barriga limpa é barriga enxuta" ou "toxinas fora, o peso vai embora". É possível não só superar a genética e vencer a batalha contra o peso, como também é possível ajudar o organismo a eliminar resíduos tóxicos que desaceleram seu metabolismo, acabam com seu equilíbrio hormonal e ainda fazem você engordar.

CAPÍTULO SEIS

Corrija os desequilíbrios hormonais

Todos sabemos que dietas da moda são coisa do passado. O mantra "comer menos e exercitar-se mais" é ineficiente para muitas pessoas que desejam emagrecer. Sabemos que as loucuras de dietas que proíbem carboidratos, restringem seu consumo e eliminam ou reduzem o consumo de gordura das décadas de 1980 e 1990 eram um tiro no escuro em termos de resultados. Hoje, porém, dispomos de melhores informações científicas sobre um dos fatores mais importantes para o emagrecimento: o equilíbrio hormonal.

Bem-vindo ao mundo dos hormônios, os pequenos mensageiros que controlam o apetite, o metabolismo e o ganho ou perda de peso. Observe que, se você for mulher e já tiver passado dos 35, existem três hormônios sexuais fundamentais (estrogênio, progesterona e testosterona) que exercem um papel fundamental para o ganho de peso. (Para saber mais sobre ganho de peso em mulheres acima de 35 anos, consulte o Capítulo 15, Interrompa o ganho de peso durante a perimenopausa e a menopausa.) É importante observar também que desequilíbrios hormonais afetam tanto homens quanto mulheres à medida que envelhecem. Calcula-se que mais de 32 milhões de homens passem pela andropausa ou "menopausa masculina". A andropausa descreve uma alteração emocional e física relacionada ao declínio dos hormônios que muitos homens vivenciam à medida que envelhecem. É fundamental entender a importância dos hormônios para a manutenção do peso. São os hormônios que controlam quase todos os aspectos do ganho de peso e do emagrecimento. Alguns hormônios dizem quando estamos com fome, alguns dizem quando estamos saciados; alguns dizem ao corpo o que fazer com os alimentos ingeridos, se devem ser usados como combustível para gerar energia ou armazenados sob a forma de gordura, o que nos faz engordar. Os hormônios são responsáveis pelo metabolismo das gorduras. Controlando seus hormônios, você pode controlar seu peso.

Os hormônios afetam como você se sente, sua aparência e, o mais importante, como você mantém seu peso e a saúde. Quando nossos hormônios estão em equilíbrio, temos melhor saúde, beleza e vitalidade. Quando nossos hormônios não estão em equilíbrio, sofremos de alterações de humor, compulsão por alimentos nada saudáveis e preguiça e letargia. Neste capítulo, explicarei quais hormônios são fundamentais para a perda de peso, como eles funcionam e como nos ajudam a permanecer magros e saudáveis.

Houve uma época na minha vida em que engordei 13 quilos sem razão aparente, praticamente do dia para a noite, em questão de meses. Se eu comesse um Big Mac, ganharia meio quilo no dia seguinte. Hoje consigo comer facilmente 2.000 calorias por dia de alimentos ricos em nutrientes sem me exercitar e, ainda assim, mantenho meu peso. Nada disso seria possível se os meus hormônios não estivessem equilibrados, acelerando meu metabolismo e me fazendo queimar e não armazenar gordura.

Quando eu me aproximei dos quarenta, meus hormônios começaram a ter vida própria e ficar fora de controle. Caso você seja como eu, já vivenciou pelo menos um dos sintomas a seguir:

- Acne adulta (com mais espinhas do que um adolescente)
- Fadiga e baixa energia, mesmo depois de uma boa noite de sono
- Comer menos, mas não perder um único grama de peso
- Pele flácida, rugas e marcas de expressão
- Intensas alterações de humor, mesmo fora do período menstrual
- Inexplicável ganho de 5, 10, 15 quilos sem motivo aparente – sem ter alterado a sua alimentação ou estilo de vida

Eu sabia que algo havia mudado no meu organismo, mas inicialmente não entendia o efeito dos meus hormônios sobre meu metabolismo, peso, humor, saúde e bem-estar. Desde então, passei a estudar as pesquisas mais recentes sobre formas naturais de controlar meus hormônios e níveis de açúcar no sangue para propiciar o emagrecimento. Por meio de leituras e pesquisas, bem como em meus estudos como nutricionista, especializada no controle e manutenção do peso, aprendi muita coisa sobre endocrinologia, área da medicina que lida com hormônios e glândulas. Alegrei-me ao descobrir que não estava ficando louca e que desequilíbrios hormonais estavam alterando a forma como eu me sentia e o quanto eu engordava. Foi como se uma luz tivesse se acendido e eu finalmente pudesse enxergar um aspecto fundamental de controle do meu peso. Quanto mais eu falava com outras pessoas, especificamente mulheres, mais percebia que não estava sozinha.

Hoje estou feliz de colher os frutos de um metabolismo mais robusto, mas, durante anos, meus hormônios trabalharam contra mim. Há alguns anos, eu pouco sabia sobre eles, mas hoje sei como garantir que trabalhem a meu favor.

Os hormônios controlam o apetite

Você já pensou em como o corpo informa ao cérebro quando você está com fome e quando está saciado? Um dos principais motivos para muitos norte-americanos engordarem é o desequilíbrio do seu sistema de controle de apetite. Os diversos sistemas químicos e mensageiros no organismo que dizem quando estão com fome e quando estão satisfeitos estão interrompidos. Reequilibrar os desequilíbrios hormonais químicos farão com que seu sistema de controle de apetite funcione adequadamente de novo.

Há determinados hormônios que controlam a fome e a satisfação no cérebro que são fundamentais para o controle permanente do peso. Se você nunca sentisse fome, seria muito fácil emagrecer. Se controlar adequadamente os hormônios, que são diretamente afetados pelo que você come, não sentirá fome entre as refeições e terá combustível e energia para o dia inteiro. Isso acelerará a perda de gordura.

Sentir fome é uma das necessidades mais poderosas que temos. Quando sentimos fome, todo o resto vem em segundo lugar. Isso ocorre porque o cérebro fica desesperado para obter a energia da qual precisa para funcionar.

Há hormônios que controlam o peso, frequentemente chamados de hormônios metabólicos, substâncias químicas mensageiras cerebrais chamadas neuropeptídeos, e moléculas mensageiras do sistema imunológico chamadas citocinas, produzidas nas células de gordura, nos leucócitos e nas células do fígado. Todos esses componentes trabalham em conjunto para se comunicar com os órgãos e tecidos responsáveis pela administração do peso e por mantê-lo vivo. A boa comunicação resulta em um metabolismo saudável. Esses sistemas, que dependem de um fino ajuste, determinam nossa saúde e metabolismo. São eles que nos dizem quando estamos satisfeitos e quando é hora de parar de comer, fazendo a diferença entre ganhar e perder peso.

Vamos ver como esses complexos sinais mensageiros funcionam. Quando o estômago está vazio, um dos mensageiros químicos secreta hormônios que dizem ao corpo e ao cérebro que você está com fome. O cérebro então prepara o estômago para receber alimentos. Quando você come, os alimentos entram nos órgãos digestivos e o organismo libera ainda mais hormônios, preparando o alimento para digestão. À medida que o alimento entra na corrente sanguínea, outras mensagens coordenam o metabolismo, dizendo ao pâncreas para produzir insulina. As células de gordura enviam mensagens hormonais de volta ao cérebro, informando-o de que é hora de parar de comer, junto com sinais do estômago que indicam que você está satisfeito. O fígado então metaboliza ou processa a gordura e o açúcar e ajuda a utilizá-lo para gerar energia ou armazena o excesso sob a forma de gordura.

Quando ocorre algum desequilíbrio no funcionamento desses hormônios, o corpo não funciona como deveria. Precisamos ser capazes de otimizar naturalmente a ação de todos os hormônios em vez de tentar abordar um de cada vez. A integração entre eles é grande demais para que sejam abordados separadamente; se um deles estiver fora de sincronia, ocorrerão também outros desequilíbrios químicos no organismo. Quando eu digo "naturalmente", é porque este livro não foca medicamentos caros ou outros métodos perigosos, mas sim as causas subjacentes aos desequilíbrios hormonais, que são nossa alimentação (os alimentos que ingerimos), estilo de vida (sono e estresse) e fatores ambientais (toxinas e poluentes).

Seis hormônios que afetam o ganho de peso

Existem seis hormônios que afetam o peso; é difícil emagrecer quando ocorre um desequilíbrio entre eles. Eis uma breve visão geral de como esses seis hormônios afetam o ganho de peso.

Glucagon

Glucagon é um hormônio secretado no pâncreas que aumenta os níveis de glicose no sangue. Tem o efeito oposto da insulina, que reduz os níveis de glicose no sangue. Sem os níveis adequados de glucagon, você sentirá fome e cansaço porque o cérebro não está obtendo combustível suficiente (açúcar sanguíneo). É importante controlar a insulina e o glucagon para manter os níveis de açúcar no sangue. Caso a insulina o faça armazenar gordura, o glucagon ajuda a queimá-la. Atua no fígado para ajudar a regular o açúcar sanguíneo e o uso de gordura. A ingestão de proteína afeta o glucagon, motivo pelo qual comer proteínas junto com carboidratos é fundamental para manter os níveis de açúcar no sangue estáveis.

Cortisol

O cortisol é secretado pelas suprarrenais, e suas funções principais são aumentar o nível de açúcar no sangue e auxiliar o metabolismo de gorduras, proteínas e carboidratos. Quando estamos estressados, seu corpo libera cortisol (conhecido também como o hormônio do estresse). A gordura gerada pelo estresse (ou seja, gordura de estresse) se acumula na barriga. Estudos mostram que quando o cortisol é liberado na corrente sanguínea, nós nos tornamos menos sensíveis à leptina, o hormônio que informa ao cérebro que estamos satisfeitos. Quando isso acontece, tendemos a comer mais e sentimos vontade de comer doces. Isso significa que o corpo não apenas desacelera o metabolismo quando estamos sob estresse, como também, na verdade, lhe diz para comer mais. O cortisol pode ser muito bom ou muito ruim. Caso seja liberado com altos níveis de insulina e baixa testosterona, pode causar o acúmulo de gordura; e se for liberado com grandes quantidades de testosterona pode melhorar a queima de gordura.

Leptina

A leptina é um hormônio proteico que tem papel fundamental no metabolismo da gordura. A leptina é considerada um supressor natural do apetite. Controla o tamanho da sua fome todos os dias. Quando não funciona adequadamente, a leptina cria um desequilíbrio que desacelera o metabolismo, causa envelhecimento precoce e doenças. A resistência à leptina é um desequilíbrio hormonal que perturba a capacidade natural do corpo de regular o apetite e o metabolismo. Quando nos tornamos resistentes à leptina, comemos como se estivéssemos passando fome. Algumas pessoas tornam-se extremamente obesas porque seu cérebro nunca recebe a mensagem para parar de comer e começar a queimar gordura. A leptina informa ao cérebro quando estamos saciados. Entretanto, quando seus níveis estão muito baixos, a leptina sinaliza ao corpo para armazenar gordura. Obviamente, o objetivo é manter altos os níveis de leptina no organismo, e há maneiras de fazê-lo naturalmente. Peixes e frutos do mar elevam os níveis de leptina por causa dos ácidos graxos ômega-3. O ômega-3/ óleo de peixe também está disponível na forma de suplementos.

Tireoide

A tireoide é uma glândula em formato de borboleta localizada no pescoço, bem abaixo do pomo de adão. Os hormônios tireoidianos desempenham diversas funções: ajudam a controlar a quantidade de oxigênio utilizado por toda célula, a velocidade de queima de calorias, frequência cardíaca, temperatura corporal, fertilidade, digestão, humor e memória. Os hormônios da tireoide têm um profundo impacto sobre o peso porque regulam a forma na qual o corpo queima carboidratos e gorduras. Problemas de tireoide são muito comuns nos Estados Unidos: mais de 25 milhões de pessoas têm algum tipo de desequilíbrio da tireoide. As estatísticas também mostram que menos da metade delas sabe que o têm. Quando a tireoide não funciona adequadamente, em especial quando está subativa, todas as partes do corpo são afetadas adversamente. A atividade reduzida da tireoide, ou hipotireoidismo, faz com que a taxa metabólica diminua, o que tem grande efeito sobre o peso corporal.

Hormônio do crescimento humano (HGH)

O HGH é considerado um hormônio de "construção" porque envia sinais ao corpo para ser magro e musculoso e garantir que a gordura seja queimada, e não armazenada. O HGH é um dos hormônios mais debatidos nos tempos modernos. A essa altura, você provavelmente já viu infomerciais e produtos retratando os benefícios do hormônio do crescimento como fonte da juventude. O HGH começa a diminuir naturalmente quando nos aproximamos dos trinta, quarenta anos, e a falta de atividade do HGH promove o ganho de peso, especialmente na região da cintura e dos quadris.

Em geral, nosso organismo utiliza o açúcar no sangue (glicose) para gerar energia antes de recorrer à gordura para tal. O que o HGH faz é forçar o corpo a obter energia das reservas de gordura antes, transformando o corpo em uma máquina de queimar gordura, até mesmo quando estivermos inativos, descansando ou até dormindo. O HGH também é conhecido por ajudar o corpo a gerar novas células musculares, que é especialmente bom, porque quase sempre paramos de produzi-las quando a adolescência chega ao fim. Portanto, se você levanta peso ou faz treinamento de resistência, os níveis de HGH o ajudarão a ganhar músculos. Podemos aumentar naturalmente nossos níveis de HGH ingerindo determinados alimentos, praticando exercícios e tendo uma noite adequada de sono. A privação do sono destrói quase completamente a produção de HGH: é durante o sono profundo que o corpo produz HGH.

Insulina

A insulina é um hormônio secretado pelo pâncreas em reação à ingestão de alimentos: sua função é enviar a glicose para fora do sangue, em direção aos tecidos para ser usada como energia. Quando o excesso de glicose permanece no sangue, os níveis de insulina permanecem altos. Níveis cronicamente elevados de insulina podem provocar armazenamento de gordura e inflamações. Níveis de insulina altos são um sinal para que o corpo armazene calorias sob a forma de gordura e evite queimar gordura. Como a insulina é o hormônio mais responsável pela epidemia de obesidade nos Estados Unidos, é nela que nós nos concentraremos durante o restante deste capítulo.

A insulina engorda mesmo se você não for diabético

Uma das principais causas da obesidade é a produção excessiva de insulina. Muitos especialistas já afirmaram que é o excesso de insulina que nos engorda e nos mantém gordos. A insulina cria gordura no corpo, "capturando" o excesso de açúcar e colocando-o nas células de gordura. Para controlar o peso, é preciso também controlar os níveis de insulina.

Muitos pesquisadores descobriram que a grande parte das pessoas com problemas de peso produz muita insulina. Para a maioria das pessoas acima do peso, a insulina é o inimigo. A conclusão é que, para se livrarem da gordura, elas precisam reduzir os níveis de insulina. Para reduzir a insulina, precisam parar de comer açúcar. O açúcar (ou seja, carboidratos refinados, ricos em amido) estimula a produção de insulina. E, como aprendemos em vários livros de dieta, reduzir os carboidratos é um *must*, uma necessidade. Inicialmente, as com restrição de carboidratos são eficazes para quem está acima do peso porque os carboidratos provocam a produção excessiva de insulina e, ao eliminarem o consumo de carboidratos, essa produção excessiva de insulina deixa de existir.

Entretanto, o mais importante aqui é entender por que o corpo produz tanta insulina. Isso se deve a um desequilíbrio hormonal que, assim que for corrigido, interromperá a produção excessiva de insulina no corpo. O problema das dietas de restrição de carboidratos é que, assim que se interrompe a dieta, o peso volta. Minha abordagem, porém, vai além, pois visa o motivo que leva o corpo a produzir tanta insulina. Diminuir o consumo de carboidratos ajuda a reduzir os picos de insulina, mas corrigir o motivo pelo qual se produz tanta insulina permitirá abordar os problemas de peso de uma vez por todas.

Os carboidratos, um elemento fundamental da alimentação humana, são abundantes em frutas, grãos, pães, massas, cereais, arroz e batatas. Eles são a fonte principal de energia para o corpo. Durante o processo de digestão, são decompostos em um açúcar conhecido como glicose. A glicose, o açúcar mais simples, é o único que o corpo pode utilizar como energia: todas as nossas células precisam de glicose para funcionar. A quantidade de glicose no sangue também é chamada de nível de glicose. O nível normal de glicose no sangue é de 80 a 100 mg/dl.

Pois bem, é aqui que entra a insulina. A insulina é um poderoso hormônio que regula os níveis de glicose no sangue. Quando você tem mais glicose no corpo do que o necessário às suas células, a insulina pega o excesso de glicose e a armazena sob a forma de gordura corporal, permitindo que seus níveis de glicose no sangue voltem ao normal.

Dessa forma, a insulina regula os níveis de glicose no sangue. Porém, quando os níveis de insulina estão altos demais, ela começa a armazenar gordura no corpo. Altos níveis de insulina significam mais gordura corporal, enquanto níveis mais baixos de insulina significam menos gordura corporal. Os carboidratos são alimentos que provocam os picos de insulina que resultam em excesso de gordura no corpo. Níveis muito elevados de glicose no sangue significam a existência de uma doença conhecida como diabetes, que pode causar inúmeros danos ao corpo.

A insulina não só regula os níveis de açúcar no sangue, como também ativa o interruptor biológico que desliga a produção de músculos e liga a produção de gordura, em especial na região da cintura e na barriga. É por isso que você ouvirá falar na insulina como o hormônio de armazenamento de gordura. A insulina também interfere na quebra de células de gordura, dificultando ainda mais o emagrecimento.

O que é resistência à insulina?

Se você já tiver testado várias dietas populares, contado calorias, ingerido porções menores e praticado exercícios, mas ainda assim tiver dificuldade para emagrecer, independentemente do que tiver experimentado, talvez faça parte do grupo crescente de pessoas que sofrem de uma condição hormonal chamada "resistência à insulina". Acredita-se que 75% dos norte-americanos tenham essa condição. Também não é incomum que seus portadores tenham outros problemas de saúde, entre eles hipertensão, colesterol alto e, às vezes, diabetes. Se você é resistente à insulina, pode corrigir seu ganho de peso e seus problemas de saúde seguindo o Sistema DHEMM.

A resistência à insulina é extremamente comum: três em cada quatro pessoas têm o problema. Entretanto, a maioria nem sabe. Vou ajudá-lo a descobrir se você tem resistência à insulina e se é esse o problema que não lhe permite emagrecer. Você terá o prazer de descobrir como uma alimentação saudável natural pode ajudar a emagrecer se você for resistente à insulina. Descobrirá também como combinar determinados alimentos para emagrecer mais rápido e como evitar alimentos que engordam. E verá melhoras também em outros problemas de saúde, inclusive o controle da pressão e do colesterol alto.

A resistência à insulina, conhecida também como síndrome metabólica, pré-diabetes ou síndrome X, é um problema genético que dificulta o emagrecimento porque o corpo tem uma reação exagerada a alimentos que são ricos em carboidratos. Como nutricionista, conheço bem a ciência dos alimentos e como eles afetam nossa capacidade de emagrecer ou engordar. Como também sofro de resistência à insulina, tenho experiência pessoal em quais alimentos agravam a condição e me fazem engordar e me sentir lenta e cansada. A sua alimentação e a combinação de alimentos são detalhes fundamentais para administrar a resistência à insulina e manter a perda de peso permanente.

Sempre que ingerimos um alimento ou açúcar rico em carboidratos, nossos níveis de açúcar no sangue sobem e, como resposta, o corpo libera insulina para se livrar do excesso de açúcar no sangue. Entretanto, quanto mais o pâncreas secreta insulina para controlar o açúcar no sangue, menos sensível ou reativo à insulina o corpo se torna. Em outras palavras, o corpo se torna resistente à insulina. Portanto, precisa secretar ainda mais insulina para diminuir os níveis de açúcar no sangue. Isso gera resistência à insulina.

Açúcares puros, como a sacarose e xaropes de milho com alto teor de frutose, são digeridos muito rápido, provocando a elevação súbita dos níveis de açúcar no sangue. Além disso, determinados carboidratos, como pães, bagels, muffins, pizzas, massas e batatas, também são digeridos com rapidez. Quando os níveis de açúcar no sangue se elevam muito rapidamente, o corpo responde aumentando a secreção de insulina. Esse aumento leva ao armazenamento excessivo de gordura no corpo e, ao mesmo tempo, nos deixa mais famintos devido aos altos e baixos extremos nos níveis de glicose e insulina.

Se você for resistente à insulina e ingerir alimentos ricos em carboidratos, produzirá até quatro vezes mais insulina do que o normal apenas para levar os níveis de insulina de volta ao normal, saudável. Não me surpreendi ao descobrir que o corpo pode começar a armazenar gordura em até duas horas depois da ingestão de uma refeição ou alimento rico em carboidratos, pois muitas vezes sentia que, depois de um avantajado prato de massa, na manhã seguinte eu havia engordado de meio a um quilo. A boa notícia sobre o Sistema DHEMM é que, nele, ensino como se alimentar de forma saudável e balanceada para impedir a ocorrência de picos de insulina, permitindo que você emagreça e não volte a engordar.

O que causa a resistência à insulina?

Algumas pessoas têm níveis de insulina mais elevados do que o normal; outras não. Aquelas que têm os níveis de insulina mais elevados do que o normal são consideradas resistentes à insulina. Essa condição faz com que o organismo reaja a carboidratos provocando picos de insulina mais elevados, fazendo com que gerem gordura mais rápido que aquelas que não têm resistência à insulina. A parte difícil é que, à medida que o corpo começa a armazenar gordura, você se torna mais resistente à insulina, resultando em ganho de peso ainda maior.

As pessoas que consomem muitos carboidratos refinados, ricos em amido, como os pães, muffins, massas, batatas, macarrão, bagels e doces, como bolos, tortas, folheados, refrigerantes, sucos adocicados e cereais açucarados, têm maior risco de desenvolver resistência à insulina. Todos esses alimentos provocam elevações e quedas bruscas nos níveis de açúcar no sangue, fazendo com que o corpo secrete mais e mais insulina para reduzir os níveis de açúcar no sangue.

Algumas outras substâncias, como cafeína, adoçantes artificiais e nicotina, também elevam os níveis de insulina. Você pode acreditar que seu refrigerante diet, com adoçante artificial, é relativamente inofensivo porque não tem calorias e não vai elevar os níveis de glicose no sangue, mas fará com que os níveis de insulina aumentem, contribuindo para os sintomas de resistência à insulina. Nosso objetivo é evitar picos de açúcar no sangue que ativam a liberação de insulina e levam ao armazenamento de gordura!

Questionário para autoavaliação de resistência à insulina

Para saber se você é resistente à insulina, comece respondendo ao questionário a seguir. Assinale cada pergunta para a qual a sua resposta seja "sim".

Pistas físicas
- ☐ Você está pelo menos 15 quilos ou mais acima do peso?
- ☐ Você engorda mesmo ingerindo porções pequenas e quantidades pequenas de alimentos?
- ☐ Você tem barriga, "pochete", ou costuma engordar na região da cintura?
- ☐ A circunferência da sua cintura é maior do que 100 cm (homens) e 89 cm (mulheres)?
- ☐ Você tem ascendência afro-americana, hispânica, asiática ou de povos indígenas americanos?
- ☐ Você urina com frequência?
- ☐ Tem azia ou refluxo ácido?
- ☐ Tem marcas na pele que sejam pequenas protuberâncias, indolores, no tórax, pescoço, seios, virilha ou axilas?
- ☐ Você faz pouca ou nenhuma atividade física na maioria dos dias?

Pistas emocionais e mentais
- ☐ Você fica cansado depois de comer, principalmente na período da tarde, sentindo a necessidade de tirar um cochilo?

- Você sente nervosismo, mau humor ou dores de cabeça que desaparecem assim que você come?
- Você às vezes sente seus pensamentos nebulosos ou dificuldade para pensar ou se concentrar?
- Você se sente viciado em refrigerantes, balas e comidas não saudáveis?
- Sente que come para afastar o tédio?
- Sente que não tem força de vontade para comer menos ou fazer dieta?

Pistas sobre alimentação e dieta
- Você sente desejo súbito de comer doces e carboidratos, como massas e pães?
- Sente desejo súbito de comer petiscos salgados e crocantes?
- Pela manhã, você geralmente come bagels, croissants ou donuts e bebe café?
- Você belisca com frequência, principalmente diante da TV?
- Você toma refrigerantes ou suco de frutas com açúcar todos os dias?
- Toma cerveja ou alguma outra bebida alcoólica pelo menos duas vezes por semana?
- Você come fast-food pelo menos duas vezes por semana?

Pistas de saúde ou médicas
- Você tem histórico familiar de diabetes, colesterol alto, pressão alta, doença cardíaca, derrame ou problemas de obesidade ou excesso de peso?

❑ Você foi diagnosticado com diabetes do tipo 2 ou hipoglicemia?

❑ Se for diabético, você toma remédios com prescrição médica para reduzir os níveis de açúcar no sangue?

❑ Você já foi diagnosticado com coágulo de sangue no cérebro, pernas ou pulmão?

❑ Já foi diagnosticado com altos níveis de ácido úrico ou gota?

❑ Você cresceu cercado por fumantes (foi fumante passivo)?

❑ Caso seja mulher, já foi diagnosticada com períodos menstruais irregulares ou síndrome do ovário policístico?

Se tiver marcado quinze ou mais opções, você provavelmente tem resistência à insulina. Além disso, quanto mais itens tiver assinalado, maior a sua probabilidade de ser afetado por essa condição. Para conhecer métodos adicionais para diagnosticar a resistência à insulina, consulte a seção a seguir.

Métodos para diagnosticar a resistência à insulina

Atualmente, não existe consenso na comunidade médica sobre o melhor método para diagnosticar a resistência à insulina. Entretanto, há alguns testes práticos que foram usados para ajudar a determinar a sua presença. Entre eles, incluem-se:

- ***Medida da circunferência da cintura***. Esse é um método muito fácil. Basta usar uma fita métrica para medir a circunferência da cintura. No caso das mulheres, quando a medida da circunferência da cintura ultrapassa 89 centímetros e, no dos homens, 100 centímetros, é forte indício de existência de resistência à insulina ou risco de desenvolvê-la.

- **Níveis de glicose em jejum.** Um exame de sangue simples, que pode ser feito em casa. Esse exame mede o seu nível de açúcar no sangue em jejum (quando ficamos sem comer durante várias horas). Os níveis normais de açúcar no sangue são entre 80 e 100 mg/dl. Níveis ligeiramente mais altos, mas não altos o suficiente para indicar diabetes, podem indicar resistência à insulina.
- **Hemoglobina A1C.** A hemoglobina A1C, chamada também de HbA1c, avalia como o açúcar no sangue danificou as proteínas no sangue. O exame oferece um instantâneo dos níveis médios de glicose no sangue durante as últimas seis semanas. O exame tem determinadas vantagens sobre um exame de glicose em jejum. Às vezes, o consumo de muitos alimentos açucarados um dia antes de um exame de glicose em jejum pode prejudicar os resultados do exame. Muitos médicos preferem o exame de hemoglobina A1C porque ele mostra a média de açúcar no sangue nas últimas semanas, enquanto o exame de glicose em jejum baseia-se no que a pessoa comeu recentemente. Seu médico pode solicitar esse exame. Os seus valores de referência são: um HbA1c normal fica entre 4,5% e 5,7%. O ideal é que esteja abaixo de 5%. Entretanto, muitas pessoas que sofrem de resistência à insulina ou pré-diabetes têm um HbA1c de 5,7% a 6,9% e diabéticos têm um HbA1c de 7% ou mais.

Administre a resistência à insulina consumindo alimentos "naturais e balanceados"

A má notícia é que não podemos mudar nossa composição genética e não existe cura para a resistência à insulina. Por outro lado, a boa notícia é que a resistência à insulina pode ser administrada e controlada ingerindo-se alimentos "naturais e balanceados" e suplementos nutricionais para ajudar a glicose a entrar nas células para energia, em vez de ser armazenada sob a forma de gordura corporal. Dois suplementos nutricionais (ácido alfalipoico e cromo), que são abordados no Capítulo 8, melhoram a função da insulina e controlam os níveis de açúcar no sangue. Administrar a resistência à insulina não apenas ajuda a emagrecer como também evita diversas outras doenças e problemas de saúde.

Serão necessários pelo menos dois a três meses para restabelecer a sensibilidade normal à insulina a fim de que sua reação a carboidratos não provoque o armazenamento excessivo de gordura no corpo. Entretanto, a maioria das pessoas observa melhoras duas a três semanas depois de fazer ajustes na alimentação e tomar suplementos nutricionais.

Que tipo de melhorias você pode esperar? Emagrecimento, principalmente na região do abdômen, mais energia e menos vontade súbita de comer carboidrato e açúcar. Além disso, é importante que seu médico monitore os resultados de seus exames de laboratório a cada três a quatro meses, pois provavelmente sua pressão e seus níveis de açúcar no sangue vão melhorar. Níveis mais baixos de insulina ajudam a perder a gordura corporal indesejada e também a reduzir o risco de doenças cardíacas e diabetes.

O que quero dizer com alimentos "naturais e balanceados"? Alimentos "naturais" são essencialmente alimentos naturais, integrais, crus ou orgânicos – que o corpo consegue digerir bem e utilizar para gerar energia sem deixar para trás resíduos em excesso ou toxinas. Entre eles, incluem-se proteínas magras, bons carboidratos e gorduras saudáveis. Alimentos "balanceados" significam que você come proteínas sempre que come carboidrato. Portanto, se comer carboidrato, deve sempre incluir uma proteína. É um método muito simples, porém eficaz, de evitar picos de insulina e ajudar o organismo a queimar gordura.

Por que ingerir proteína sempre que você come? A proteína neutraliza a reação do organismo aos carboidratos, o que causa picos de insulina e armazenamento de gordura. As proteínas também ajudam a prolongar a sensação de saciedade e a construir e manter massa muscular – lembre-se, aprendemos que músculos queimam naturalmente mais calorias do que gordura.

Outra maneira de se ajudar a ingerir alimentos "naturais e balanceados" é usar o índice glicêmico dos alimentos. Alimentos com uma alta resposta glicêmica elevam drasticamente a glicose no sangue. Transformam-se em glicose muito rápido e, portanto, provocam a rápida elevação nos níveis de insulina. Hoje sabemos que os picos e as elevações nos níveis de insulina provocam o armazenamento de gordura. Entretanto, os alimentos que provocam uma resposta glicêmica menos intensa e não elevam tanto os níveis de insulina são melhores para quem é resistente à insulina. Verifique o índice glicêmico dos alimentos em www.glycemicindex.com [em inglês]. Existem também diversos livros e sites que listam o índice glicêmico de todo tipo de alimentos e bebidas. Comer alimentos "naturais e balanceados" significa comer proteínas magras, gorduras saudáveis e mais carboidratos com baixo índice glicêmico (frutas e leguminosas), que têm pouco efeito sobre os níveis de açúcar no sangue e insulina e, assim, evitam o armazenamento de gordura corporal e reduzem o risco de diabetes e de outras doenças.

Principais fatores para a manutenção do equilíbrio hormonal
O que provoca o desequilíbrio hormonal? O consumo excessivo de alimentos pouco saudáveis, o estresse e o uso de hormônios sintéticos provocam desequilíbrios hormonais, como o hipotireoidismo, resistência à leptina e à insulina, e todos levam ao ganho de peso. Aqui, porém, vou lhe oferecer todas as ferramentas necessárias para reprogramar seus hormônios para funcionarem de forma ideal, para que você comece a emagrecer e a se sentir equilibrado, feliz e saudável. É importante também consultar seu médico, que poderá lhe pedir exames para saber se você possui qualquer tipo de desequilíbrio hormonal.

Aqui está uma lista de maneiras de manter seus hormônios equilibrados:

- **Elimine o excesso de toxinas do corpo.** O sistema endócrino, que controla a produção de hormônios, é especialmente sensível às toxinas. Quando o sistema endócrino sofre a ação adversa das toxinas, podem ocorrer desequilíbrios hormonais. Substâncias químicas e toxinas presentes no meio ambiente enviam sinais para que nosso corpo produza uma quantidade maior ou menor de hormônios do que o normal. Essas toxinas, os chamados "disruptores endócrinos", confundem o corpo, ocasionando uma reação exagerada aos sinais e perturbando o funcionamento normal e saudável do sistema hormonal. Portanto, para equilibrar seus hormônios, é fundamental livrar-se das toxinas.
- **Incorpore alimentos saudáveis e integrais à sua alimentação.** Alimentos integrais, frescos e naturais restauram o funcionamento normal dos hormônios. São esses alimentos que ativam os hormônios de queima de gordura e desativam os

hormônios de armazenamento de gordura. Quando você oferece ao corpo os alimentos que ele foi programado para utilizar, apoia os hormônios no exercício de sua função: fazer com que seu metabolismo trabalhe a seu favor, não *contra* você. Entre os alimentos que ajudam a restaurar o metabolismo do corpo e equilibrar naturalmente os hormônios incluem-se leguminosas (feijão), bulbos (alho, cebolas), frutas vermelhas (amora, mirtilo, framboesa), verduras, principalmente as de coloração verde-escura e os vegetais folhosos (espinafre, couve), nozes e sementes (amêndoa, noz-pecã, semente de girassol) e grãos integrais (aveia, cevada, quinoa).

- *Reequilibre combinações de alimentos.* É aqui que comer proteína sempre que se come carboidrato entra em ação. O "equilíbrio" certo entre bons carboidratos, gorduras saudáveis e proteínas magras nos permite manter níveis adequados de açúcar no sangue e sustentar nossa energia ao longo do dia sem fome ou desejos súbitos. Em vez de contar calorias, você ingerirá alimentos de melhor qualidade durante todo o dia. Eu, pessoalmente, acabo ingerindo bons alimentos com mais frequência! O "alimento" que faz parte da alimentação norte-americana padrão simplesmente não oferece aos nossos hormônios o necessário para manter seu equilíbrio. No Capítulo 11, ensinarei a comer alimentos "naturais e balanceados" que ajudem a manter o equilíbrio hormonal.

- *Diminua seus níveis de estresse.* Já afirmei que, em situações de estresse, o corpo libera um hormônio chamado cortisol que aumenta a gordura na região da barriga. Repouso, sono e relaxamento – tudo isso tem um papel fundamental na redução do estresse na sua vida. Às vezes, porém, você precisa se "desintoxicar" de familiares e amigos que lhe causam estresse e sofrimento desnecessários. Pessoas que o diminuem e o fazem sentir inútil deveriam tomar muito pouco do seu tempo. Essas pessoas aumentam os níveis de estresse e as emoções negativas na sua vida. Às vezes, basta dizerem "oi" para o seu nível de estresse aumentar porque você sabe que, ao final daquela interação, vai ficar mais para baixo, magoado ou triste. Tome atitudes que lhe permitam minimizar o tempo que passa ao lado dessas pessoas e encontre maneiras de minimizar o estresse na sua vida.

Desequilíbrios hormonais crônicos engordam, causam mau humor e cansaço. Você precisará se desintoxicar e livrar seu organismo – e sua cozinha – dos resíduos tóxicos que o fazem engordar. Precisará fornecer alimentos que curem o corpo, que permitam que seu metabolismo trabalhe como uma máquina de queimar gordura, e não mais como uma máquina de armazenar gordura. Quando os hormônios funcionam adequadamente, o corpo opera no seu pico do desempenho, mantendo o peso saudável, ideal.

CAPÍTULO SETE

Acelere seu metabolismo

Você já experimentou dietas que contam calorias, dietas que eliminam a gordura, dietas com restrição de carboidratos, e depois acabou recuperando todos os quilos eliminados durante essas dietas? Você já experimentou as reuniões de grupos de apoio a quem deseja emagrecer e observou que algumas pessoas estavam conseguindo emagrecer, e você não, embora estivesse seguindo tudo à risca?

Você sempre sentia que alguma coisa estava errada ou diferente com seu corpo, principalmente quando via amigos magros comerem duas vezes mais do que você e não engordarem um grama? Bem, você provavelmente tem razão. Uma combinação de fatores incluindo envelhecimento, estresse, mudanças hormonais e escolhas de alimentos inadequados causam uma mudança gradual no metabolismo. Você não é preguiçoso e não lhe falta força de vontade ou disciplina. Seu corpo simplesmente reage de forma diferente aos alimentos porque você tem o metabolismo lento. Sei disso porque tive metabolismo lento que se desacelerou quando eu me aproximei dos quarenta. Mas, quando estudei para tirar meu diploma de nutricionista especializada no controle do peso, comecei a aprender mais sobre meu metabolismo e seu efeito sobre o meu ganho de peso. Quando comecei a engordar rapidamente, limitava a quantidade de comida. Até tentei me exercitar com um personal trainer, mas, ainda assim, engordei quatro a sete quilos. Continuei engordando, apesar de seguir o conselho tradicional de "comer menos e exercitar-se mais". Mas meu corpo não reagia a esse conselho. Portanto, eu sabia que precisava de uma abordagem nova e diferente e precisava dela rápido. Graças a Deus eu a encontrei!

Se acredita ser impossível emagrecer e não voltar a engordar, mesmo seguindo todas as instruções sobre alimentação e exercícios, é muito provável que um dos seus problemas seja o metabolismo lento. É importante compreender como o seu corpo metaboliza os alimentos, pois isso determina como os alimentos se transformam em energia ou gordura no seu corpo. A maioria das dietas não leva em consideração o metabolismo individual de cada um de nós. Concentram-se em mudanças alimentares, mas não consideram que seu metabolismo afeta seu ganho de peso. É por isso que algumas pessoas conseguem emagrecer com uma determinada dieta, e outras não.

Se seu metabolismo for lento, seu corpo não reagirá às dietas e programas de emagrecimento tradicionais. A abordagem tradicional às dietas, que envolve a redução da ingesta calórica, não funcionará porque o peso é determinado pela reação do seu organismo à forma como os alimentos são processados ou metabolizados no seu corpo.

Outro problema pode ser que muito da sua perda de peso ao seguir alguma dessas dietas tenha vindo não de gordura, porém de músculos, e precisamos de músculos para manter o funcionamento adequado da máquina metabólica. As células dos músculos queimam cinquenta vezes mais calorias do que as células de gordura. É importante emagrecer de uma maneira que garanta a perda de gordura e minimize a perda de músculos; é exatamente esse o foco do Sistema DHEMM.

Como seu metabolismo afeta as calorias que você queima

Muitos entendem o metabolismo como uma simples questão da rapidez ou lentidão na queima de calorias. Muitas vezes ouvimos as pessoas dizerem: "Não consigo emagrecer porque meu metabolismo é lento." De um modo geral, isso é verdade, mas metabolismo é algo muito mais complexo: representa todos os sinais e reações químicas no corpo que regulam o peso e a velocidade de queima de calorias. Diversos fatores determinam como nosso metabolismo processa alimentos e queima calorias, inclusive meio ambiente, idade, qualidade do alimento, níveis de estresse, genes e atividades físicas. Devido às alterações no equilíbrio hormonal, o envelhecimento, em especial, tem um impacto considerável sobre o metabolismo. Quando você entender o que controla seu metabolismo, poderá realizar as mudanças que transformarão automaticamente o seu corpo em uma máquina de queimar gordura. Quando deixar de se concentrar em emagrecer e passar a se concentrar em restaurar o nível ideal de desempenho do seu corpo, o emagrecimento ocorrerá sem esforço, automaticamente.

Uma pessoa que tenha uma alta taxa metabólica é capaz de queimar calorias de forma mais eficiente do que alguém com uma taxa metabólica mais baixa. Todas as calorias que não são queimadas são transformadas em gordura. Vamos analisar os três tipos principais de queima de calorias que ocorrem durante o seu dia.

Queima de calorias nº 1. A maior parte da queima de calorias vem do nosso metabolismo basal ou em repouso, o que significa que queimamos calorias mesmo nada fazendo absolutamente.

Sim, 60% a 80% das calorias diárias são queimadas sem fazermos nada. Seja quando assistimos à TV, participamos de uma reunião de trabalho ou dormimos, continuamos queimando calorias. Sabe por quê? Porque o corpo está sempre em um estado constante de movimento. O coração bate, sangue é bombeado nas veias e os pulmões respiram. Esse é outro motivo pelo qual digo que a prática de exercícios não é tão importante para emagrecer. Exercícios são importantes para a saúde cardiovascular, mas as calorias queimadas durante a prática de exercícios não contam para a maior parte da queima calórica que ocorre durante o dia, enquanto não estamos fazendo absolutamente nada (o metabolismo basal). As calorias que você queima durante uma hora na academia são relativamente insignificantes quando comparadas a todas as calorias que você queima durante as outras 23 horas do seu dia. É mais produtivo concentrar-se em elevar naturalmente a taxa do seu metabolismo em repouso – ou seja, a queima de calorias ao longo do dia.

Queima de calorias nº 2. O efeito de simplesmente comermos e digerirmos os alimentos corresponde a 10% a 15% das calorias que queimamos diariamente. Estudos mostram que, durante o processo de alimentação, o metabolismo aumenta em até 30%, e esse efeito dura até três horas depois de terminarmos de comer. A quantidade de queima calórica que ocorre depende do tipo de alimento que ingerimos. Queimamos mais calorias para digerir proteínas (25 calorias queimadas a cada 100 calorias consumidas) do que para digerir gorduras e carboidratos (cerca de dez a 15 calorias queimadas para cada 100 calorias consumidas). Por isso, o Sistema DHEMM requer uma quantidade adequada de proteína magra e saudável.

Queima de calorias n° 3. Cerca de 10% a 15% da nossa queima de calorias vêm do aumento da frequência cardíaca, do fortalecimento muscular ou de atividades físicas, até mesmo atividades físicas leves, como subir escadas. No Sistema DHEMM, vamos discutir maneiras de "se movimentar" para que você se torne fisicamente mais ativo durante o dia, mesmo sem frequentar a academia ou se exercitar.

Como evitar a desaceleração do metabolismo

Um dos maiores mitos sobre o emagrecimento é que algumas pessoas têm mais dificuldade de perder peso porque, geneticamente, têm um metabolismo lento. Entretanto, pesquisas científicas mostram que isso simplesmente não é verdade. Nossa taxa metabólica não é fixa durante a vida toda; de fato, pode e vai mudar ao longo da vida.

As dietas que geram o efeito sanfona mudam o metabolismo para pior e, no longo prazo, dificultam o emagrecimento. Algumas pessoas que vivem de dietas provavelmente começaram a desacelerar o metabolismo sem saber. Eis como isso aconteceu: quando alguém faz dieta, o corpo percebe que não está obtendo a mesma quantidade de comida que costumava obter ou que precisava e, para conservar energia, reduz a taxa metabólica. Passa também a armazenar gordura para ter energia suficiente ao longo do dia.

Outro problema dessas dietas é que você começa a perder massa muscular magra, que controla a taxa metabólica e auxilia a queima de gordura. Quando não obtém alimento suficiente por meio da dieta, o corpo precisa conservar energia, e assim o metabolismo começa a se "consumir" para obter a energia adicional da qual necessita. Dessa forma, além de desacelerar seu metabolismo, você também pode estar perdendo massa muscular magra.

Em vez de fazer dieta e comer menos, você deve comer mais quando estiver com fome, o que, para a maioria das pessoas, significa comer a cada três ou quatro horas. Comer a cada três ou quatro horas sinaliza ao corpo que você tem bastante comida e energia para abastecer o corpo durante o dia todo, fazendo com que ele acelere o metabolismo e permita que a energia seja usada de forma mais eficiente.

Seu metabolismo vai se desacelerar naturalmente com a idade.
É verdade! Seu metabolismo se *desacelera, sim,* com a idade. A partir dos 25 anos, nossa taxa metabólica cai entre 5% e 10% a cada década de vida. Portanto, você terá que se esforçar mais e ser mais proativo para acelerar seu metabolismo à medida que envelhece.

Se você for como eu e já tiver passado dos quarenta, provavelmente já colocou a culpa do ganho de peso no metabolismo lento. Bem, você está certo porque, à medida que envelhece, sua taxa metabólica tende a diminuir. Dessa forma, se a sua taxa metabólica em repouso for, digamos, 1.200 calorias por dia aos quarenta anos, aos cinquenta será cerca de 1.140 calorias por dia. Por isso, a partir dos quarenta, você talvez tenha que fazer mudanças alimentares ou de estilo de vida só para manter seu peso atual.

Resumindo, a realidade é que, conforme envelhecemos, a vida se complica, principalmente para os que trabalham, têm filhos ou pais idosos. Isso faz com que nossas refeições sejam sempre apressadas, o que significa comer em lanchonete ou ter uma alimentação menos saudável por falta de tempo.

Doze maneiras de acelerar seu metabolismo

Como eu já disse, você definitivamente tem a capacidade de acelerar ou desacelerar seu metabolismo. Como cada um de nós é único, alguns dos métodos para acelerar seu metabolismo funcionarão extremamente bem, outros nem tanto. No meu caso, o chá-verde melhorou consideravelmente o meu metabolismo porque eu não só queimo gordura, como também percebo menos celulite. Preste muita atenção ao seu corpo e veja como ele reage a cada forma de acelerador do seu metabolismo. Seria bom incorporar o máximo possível de aceleradores de metabolismo, mas é melhor não experimentar todos eles ao mesmo tempo para que você possa descobrir quais deles funcionam bem e quais não funcionam. Aí, então, poderá dar continuidade aos métodos mais eficazes consistente e regularmente.

Aqui estão doze maneiras de acelerar seu metabolismo e queimar mais calorias:

1. *Levante-se.* Um estudo realizado por pesquisadores da Universidade de Missouri revelou que o sedentarismo (quatro horas ou mais) praticamente provoca a desativação de uma enzima responsável pelo metabolismo de gordura e colesterol. Se for ficar sentado durante longos períodos, lembre-se de levantar-se de vez em quando e, se possível, andar ao redor.

2. *Tome café da manhã.* Tome um café da manhã reforçado para manter seu metabolismo ativo o dia todo. Tomar um café da manhã rico em proteínas "acorda" o fígado e dá o pontapé inicial no seu metabolismo. Um café da manhã rico em proteínas pode aumentar sua taxa metabólica em até 30% por até 12 horas, o equivalente, em termos de queima de calorias, a uma corrida de 6 a 10 quilômetros. É importante abastecer seu corpo a cada três a quatro horas e não pular refeições. Em especial, não pule o café

da manhã. Não tomar o café da manhã significa que o corpo vai ficar sem combustível por cerca de 15 horas, se contarmos as horas em que você dormiu. Isso faz com que ele armazene gordura automaticamente, pois acredita estar passando fome ou em estado de privação.

3. *Coma com mais frequência.* O objetivo é não deixar que se passem mais de quatro horas sem fazer uma refeição ou lanche. Sim, ironicamente, quem deseja emagrecer precisa comer! O número de vezes que você come é importante para manter o metabolismo ativo. Sempre que você come, tem que queimar calorias para digerir os alimentos por isso, comer aumenta sua taxa metabólica. Quando você fica mais de cinco horas sem comer, seu corpo automaticamente desacelera sua taxa metabólica. Por outro lado, ao comer (refeições e lanches) ao longo do dia, seu corpo permanece em um estado de queima metabólica constante que ajuda a queimar calorias e gorduras o dia inteiro. Lembre-se, comemos a cada três ou quatro horas porque comer menos desacelera o metabolismo. Envia um sinal para o corpo reagir desacelerando sua taxa metabólica e utilizar as reservas de gordura existentes no corpo. Portanto, coma mais. Sim, você pode!

4. *Não coma logo antes de se deitar.* Comer pouco antes de ir dormir é uma maneira garantida de desacelerar seu metabolismo e engordar. A solução fácil é jantar e esperar pelo menos duas a três horas depois de comer para se deitar. Você pode até fazer uma refeição mais leve no jantar e deixar para ingerir alimentos mais pesados no café da manhã. Obter mais energia dos alimentos mais cedo no dia ajuda a emagrecer e não voltar a engordar porque

seu corpo pode queimar gordura durante o dia inteiro. Os sistemas de queima de gordura do corpo se desaceleram, descansam e se recuperam à noite durante o sono.

5. *Durma o quanto precisar.* Uma das minhas maneiras favoritas para acelerar o metabolismo é dormir oito horas completas de sono. Quando você não dorme o suficiente, sua energia fica baixa durante todo o dia. Quando está cansado por privação de sono, o corpo busca aumentar o nível de energia consumindo alimentos, fazendo com que você deseje comer mais açúcar, sal e gorduras. No final de 2004, por exemplo, os pesquisadores demonstraram existir uma forte associação entre o sono e a capacidade de emagrecer; quanto mais se dorme, melhor o corpo pode regular as substâncias químicas que controlam a fome e o apetite. Um desses hormônios é a leptina, hormônio responsável por dizer ao seu cérebro que você está satisfeito. Quando funciona normalmente, a leptina induz a queima de gordura e reduz o armazenamento de gordura.

6. *Livre-se das toxinas.* As toxinas podem afetar sua capacidade de perder peso, desacelerando seu metabolismo e diminuindo sua capacidade de queimar gordura. As toxinas que circulam no corpo, ou seja, no sangue, reduzem a taxa metabólica de repouso. Em um estudo de 1971, o Departamento de Bioquímica da Universidade de Nevada concluiu que as toxinas químicas enfraqueciam em 20% uma coenzima especial de que o corpo precisava para queimar gordura. Toxinas (pesticidas, aditivos alimentares, herbicidas) interferem no processo de queima de gordura do corpo e dificultam a perda de gordura.

7. *Beba mais água gelada.* Pesquisadores alemães descobriram que, se você beber seis xícaras de água gelada por dia, você pode aumentar em aproximadamente cinquenta calorias por dia o metabolismo em repouso, o que, em um ano, pode ajudá-lo a perder cerca de cinco quilos. Isso ocorre porque o corpo tem que trabalhar mais para aquecer a água à temperatura do corpo. É algo simples que pode ajudá-lo a emagrecer com muito pouco esforço. Os pesquisadores alemães também sugerem que, nos 90 minutos que se seguem ao consumo de água gelada, você mantém o metabolismo elevado em até 24% em relação à taxa metabólica média.

8. *Tome café ou chá cafeinados.* A cafeína é um estimulante do sistema nervoso central e pode acelerar o metabolismo em 5% a 8%, o que ajuda a queimar de 100 a 175 calorias por dia. Isso não significa que se deva exagerar e tomar várias xícaras de café. Tomar uma xícara de café é suficiente, mas, em excesso, o café pode ter efeitos colaterais adversos. Além disso, sabe-se que o chá-verde, meu acelerador de metabolismo favorito, proporciona muitos benefícios para a saúde.

9. *Desenvolva musculatura magra.* É importante manter o máximo de massa muscular possível à medida que envelhecemos. Se você perder massa muscular, sua taxa metabólica começará a diminuir e você queimará menos calorias. De fato, um quilo de gordura queima cerca de duas calorias por dia para manter-se, enquanto um quilo de massa muscular magra queima 30 a 50 calorias por dia para se manter. Assim, apenas mantendo uma maior quantidade de massa muscular, você queimará mais calo-

rias ao longo do dia e manterá seu metabolismo acelerado. O ganho de apenas 5 a 10 quilos de massa muscular magra acelerará o seu metabolismo em repouso para que você queime mais calorias mesmo quando estiver descansando.

10. *Coma mais fibras*. Pesquisas mostram que as fibras podem aumentar a queima de gordura em até 30%. Tenha como objetivo ingerir cerca de 30 gramas de fibras por dia, por meio de alimentos ricos em fibras ou suplementos de fibra. Na verdade, existe até uma dieta cujo foco é apenas aumentar a ingestão diária de fibras como método de emagrecimento.

11. *Movimente-se*. Qualquer tipo de atividade física acelera o metabolismo, em especial os exercícios aeróbicos. Além disso, quanto maior a intensidade do exercício aeróbico praticado, mais você ajudará seu metabolismo a permanecer elevado por um longo período, de modo que você continue a queimar calorias mesmo depois de ter parado de se exercitar. No Capítulo 12, discuto maneiras de "movimentar-se" mesmo sem frequentar a academia.

12. *Apimente-se*. Um estudo mostrou que pimentas picantes (pimenta dedo-de-moça ou pimenta-de-caiena) causaram um aumento temporário do metabolismo de cerca de 23%. Algumas pessoas até utilizam suplementos de pimenta-de-caiena em cápsulas apenas para acelerar o metabolismo.

Alimentos que aceleram o metabolismo

Alguns alimentos são especialmente eficazes para acelerar o metabolismo. E o fazem de três maneiras: ajudando a manter o equilíbrio hormonal; reduzindo os níveis de insulina, o que controla o armazenamento de gordura; e aumentando a massa muscular (via proteína), pois músculo queima mais calorias do que gordura. Entre esses alimentos "mágicos" incluem-se:

- *Whey protein ou proteínas de arroz.* A proteína do soro do leite de vaca é uma proteína completa de alta qualidade que acelera o metabolismo. Se você for vegetariano, pode usar proteína de arroz com a mesma finalidade.
- *Nozes e sementes.* Nozes e sementes fornecem gorduras saudáveis que elevam a taxa metabólica.
- *Chá-verde.* Estudos mostram que o chá-verde é um dos melhores aceleradores do metabolismo que podemos encontrar.
- *Feijões e leguminosas.* O feijão tem grande quantidade de fibras, o que proporciona a sensação de saciedade, evitando desejos súbitos e compulsões.
- *Frutas vermelhas.* Frutas vermelhas são repletas de antioxidantes e aceleram o metabolismo. Coma-as frescas ou congeladas.
- *Pimenta-de-caiena.* Por ter efeito termogênico, a pimenta-de-caiena é conhecida como um agente de queima de gordura. Aquece o corpo, e o corpo queima calorias quando resfria.
- *Sucos verdes.* Uma mistura de folhas verdes, frutas e água.
- *Hortaliças.* As hortaliças contêm fibras, vitaminas e diversos nutrientes essenciais que ajudam a manter o metabolismo acelerado.

- *Cereais integrais.* Cereais como aveia aumentam o metabolismo, mantendo os níveis de insulina baixos depois que comemos. A secreção excessiva de insulina provoca o armazenamento de gordura corporal, desacelerando o metabolismo.
- *Carnes magras vermelhas, de porco, frango e peru.* Boas fontes de proteína magra. Quanto mais proteína você ingere, mais seu corpo terá que trabalhar para digeri-la, resultando na queima de mais calorias durante o processo de digestão.
- *Salmão, atum e sardinha.* Esses peixes contêm ácidos graxos ômega-3. Pesquisadores franceses descobriram que homens que substituíram 6 gramas de gordura em suas dietas por 6 gramas de óleo de peixe (ácidos graxos ômega-3) conseguiram aumentar o metabolismo e perder uma média de 2 quilos em apenas doze semanas. O salmão selvagem do Pacífico, em particular, é repleto de gorduras ômega-3 e é um peixe muito saudável.

Quando você começar a acelerar seu metabolismo, o peso irá embora para não mais voltar. Não só isso, também a sua saúde vai melhorar. Você pode aprender como seu corpo funciona e como acelerar o seu metabolismo para queimar mais calorias e gordura ao longo do dia. Você aprenderá a obter energia dos alimentos ingeridos para sustentá-lo o dia todo e manter seu metabolismo acelerado. Problemas de saúde relacionados ao peso diminuirão e, em alguns casos, até mesmo desaparecerão.

CAPÍTULO OITO

Coma alimentos que emagrecem

Quando você ingere alimentos que são basicamente naturais, integrais, crus ou orgânicos, seu corpo lida de maneira mais eficaz com a digestão e utilização desses alimentos. Os alimentos saudáveis são reconhecíveis pelo organismo e podem ser decompostos, enquanto os alimentos e ingredientes não naturais não podem ser decompostos e causam ganho de peso, envelhecimento prematuro e outras doenças. Os alimentos mais saudáveis são aqueles mais fáceis de serem digeridos pelo organismo – são efetivamente quebrados e utilizados, deixando pouco resíduo ou toxinas no corpo. Neste capítulo, discutiremos:

- Os três alimentos fundamentais
- Fibras
- Bebidas
- Suplementos nutricionais

Você já deve ter ouvido falar muito sobre a necessidade de comer "alimentos naturais". O que são alimentos naturais? Alimentos naturais são alimentos frescos e não processados que permanecem quase exatamente na forma em que foram encontrados na natureza. Entre eles estão feijão, leguminosas, grãos integrais, frutas, nozes e sementes. Como já dissemos, quanto mais rápido o corpo é capaz de decompor e digerir os alimentos, menor a quantidade de resíduos que fica para trás para se transformar em células de gordura no corpo. Além disso, quanto mais tempo o corpo levar para digeri-lo, mais tempo você ficará satisfeito e saciado durante o dia.

Você também ouve falar muito em alimentos orgânicos, isentos de conservantes, aditivos, hormônios, pesticidas e antibióticos. Alimentos orgânicos frescos são muito menos tóxicos do que alimentos altamente processados e embalados/congelados. Alimentos orgânicos sustentam a boa saúde e ajudam a manter o peso ideal, além de desintoxicar o corpo. Frutas frescas, leguminosas, grãos integrais e carnes orgânicas são muito melhores para a saúde. As frutas e hortaliças congeladas retêm muitas vitaminas e, em geral, não levam tantos conservantes quanto os alimentos industrializados e enlatados, mas não possuem as enzimas vitais necessárias para sua adequada digestão. Refeições congeladas e enlatados, industrializados e de preparo instantâneo são as opções menos saudáveis, pois muitas vezes contêm açúcar, sal, conservantes e gorduras insalubres.

Os três alimentos fundamentais a uma alimentação saudável

Os três alimentos fundamentais para o Sistema DHEMM são proteínas magras, bons carboidratos e gorduras saudáveis. O que comemos é o fator mais importante para o emagrecimento. Você pode praticar a quantidade de exercício que desejar, mas, se não fornecer ao corpo os nutrientes necessários, vai atrapalhar o progresso rumo às suas metas de emagrecimento. Saber o que comer é essencial para não voltar a engordar. Fazer uma refeição saudável e equilibrada com proteínas magras, bons carboidratos e gorduras saudáveis ajuda a emagrecer e manter o peso.

Aprendi com meus clientes que a maioria das pessoas desconhece as diferenças entre proteína, carboidrato e gordura. Por exemplo, muitas pessoas desconhecem que frutas e leguminosas são carboidratos. É importante começar a pensar em todos os alimentos como proteínas, carboidratos ou gorduras. São informações fundamentais para administrar o peso no longo prazo, pois cada tipo de alimento provoca diferentes impactos hormonais que afetam o ganho de peso.

- *Proteínas magras.* A proteína é um dos nutrientes mais eficazes para acelerar o metabolismo e construir músculos. A proteína aumenta a queima calórica enquanto está sendo digerida e ajuda a construir músculos, que também ajudam a queimar calorias. Exemplos de proteínas magras são: ovos, peixes, aves magras ou carne magra (preferivelmente carne orgânica ou de animais alimentados soltos).
- *Bons carboidratos.* Os carboidratos, particularmente aqueles encontrados em sua forma natural, contêm a maioria dos nutrientes essenciais que nos mantêm saudável, dão energia e aceleram o metabolismo. Entre os exemplos incluem-se frutas, leguminosas, cereais integrais, feijões, nozes e sementes.
- *Gorduras saudáveis.* As gorduras saudáveis são as gorduras boas – aquelas que contêm ácidos graxos ômega-3, que ajudam a acelerar o metabolismo e auxiliam o corpo a queimar gordura mais rápido. Alguns exemplos são: óleo de peixe; azeite extravirgem; óleos vegetais prensados a frio, tais como óleo de semente de uva e óleo de gergelim; nozes e sementes, além de óleo de coco.

Proteínas magras

A proteína é fundamental para todas as partes do corpo, inclusive sangue, pele, órgãos, enzimas e músculos. Alimentos ricos em proteínas são extremamente eficazes para acelerar naturalmente o metabolismo. Como expliquei antes, o corpo utiliza mais calorias para digerir proteínas do que para digerir carboidratos ou gordura. De acordo com um estudo do *Journal of Clinical Nutrition*, de 2006, consumir quase um terço das calorias diárias sob a forma de proteína magra acelera o metabolismo não apenas durante o dia, mas também durante o sono.

Além disso, consumir proteína suficiente ajuda a preservar a massa muscular magra e, quanto mais massa muscular você tiver, mais calorias queimará, mesmo em repouso. A ingestão das proteínas equilibra os níveis de açúcar no sangue para que você não tenha picos de energia. Também ajudam o fígado a manter-se metabolicamente ativo, em especial se forem consumidas no café da manhã, pois isso ajuda a fornecer alicerce estável para a energia, humor e açúcar no sangue durante o dia e a noite. Por essa razão, comer proteína no café da manhã ajuda quem se sente muito cansado no meio da tarde.

Ao escolher uma proteína, saiba que nem todas elas são iguais. É importante optar por proteínas magras de alta qualidade que contenham os aminoácidos essenciais necessários para crescer, construir e manter massa muscular, permitindo que seu corpo queime mais calorias ao longo do dia.

Agora que sabemos que a proteína pode ajudar você a eliminar aqueles quilos indesejados, é importante comer a quantidade certa e o tipo certo de proteínas para obter seus benefícios para a saúde. Uma pessoa típica precisa comer aproximadamente 50 gramas a 70 gramas de proteína por dia. Cinco a oito porções de proteína magra devem bastar para suprir essa necessidade. Embora o Capítulo 11 apresente uma lista detalhada de opções de proteína magra, aqui estão algumas diretrizes gerais que lhe permitem selecionar boas fontes de proteína magra.

Peixes

O peixe é uma das fontes mais saudáveis de proteína magra, pois contém menor quantidade de gorduras saturadas do que carne de boi ou frango. Entre as boas opções de peixes incluem-se salmão selvagem, atum e sardinha. Salmão é extremamente saudável e é ótimo para quem deseja emagrecer. Contém grande quantidade das saudáveis gorduras ômega-3, que estimulam a queima de gordura. Se tiver como escolher, opte sempre pelo salmão selvagem, e não pelo salmão criado em cativeiro, ainda que esse último seja mais barato. A fonte mais abundante de salmão selvagem é encontrada no Alasca, mas o Canadá, a Califórnia e alguns outros estados norte-americanos também o oferecem. Embora tanto o salmão selvagem como o salmão criado em cativeiro tenham níveis equivalentes de ômega-3, em comparação com o salmão selvagem, o salmão criado em cativeiro tem mais toxinas e outros produtos químicos. O salmão selvagem também é mais rico em astaxantinas, potentíssimo antioxidante e nutriente anti-inflamatório popular na indústria antienvelhecimento. A maioria dos salmões é alimentada com astaxantina sintética, que é inferior à forma natural desse nutriente. Muitos chefs de cozinha também usam salmão selvagem devido ao seu sabor e textura superiores. Tente comer salmão pelo menos duas vezes por semana.

Aves

O ideal é consumir o peito de frango ou o de peru sem osso e sem pele. Como a pele é lotada de gordura saturada, é importante retirá-la antes de preparar a ave. Sei que a pele confere um sabor especial, mas também acrescenta gordura e calorias. Ao escolher aves, opte pela carne branca de peru e de frango sempre que possível; a carne branca tem menos calorias do que a carne escura. As melhores maneiras de preparar aves domésticas são assadas na panela, grelhadas ou assadas no forno. Evite fritar, pois esse modo de preparo aumenta o número de calorias do alimento.

Carne vermelha

O fato de você estar restringindo a ingestão de gordura e de calorias não significa que tenha que abrir mão da carne vermelha. Ao comprar carne moída, opte pela carne moída magra. Se for moída na hora, peça para tirar a gordura antes de moer a carne. Cortes como filé, alcatra, coxão duro, patinho geralmente são cortes mais magros. Evite carnes tipo "prime" – são saborosas, mas um pouco mais gordurosas.

O ideal é não comer grande quantidade de carne vermelha toda semana; no entanto, se optar por comer carne vermelha, ao menos opte pela carne de animais alimentados no pasto em vez da carne de animais alimentados com ração. Muitos criadores de gado confinado optam por alimentar seus animais com grãos por serem mais baratos e deixarem seus animais mais gordos e pesados, mas a carne desses animais é menos nutritiva do que a dos animais alimentados no pasto. Além disso, a carne do gado alimentado com grãos geralmente contém hormônios sintéticos, antibióticos e outros aditivos que nos são transmitidos quando ingerimos sua carne. Em geral, a carne de animais alimentados no pasto tem menos gordura, colesterol e calorias. Naturalmente, a maioria das carnes vendidas nos supermercados é de animais alimentados com grãos. Por isso, talvez seja preciso procurar um fornecedor para encontrar o tipo mais saudável. Se estiver comprando aves ou ovos, também deve procurar carne (e os ovos) de aves criadas soltos, e não alimentadas com grãos.

Segundo Jo Robinson, autora de *Why Grassfed Is Best,* os seguintes benefícios à saúde são obtidos com a ingestão de carne de bovinos criados soltos no pasto, e não alimentados com grãos:

- Um bife de 180 gramas de boi criado solto no pasto tem quase 100 calorias a menos do que de um animal alimentado com grãos.
- A carne de animais alimentados criados soltos tem metade da gordura saturada da carne de animais alimentados com grãos.
- A carne de animais criados soltos tem de duas a seis vezes mais gorduras ômega-3 (gorduras saudáveis) do que a de animais alimentados com grãos.

Feijões e leguminosas

Feijões, lentilhas e ervilhas também são boas fontes de proteína magra e ainda têm o benefício adicional de serem ricos em fibras. O conteúdo de proteínas e fibras de feijões, ervilhas e lentilhas o ajudará a se sentir saciado e evitar excessos. Utilize-os em saladas e no preparo de chili ou sopas. Feijões e leguminosas também são carboidratos, mas não são digeridos com tanta rapidez quanto a maior parte dos outros carboidratos; por isso, funcionam mais como fontes de alimento ricas em proteínas.

Ovos

Durante muitos anos, devido a preocupações com o colesterol, os ovos foram considerados vilões da alimentação, mas podem ser incluídos em qualquer dieta saudável. Se você tem problemas de colesterol, evite comer a gema, que contém toda a gordura e o colesterol do ovo. A clara do ovo é uma boa opção, com um alto teor de proteína e baixo teor de colesterol. Uma omelete feita de uma gema e duas claras praticamente não tem sabor diferente do de uma omelete feita com dois ovos inteiros – mas menos gordura e colesterol.

Como veremos no próximo capítulo, não sou fã de laticínios. No entanto, se você optar por comer ou beber derivados de leite, opte pelas versões livres de gordura ou de baixo teor de gordura e sem adição de açúcar. Isso faz com que o iogurte desnatado ou light, diet, seja uma boa fonte de proteína.

Bons carboidratos

Os carboidratos constituem o maior grupo de alimentos que ingerimos. Aqueles encontrados em sua forma natural contêm a maior parte dos nutrientes essenciais que nos dão energia e abastecem o nosso corpo ao longo do dia. Alimentos como açúcar, pão branco e macarrão branco foram responsáveis por conferir aos carboidratos sua má reputação. Mas o mundo dos carboidratos não se reduz a isso. Os carboidratos fornecem vitaminas e minerais, particularmente tiamina, niacina e a poderosa vitamina antioxidante E. São, também, importantes fontes de fibras, um nutriente essencial para controlar o apetite e proporcionar a sensação de saciedade. Em suma, o corpo precisa de carboidratos não apenas para ter energia, mas também para produzir serotonina, importante substância química do cérebro que diz quando você está saciado e não está mais com fome.

Infelizmente, a maior parte dos carboidratos que os norte--americanos comem são "carboidratos ruins" encontrados em doces, balas, junk food, refrigerantes, sucos de frutas, cereais açucarados, arroz, pães e macarrão feitos com farinha branca. O problema dos "carboidratos ruins" é que eles não são adequadamente metabolizados no organismo, provocando picos de insulina, o que acaba levando à resistência à insulina e causando o armazenamento de gordura no corpo.

Mas você sabia que as frutas e leguminosas também são carboidratos? Nozes, sementes, feijões e grãos integrais também são carboidratos. Esses são os carboidratos "bons". Se quiser ser magro e saudável, deve incluir os "bons carboidratos" na alimentação.

Os "bons carboidratos" contêm ingredientes muito importantes, necessários para a saúde ideal, e devem constituir uma grande parte de sua dieta. Entre eles estão:

- Nozes e sementes
- Grãos
- Leguminosas
- Frutas
- Hortaliças

Nozes e sementes. Se estiver tentando emagrecer, inclua nozes e sementes em sua alimentação. As nozes e sementes fornecem energia e aumentam a resistência porque são uma usina de nutrientes. Estudos demonstram que a inclusão de algumas nozes e sementes na alimentação na verdade ajuda a suprimir o apetite e favorece o emagrecimento. Não as coma em grandes quantidades, pois as nozes e sementes são altamente calóricas; por isso, não exagere. As nozes e sementes orgânicas, cruas, constituem uma melhor opção do ponto de vista nutricional do que as nozes assadas, às quais normalmente se adicionam óleos e sal. Algumas opções de nozes e sementes são amêndoas, castanha-do-pará, pinhão, nozes, macadâmia, sementes de gergelim e sementes de girassol.

Grãos. Embora os grãos integrais tenham sido recomendados por serem ricos em fibras e em vitaminas E e do complexo B, um estudo recente realizado em Harvard e publicado no *Journal of Clinical Nutrition* revelou que os grãos integrais também ajudam a emagrecer e a evitar o ganho de peso. A pesquisa de Harvard concluiu que as mulheres que comem maior quantidade de grãos integrais têm um risco 49% menor de engordar e um risco muito menor de desenvolver doenças cardíacas e diabetes. A pesquisa provou que as mulheres podem emagrecer mais e manter o peso perdido melhor do que aquelas que consomem uma quantidade menor de grãos integrais. Ao comprar grãos integrais, procure as variedades menos processadas, cereais, pães e massas 100% integrais. Por exemplo, quando for preparar um mingau de aveia (uma fonte de grãos integrais), opte pela aveia trilhada ou pela aveia em flocos, em lugar dos preparados para mingau instantâneo, que contêm açúcar adicionado. As opções de grãos integrais saudáveis são: cevada, aveia, trigo, milho, painço, quinoa, arroz integral, trigo integral e trigo-sarraceno.

Leguminosas. Existem diversos tipos diferentes de leguminosas, entre eles: feijão-preto, lentilha, feijão-mulatinho, feijão-carioca, ervilha, grão-de-bico, feijão-de-lima e feijão-branco. Se o feijão lhe der gases, é possível reduzir significativamente esse problema deixando o feijão de molho durante a noite e escorrendo a água em que ele ficou de molho antes de levá-lo ao fogo.

Frutas. As frutas proporcionam enormes benefícios à saúde, fornecendo aminoácidos essenciais, minerais e vitaminas. As frutas se decompõem mais rápido do que qualquer outro alimento em nosso organismo, deixando-nos abastecidos e energizados; além disso, por serem um alimento altamente purificador, as frutas não deixam resíduos tóxicos no corpo. Na realidade, as frutas dissolvem as substâncias tóxicas e limpam nossos tecidos, eliminando até mesmo resíduos tóxicos há muito armazenados no corpo. Em suma, a fruta é o alimento mais enriquecedor que podemos comer. Frutas são carboidratos ricos em fibras e água. Exemplos de frutas saudáveis são: mirtilos, maçã, grapefruit, kiwi, melão, mamão, amora, cereja e uva.

Hortaliças. Quem deseja ser magro, forte e saudável deve comer hortaliças todos os dias. Estudos mostram que as pessoas que comem uma grande variedade de hortaliças têm menor quantidade de gordura corporal. As hortaliças verdes folhosas são especialmente importantes porque têm poucas calorias, são ricas em nutrientes e muito ricas em fibras. A categoria inclui acelga, espinafre, couve, folhas de nabo, mostarda em folhas e folhas de beterraba. Outras hortaliças são: aspargos, brócolis, cenoura, berinjela, aipo, pimentão, repolho, couve-flor, couve-de-bruxelas e rabanete. Se está tentando emagrecer, deve limitar a ingestão de hortaliças ricas em amido, como batata e milho, pois são mais calóricas. As hortaliças ricas em amido também têm um índice glicêmico alto, o que significa que elas são rapidamente absorvidas na corrente sanguínea e causam a elevação dos níveis de insulina, levando ao armazenamento excessivo de gordura no corpo. Quando você atingir o peso desejado e seu peso se estabilizar, poderá voltar a incluir hortaliças ricas em amido às suas refeições.

Consuma a maior quantidade possível de frutas e hortaliças. Uma ótima maneira de minimizar o ganho de peso é comer frutas e hortaliças frescas e de alta qualidade, de preferência orgânicos. Uma maneira simples de aumentar a ingestão de frutas e verduras é tomar um suco verde diariamente. Os sucos verdes, como veremos mais adiante neste capítulo, fornecem o equivalente a cinco porções de hortaliças em um só copo. Recomendo que você tome pelo menos um suco verde por dia, pela manhã. Acredito veementemente que a ingestão de hortaliças cruas, sucos de hortaliças e sucos verdes seja o segredo para ser uma pessoa magra, radiante, saudável e cheia de energia.

Sempre que possível opte por frutas e hortaliças orgânicas. Cereais e frutas, como morango, pêssego, pera, nectarina, cereja, uva, maçã, pimentão, cenoura, aipo e verduras (como couve e alface), contêm grande quantidade de pesticidas e produtos agrícolas tóxicos. Ao comprar essas frutas e hortaliças, opte sempre pelas variedades orgânicas. Quanto aos outros tipos, como as frutas e hortaliças cuja casca não é comestível, não é tão fundamental que sejam orgânicos. Entre eles estão: abacate, banana, mamão, abacaxi, melancia, kiwi, manga, cebola, milho e ervilha. Aspargos, repolho e berinjela também contêm menos pesticidas.

Se você não puder se dar ao luxo de comprar frutas e hortaliças orgânicas, elimine os pesticidas e ceras da melhor maneira possível. É muito difícil remover as ceras; na verdade, para tanto, geralmente não basta simplesmente lavá-los. É preciso comprar produtos especiais em lojas de produtos naturais. Depois de eliminar a cera, não deixe de lavar bem o produto. Você também pode reduzir o conteúdo tóxico de frutas e hortaliças deixando-os de molho em vinagre branco a 10% e depois os lavando em água corrente.

Gorduras saudáveis

A maioria das pessoas acredita que dietas com baixo teor de gordura são o melhor caminho para o emagrecimento, mas isso não é verdade. Gorduras saudáveis, como óleos de peixe e óleo de coco, não apenas estimulam o emagrecimento como também ajudam a curar muitas doenças e males. As gorduras saudáveis são necessárias para produzir hormônios e fornecer ao corpo ácidos graxos essenciais. No entanto, você deve evitar comer grandes quantidades de alimentos gordurosos, pois eles são ricos em calorias e farão com que você engorde.

Existem basicamente três tipos diferentes de gordura: as gorduras saudáveis, as gorduras ruins e as gorduras péssimas. Abordarei aqui as gorduras saudáveis e falarei sobre as ruins e as péssimas no próximo capítulo.

As gorduras saudáveis são as gorduras *insaturadas* e devem ser incluídas na sua alimentação diária. As melhores fontes de gorduras insaturadas saudáveis são peixes, óleo de linhaça, óleo de peixe, óleo de cânhamo, óleo de milho, óleo de açafrão, nozes, sementes de girassol e sementes de abóbora. Uma maneira fácil de incluir óleos saudáveis em sua alimentação é usar óleo de linhaça como molho para salada, usar azeite de oliva para preparar os alimentos e tomar suplementos de óleo de peixe para desfrutar de seus benefícios adicionais.

Você já deve ter ouvido falar em um determinado tipo de gordura saudável chamada ácidos graxos ômega-3, que são gorduras insaturadas essenciais. As gorduras ômega-3 saudáveis podem ser encontradas em nozes e sementes, na semente de linhaça, semente de abóbora, nozes, avelã, pistache, amêndoa, castanha-do-pará, castanha-de-caju e diferentes tipos de peixes selvagens, entre eles salmão selvagem, arenque e sardinha.

Nozes e sementes constituem um ótimo lanche saudável, repleto de proteínas, fibras e gorduras saudáveis. No entanto, quem estiver com excesso de peso e quiser maximizar a perda de peso deve limitar o consumo de nozes e sementes a uma porção (30 gramas) por dia, pois elas são altamente calóricas. Mas atenção: não exclua totalmente essas gorduras saudáveis da sua dieta. Contanto que você não coma uma quantidade grande demais de nozes e sementes, seu consumo, de preferência cruas, promove o emagrecimento e a supressão do apetite, e não o ganho de peso. Para entender qual a quantidade de nozes adequada para um lanche, pense em "um punhado". Um punhado geralmente equivale a 30 gramas. Leve esse punhado de nozes com você para ter sempre um lanchinho à mão. Se preferir contá-las, seriam cerca de 40 pistaches, 20 amêndoas, 20 metades de noz-pecã, 18 macadâmias, 18 castanhas-de-caju ou 15 metades de noz. Nem pense em se sentar no sofá, diante da TV, e devorar um saco inteiro de nozes enquanto assiste ao seu programa de televisão favorito. Ter uma alimentação saudável significa evitar o excesso de calorias e não comer para se distrair. Seja disciplinado com seus lanches e não coma por tédio.

As nozes também são mais ricas em vitaminas e minerais do que as proteínas animais; a proteína das sementes é facilmente assimilada e não cria ácido úrico. Nozes e sementes cruas são uma melhor opção nutricional do que nozes assadas, que geralmente contêm grande quantidade de óleo e sal. As nozes assadas também perdem seu frescor mais rápido. Se você prefere nozes torradas a seco, asse você mesmo as nozes em casa, no forno, na menor temperatura possível, durante uns 10 a 15 minutos.

Coma fibras para emagrecer

Se você está tentando perder peso, saiba que a fibra é conhecida como um nutriente milagroso que ajuda a regular o açúcar no sangue, controlar a fome e aumentar a sensação de plenitude (saciedade), que o ajudará a emagrecer e manter o peso ideal pelo resto da vida. O que é a fibra? A fibra é a parte indigerível de frutas, sementes, hortaliças, cereais integrais e outras plantas comestíveis.

Alimentos processados e açúcares refinados em nossa dieta assumiram o lugar das frutas e hortaliças ricos em fibras, deixando-nos vulneráveis a problemas de saúde e ao ganho de peso. No entanto, comer cerca de 30 gramas de fibra por dia ajuda a emagrecer, prevenir doenças e alcançar a saúde ideal. Alimentos ricos em fibras proporcionam a sensação de saciedade, mas não são alimentos de alto valor calórico, o que significa que você pode ingerir bastante comida sem um valor calórico muito alto. A fibra é um inibidor natural do apetite; diminui o apetite para que você possa reduzir mais facilmente a ingesta de calorias. Além disso, a fibra também melhora a digestão e ajuda a manter a regularidade do intestino.

De acordo com Brenda Watson, autora do livro *The Fiber35 Diet: Nature's Weight Loss Secret*, para cada grama de fibra que ingerimos seria possível eliminar sete calorias. Isso significa que, se você consumir 35 gramas de fibra diariamente, queimará 245 calorias a mais por dia.

Existem dois tipos básicos de fibras – as fibras solúveis e as fibras insolúveis. As fibras solúveis se dissolvem e se decompõem em água, formando um gel espesso. Algumas fontes alimentares de fibra solúvel são: maçã, laranja, pêssego, nozes, cevada, beterraba, cenoura, *cranberry*, lentilha, aveia, farelo e ervilha. A fibra solúvel retarda a absorção de alimentos após as refeições e, portanto, ajuda a regular os níveis de açúcar e insulina no sangue, reduzindo o armazenamento de gordura no corpo. Ela também elimina toxinas indesejadas, reduz o colesterol e diminui o risco de doenças cardíacas e cálculos biliares.

As fibras insolúveis não se dissolvem em água nem se decompõem no sistema digestivo. Passam praticamente intactas pelo trato gastrointestinal. Algumas fontes alimentares de fibras insolúveis são verduras, nozes e sementes, casca de frutas, casca de batata, casca de hortaliças, farelo de trigo e grãos integrais. As fibras insolúveis não só promovem o emagrecimento e aliviam a constipação como também auxiliam na eliminação de substâncias cancerígenas da parede intestinal. Ajudam a prevenir a formação de cálculos biliares, ligando-se aos ácidos biliares e removendo o colesterol antes que se formem cálculos, sendo, assim, especialmente benéficas para as pessoas com diabetes ou câncer de cólon.

É importante consumir fibras solúveis e insolúveis, pois cada tipo de fibra proporciona benefícios diferentes ao organismo. Muitas organizações de saúde recomendam o consumo de 20 gramas a 35 gramas de fibra por dia, não excedendo 50 gramas. Para apoiar os esforços de emagrecimento e melhorar a saúde do cólon e a digestão, recomendo a ingestão mínima de 30 gramas de fibras por dia. O norte-americano típico consome apenas 10 gramas a 15 gramas de fibra diariamente.

Se você está aumentando a ingestão de fibras, é importante beber bastante água para evitar a constipação. Uma boa regra é beber 35ml de água por quilo de seu peso. Por exemplo, se você pesa 63 quilos, deve beber 2,205 litros (cerca de 9 copos de 230ml) de água por dia.

A melhor maneira de consumir mais fibras alimentares é incluir alimentos ricos em fibras na sua alimentação. Algumas escolhas alimentares ricas em fibras são:

- 1 xícara de farelo (20g)
- 1 xícara de feijão-preto cozido (14g)
- 1 xícara de lentilha vermelha cozida (13g)
- 1 xícara de feijão-mulatinho cozido (12g)
- 1 abacate médio (12g)
- 1 xícara de aveia (12g)
- 1 xícara de ervilhas cozidas (9g)
- 1 xícara de feijão-de-lima cozido (9g)
- 1 xícara de arroz integral (8g)
- 1 xícara de couve cozida (7g)
- 3 colheres de sopa de sementes de linhaça (7g)
- 1 xícara de framboesas (6g)
- 1/2 xícara de sementes de girassol (6g)
- 1 maçã média (5g)
- 1 pera média (5g)
- 1 xícara de brócolis cozido (5g)
- 1 xícara de cenoura cozida (5g)
- 1 batata-inglesa ou batata-doce média cozida (5g)
- 1 xícara de mirtilos (4g)
- 1 xícara de morango (4g)
- 1 banana média (4g)
- 30 gramas de amêndoas (4g)
- 1 xícara de espinafre cozido (4g)
- 3 xícaras de pipoca (4g)
- 30 gramas de nozes ou pistaches (3g)

Se não conseguir incluir uma quantidade suficiente de fibras na sua alimentação, talvez seja interessante experimentar suplementos. Eu, pessoalmente, usei psyllium, mas tive muitos problemas de gases, inchaço e constipação. Recomendo fibras de acácia, linhaça ou aveia como melhor alternativa de suplemento de fibra. Além de suplementos de fibras, você pode comer barras de fibras ou tomar shakes de fibra para aumentar a sua ingestão diária.

Bebidas que o ajudam a se manter magro e saudável

Agora vamos nos concentrar nas melhores bebidas e naquelas que nos ajudam a emagrecer e permanecer saudáveis. As melhores escolhas são as seguintes:

- Água
- Sucos verdes
- Chá-verde
- Sucos preparados na hora
- Água de coco
- Leite sem lactose

Água. Eis a bebida mais importante para quem deseja emagrecer e ter boa saúde! O corpo humano é composto, em média, por 60% a 70% de água, cerca de dois terços dela nas células e o restante no sangue e fluidos corporais. Portanto, a água é essencial para quem deseja ter um corpo saudável e funcional. A água elimina as toxinas e apoia todos os processos metabólicos do organismo, transportando toxinas e resíduos das células para os rins, para então serem eliminados do corpo.

O engraçado é que beber muito pouca água diariamente faz com que o corpo retenha líquido. Os rins requerem uma quantidade adequada de água para eliminar os resíduos do corpo. Quando o corpo carece de água, os rins começam a acumular água, e o sistema linfático se torna preguiçoso. Mantenha-se bem hidratado. É importante beber muita água ao longo do dia. Beba o equivalente a pelo menos 35ml por quilo de seu peso corporal em mililitros todos os dias. Para saber se você está bebendo uma quantidade de água suficiente e está bem hidratado, observe sua urina. Se estiver muito amarela, isso significa que está desidratado e precisa beber mais água. O objetivo é fazer com que sua urina tenha a cor mais clara possível.

A água também pode ajudar a minimizar a vontade súbita de comer determinados alimentos. Em dados momentos em que você acredita estar com vontade de comer certos alimentos, na verdade está apenas desidratado. Portanto, sempre que sentir um desejo súbito de comer doce, beba um pouco de água antes. Talvez você descubra que o desejo desaparece depois de beber água.

No que se refere à desintoxicação, um tipo de água ainda melhor é a água alcalina. Opte, no mínimo, por beber água mineral ou filtrada (pelo menos 35ml por quilo do seu peso corporal em mililitros), mas se quiser ter uma pele verdadeiramente hidratada e bonita experimente água alcalina. A água alcalina desintoxica o corpo, deixando a pele mais macia e mais elástica e restaurando sua jovialidade. Sabe-se que a água alcalina hidrata a pele e mantém o corpo equilibrado e limpo. Se decidir experimentar água alcalina, faça-o aos poucos para evitar sintomas fortes de desintoxicação. No Capítulo 5, falamos sobre a água alcalina como método de desintoxicação.

Sucos verdes (consulte o Capítulo 19).

Chá-verde. O chá-verde proporciona enormes benefícios à saúde. É uma das poucas bebidas com cafeína que recomendo veementemente. Na verdade, faz parte do Sistema DHEMM.

O chá-verde é particularmente útil para reduzir a gordura e o peso corporais, melhorar a digestão e prevenir a hipertensão. Por ter forte ação antioxidante, demonstrou ser vinte vezes mais eficaz em retardar o processo de envelhecimento do que a vitamina E. O teor de vitamina C do chá-verde é quatro vezes maior que o do suco de limão. O chá-verde proporciona inúmeros benefícios maravilhosos adicionais, mas, no que diz respeito ao emagrecimento, ele simplesmente ajuda o corpo a queimar gordura com mais rapidez e eficiência.

O chá-verde é melhor que o chá-preto ou café porque a cafeína nele contida funciona de maneira diferente. O chá-verde torna o uso de energia do próprio corpo mais eficiente, melhorando assim sua vitalidade e resistência sem que você tenha que vivenciar os altos e baixos tipicamente provocados pela cafeína. Isso se deve às grandes quantidades de taninos presentes no chá-verde, que garantem que a cafeína seja transportada ao cérebro em pequenas quantidades, o que harmoniza as energias do corpo.

O chá-verde é riquíssimo em antioxidantes, mas, como contém cafeína, não o beba muito tarde para não interferir no sono. Recomendo veementemente que você tome seu chá-verde (quente ou gelado) pela manhã ou na hora do almoço. Para fins de desintoxicação, recomendo uma a duas xícaras por dia. Se preferir, pode tomar uma cápsula de chá-verde duas a três vezes por dia.

Cabe aqui um aparte rápido sobre a cafeína: cerca de metade das pesquisas mostra que a cafeína do café e do chá é benéfica, enquanto a outra metade sugere que ela tenha efeitos prejudiciais sobre o corpo. Eu faço parte do grupo que acredita que a cafeína pode ser benéfica e intensificar o processo de queima de gordura. Assim, recomendo beber algumas bebidas cafeinadas como chá--verde ou café, com moderação, como parte do Sistema DHEMM.

Sucos preparados na hora. Sucos feitos na hora, e não sucos industrializados, que contêm aditivos e açúcar, também são muito importantes para a saúde. Frutas e hortaliças *in natura* são extremamente ricas em enzimas. As enzimas, na verdade, são agentes catalisadores orgânicos que aumentam a velocidade de decomposição e absorção dos alimentos pelo organismo. Entretanto, essas enzimas são destruídas durante o cozimento e processamento dos alimentos, o que também se aplica aos sucos industrializados; por isso, sempre que possível, tente comer a fruta fresca ou preparar seu suco na hora. O suco preparado na hora contém enzimas digestivas vivas que são importantes para a quebra de alimentos no trato digestivo. Isso preserva as enzimas digestivas do corpo, proporcionando ao sistema digestivo o descanso tão necessário para que ele possa se reparar, recuperar e rejuvenescer. Além disso, os sucos feitos na hora são ricos em fitonutrientes, importantes nutrientes derivados de plantas que contêm antioxidantes e retardam o processo de envelhecimento.

Água de coco. A água do coco verde é um tipo de água super-hidratante que não só é deliciosa, como também é rica em minerais, especialmente potássio. Tem quase o dobro de potássio que uma banana. Beber água de coco é uma excelente forma de repor eletrólitos após um treino pesado ou simplesmente hidratar o corpo em dias de calor. Muitos atletas e corredores bebem água de coco em vez de isotônicos, como Gatorade. A água de coco não tem gordura e colesterol e tem poucas calorias, com efeitos positivos na circulação, temperatura corporal, função cardíaca e pressão arterial.

São muitos os motivos que levam a água de coco a ser simplesmente uma bebida excelente. É minha favorita hoje em dia. Nos países de clima tropical, é usada há séculos para proporcionar saúde e beleza porque hidrata naturalmente a pele. Tem um equilíbrio natural de sódio, potássio, cálcio e magnésio, o que a torna uma bebida saudável para hidratação e reposição de eletrólitos. Tem poucas calorias e vem demonstrando ter propriedades antivirais e antifúngicas.

Leite sem lactose. Como veremos no próximo capítulo, há muitas razões para abandonarmos o leite de vaca (e seus derivados), mas o leite constitui uma parte importante de uma alimentação saudável. O objetivo deve ser tomar opções de leite mais saudáveis. Os produtos fabricados a partir de leite de cabra e ovelha são melhores do que os produzidos com leite de vaca, particularmente se forem crus. As enzimas naturais do leite de cabra estão muito mais próximas daquelas dos humanos; por isso, conseguimos digerir significativamente melhor o leite de cabra. O leite de ovelha é a próxima melhor escolha. Há também opções de leites vegetais, como leite de amêndoa, de arroz, de cânhamo ou soja (não adoçados). Se mesmo assim você resolver consumir produtos derivados de leite de vaca, opte por marcas orgânicas e sem gordura ou com pouca gordura, pois são mais nutritivas.

Suplementos nutricionais

Por melhor que seja a nossa alimentação, é provável que apresentemos carência de alguns nutrientes. Portanto, devemos consumir suplementos nutricionais de alta qualidade. Suplementos nos ajudam a manter o peso, alcançar a saúde ideal, combater doenças e retardar o processo de envelhecimento. No que se refere ao emagrecimento, recomendo suplementos nutricionais que ajudem a perder gordura corporal, preservar a massa muscular e regular os níveis de açúcar e insulina sanguíneos, que são essenciais para manter um corpo magro e saudável. Pesquisas científicas comprovaram que vários suplementos podem ajudar o corpo a metabolizar melhor as gorduras, reduzir a inflamação proveniente células adiposas e preencher as lacunas e deficiências nutricionais. Os suplementos que recomendo vão além dos polivitamínicos típicos. Associados a mudanças na alimentação, os suplementos recomendados são suas armas secretas contra o excesso de gordura no corpo. Suplementos fazem parte do Sistema DHEMM para manter a boa saúde à medida que envelhecemos.

O que apresento neste capítulo é uma visão geral dos suplementos com a finalidade de fornecer conhecimentos básicos que você pode levar ao seu médico e à sua loja de produtos naturais preferidas e obter informações sobre dosagem ou quanto de um determinado suplemento tomar, considerando suas atuais condições de saúde. Sempre que possível, darei minhas sugestões, mas, como sempre, consulte seu médico antes de iniciar qualquer dieta, suplemento ou regime de exercícios. Esses suplementos podem auxiliar o processo de desintoxicação, fortalecer o sistema imunológico, equilibrar hormônios, conferir proteção contra doenças degenerativas e promover o emagrecimento. Entre os suplementos recomendados no Sistema DHEMM incluem-se:

- Sucos verdes
- Fibras
- Óleo de peixe (ácidos graxos ômega-3)
- Bebidas de proteína
- Antioxidantes
- Probióticos
- Vitamina C
- Enzimas digestivas

- Suplementos nutricionais
- Ácido alfalipoico ou ácido R-lipoico (*somente para pessoas que sejam resistentes à insulina*)
- Cromo (*somente para pessoas que sejam resistentes à insulina*)

Observe que esses suplementos não precisam ser tomados isoladamente. Muitos são encontrados em polivitamínicos ou em bebidas verdes.

Sucos verdes. Chamo de suco verde um dos suplementos mais importantes que incluo no Sistema DHEMM porque é feito principalmente de folhas verdes, as mesmas hortaliças que alimentam alguns dos maiores animais do planeta, como vacas, cavalos e bois. Os sucos verdes ajudam a desintoxicar e limpar o organismo, perder peso, ter mais energia e a alcalinizar o organismo. Quando você os bebe, os nutrientes chegam às células muito rápido e nos "levantam" de verdade.

O suco verde pronto que recomendo é um pó nutritivo de alta densidade (*Vitamineral Green*) feito principalmente de verduras, inclusive acelga, espinafre, alfafa, grama de cevada, *wheatgrass*, brócolis e muitos outros. Essas hortaliças são colhidas maduras, secas e depois levemente processadas e transformadas em pó. Esse processo inovador preserva a maior parte de suas vitaminas, minerais, nutrientes, substâncias fitoquímicas e enzimas. Basta simplesmente misturar uma colher do pó verde com água ou suco, beber, e *voilà*! Você acabou de beber cinco porções de frutas e hortaliças! Às vezes, tenho dias extremamente atribulados, nos quais não tenho certeza de que vou conseguir consumir frutas e hortaliças suficientes; por isso, essa bebida garante minha proteção antes mesmo de sair de casa. Quando viajo, levo comigo pacotinhos do meu suco verde semipronto. Nunca saio de casa sem eles!

Fibras. No Sistema DHEMM, recomendo que você ingira pelo menos 30 gramas de fibra por dia. Se não conseguir ingerir 30 gramas por dia por meio da comida, existem algumas opções de suplementos bastante convenientes.

- *Biscoitinhos de fibra.* Experimente comer biscoitos de fibra à base de acácia. Pesquise até descobrir onde encontrá-los.
- *Fibra em pó.* A fibra de acácia, insípida, com zero caloria, pode ser usada na comida para aumentar o conteúdo de fibra sem alterar o sabor de suas refeições.
- *Shakes.* Procure shakes que contenham pelo menos 10 gramas de fibras (de acácia) por porção e uma quantidade razoável de proteína do soro do leite (cerca de 20 gramas) de uma fonte rica, bem como uma variedade de importantes vitaminas, minerais e enzimas para melhorar a digestão. Evite os que contenham adoçantes artificiais. A melhor opção é usar um adoçante natural como a estévia.
- *Barras de cereais.* Procure barras com alto teor de fibras que contenham cerca de 10 gramas de fibra (6 solúveis, 4 insolúveis) de farelo de aveia, goma acácia e linhaça moída, e 10 gramas de proteína de concentrado proteico de soro de leite. Procure uma barra que esteja adocicada com tâmaras, passas e estévia ou xarope de agave.

Óleo de peixe (ácidos graxos ômega-3). Suplementar a alimentação com óleo de peixe ajuda a eliminar o excesso de gordura e também rejuvenesce as células do corpo. Tomar um suplemento de óleo de peixe de boa qualidade fornece os ácidos graxos ômega-3 necessários para queimar gordura armazenada e manter a saúde ideal. Um suplemento de óleo de peixe de alta qualidade fornece uma quantidade concentrada de dois importantes ácidos graxos ômega-3: EPA e DHA. O óleo de peixe/óleo de fígado de bacalhau (concentrados EPA/DHA ultrarrefinados) é considerado um medicamento milagroso pelos seus benefícios surpreendentes para a saúde. Muitas pessoas tomam óleo de peixe em forma líquida, em vez de cápsulas, particularmente quando desejam uma dose mais alta de EPA e DHA. Se você usar óleo de peixe líquido, guarde-o sempre na geladeira para evitar a oxidação e preservar o sabor.

Bebidas proteicas. Uma maneira rápida e fácil de garantir que você inclua mais proteína em sua dieta é tomar um suplemento de proteína em pó. A suplementação de proteína em sua dieta o ajudará a permanecer magro, manter a massa muscular e retardar o envelhecimento. A proteína de soro de leite (leite de vaca) é uma fonte de proteína completa e de alta qualidade. No entanto, uma proteína de arroz também oferece benefícios para quem deseja ficar longe dos laticínios. A proteína é essencial para o emagrecimento, pois o corpo utiliza mais energia para digerir proteínas do que outros alimentos; por isso, ajuda a queimar mais calorias. Também ajuda a diminuir a absorção de glicose na corrente sanguínea, reduzindo os níveis de insulina, facilitando a queima de gordura e reduzindo a fome entre as refeições. A proteína também preserva o tecido muscular magro e, ao manter a massa muscular no corpo, você mantém seu metabolismo acelerado, o que naturalmente queima mais calorias.

Antioxidantes. Tomar um suplemento antioxidante ajuda seu corpo a reparar danos celulares. Os antioxidantes atuam eliminando os perigosos radicais livres que podem interferir na função celular. Dois outros elementos nos antioxidantes são a L-carnitina e a coenzima Q10. A L-carnitina é um aminoácido que leva as gorduras nas células até a mitocôndria, onde elas podem ser usadas como combustível. O alimento com a maior concentração de L-carnitina é o abacate. O funcionamento adequado das mitocôndrias também exige CoQ10. Esse maravilhoso nutriente demonstrou o seu valor em casos de hipertensão arterial e insuficiência cardíaca congestiva (um defeito mitocondrial).

Probióticos. Suplementos probióticos ajudam a manter o equilíbrio saudável de bactérias benéficas no trato digestivo. Existem quinhentas espécies diferentes de bactérias no trato digestivo; 80% são bactérias benéficas e 20% são bactérias ruins. As bactérias benéficas são fundamentais para a capacidade do corpo de eliminar as toxinas para que não causem crescimento excessivo ou desequilíbrio no trato digestivo. Os dois probióticos mais abundantes são os lactobacilos, encontrados principalmente no intestino delgado, e as bifidobactérias, mais prevalentes no intestino grosso. Ao selecionar um suplemento probiótico, escolha uma fórmula de alta potência com quantidades significativas de bifidobactérias e lactobacilos (a contagem de culturas deve ser de bilhões). Eu recomendo tomar um bom probiótico diariamente para ajudar a manter um ambiente digestivo saudável no intestino.

Quando tomamos antibióticos, muitas das bactérias benéficas do corpo são eliminadas, o que leva ao desequilíbrio, fazendo com que as bactérias ruins fujam ao controle. Se você andou tomando antibióticos para tratar doenças, pode correr o risco de desenvolver um crescimento excessivo de bactérias intestinais. Bactérias ruins produzem endotoxinas, que podem ser tão tóxicas quanto pesticidas químicos ou outras substâncias tóxicas.

Embora alguns iogurtes sejam anunciados como sendo capazes de promover bactérias boas e saudáveis, a maioria deles contém açúcares adicionados e não é preparada de forma a permitir que as bactérias mais benéficas prosperem em nosso trato digestivo. Portanto, adicionar iogurte à sua dieta como forma de obter mais probióticos não é uma má ideia, mas acredito que um suplemento probiótico de alta qualidade seja mais eficaz.

Vitamina C. A vitamina C é vital para o bom funcionamento dos glóbulos brancos, que combatem as bactérias invasoras e vírus que provocam gripes e resfriados. A vitamina C também melhora o funcionamento das enzimas hepáticas, auxiliando a eliminação de toxinas. A vitamina C ajuda na desintoxicação e inflamação. Muitos profissionais de saúde recomendam tomar 500 mg a 1.000 mg de ácido ascórbico de lenta liberação (vitamina C) em pó ou cápsulas diariamente. Eu, pessoalmente, tenho tomado cerca de 1.000 miligramas de vitamina C nos últimos dez anos sem problemas ou efeitos colaterais. Acredito que essa é uma das razões pelas quais deixei de ter quatro a cinco resfriados por ano para ter apenas um por ano.

Enzimas digestivas. As enzimas quebram os alimentos durante o processo digestivo ao separar os elos que mantêm os nutrientes coesos. As enzimas estão normalmente presentes em alimentos crus, mas muitos alimentos processados e industrializados tiveram suas enzimas naturais eliminadas durante o processo de cozimento e processamento. Se não tiver as enzimas essenciais necessárias para uma boa digestão, o corpo pode não ser capaz de quebrar completamente os alimentos e permitir a absorção de nutrientes. Quando as enzimas nos alimentos são destruídas, os órgãos digestivos têm que trabalhar mais para quebrar e processar esses alimentos. Assim, é importante suplementar sua dieta com enzimas digestivas que contenham protease, amilase, lipase e celulase, que podem ajudar e acelerar a digestão e a absorção de nutrientes no organismo. Depois de tomá-los, você começará imediatamente a perceber menos inchaço e gases.

Suplementos nutricionais que melhoram a função da insulina e controlam os níveis de açúcar no sangue. No Capítulo 6, vimos como a insulina causa ganho de peso. Aqui, recomendo suplementos nutricionais que, comprovadamente, reduzem os níveis de açúcar no sangue, melhoram a função da insulina e reduzem o apetite e a vontade súbita de comer determinados alimentos. Esses suplementos nutricionais não são remédios para emagrecer, mas, se você tiver resistência à insulina, farão com que seu corpo queime gordura e perca peso, porque eles atuam para controlar seus níveis de açúcar no sangue e insulina. Se seguir as mudanças alimentares descritas neste livro, associadas aos suplementos nutricionais recomendados, você vai começar a queimar gordura e tornar-se naturalmente magro.

Ácido alfalipoico ou ácido R-lipoico. O ácido alfalipoico melhora a função da insulina e pode reduzir gradualmente os níveis de açúcar no sangue, o que ajuda o corpo a queimar gordura. Estudos realizados em animais revelaram que o ácido alfalipoico pode reduzir o apetite, acelerar o metabolismo e promover o emagrecimento. Além de ser um poderoso antioxidante e nutriente anti-inflamatório, o ácido alfalipoico aumenta a capacidade do organismo de levar glicose até as células. Esse nutriente atua sinergicamente para melhor regular os níveis de açúcar no sangue e insulina. O ácido R-lipoico é um tipo de ácido lipoico que é quimicamente idêntico ao encontrado na natureza. O ácido R-lipoico é mais caro que o ácido alfalipoico, mas pode ser mais eficaz porque é um composto biologicamente mais ativo.

Experimente tomar 100 mg de ácido alfalipoico ou de ácido R-lipoico cerca de quinze minutos antes de cada refeição, três vezes ao dia. No entanto, se você for diabético, pode tomar 200 mg antes de cada refeição, três vezes ao dia. Uma das minhas marcas favoritas é um produto chamado Insulow. Esse produto combina ácido R-lipoico com biotina, ambos importantes nutrientes para o manejo da resistência à insulina e controle do diabetes. A biotina desempenha um papel crucial no controle da insulina e do açúcar no sangue e é um bom complemento para tomar em associação com cromo ou ácido alfalipoico ou ácido R-lipoico. É possível obter mais informações sobre Insulow disponíveis em www.insulow.com.

Cromo. O cromo é um mineral encontrado no corpo em pequenas quantidades. Pesquisas mostram que a suplementação de cromo tem a capacidade de estabilizar os níveis de açúcar no sangue, ao mesmo tempo que acelera o metabolismo e a queima de gordura do corpo. Sabe-se também que o cromo ajuda a suprimir o apetite e a vontade súbita de comer determinados alimentos. Tomar suplementos de cromo pode ajudar a controlar a vontade de comer carboidratos e melhorar a função da insulina e o metabolismo da glicose. Estudos mostraram que muitas pessoas com resistência à insulina e diabetes apresentam deficiência de cromo; assim, tomar suplementos de cromo pode ajudar a melhorar os níveis de glicose no sangue. Suplementos de cromo, associados a uma alimentação saudável e à prática de atividade física moderada, podem proporcionar um nível excepcional de queima de gordura e emagrecimento.

Existem dois tipos principais de suplementos de cromo: o picolinato de cromo e o polinicotinato de cromo. No polinicotinato de cromo, o cromo é ligado a uma forma da vitamina B, a niacina.

No picolinato, o cromo é combinado com o aminoácido triptofano. Há informações conflitantes sobre qual dos dois é o tipo mais eficaz. Estudos mostraram que, embora ambos os tipos de suplementos sejam seguros, o polinicotinato de cromo é absorvido com maior facilidade pelo organismo. Há também mais pesquisas indicando que o polinicotinato de cromo promove a perda de gordura, mas preserva a massa muscular.

Já usei os dois tipos e, no meu caso, o picolinato de cromo foi muito mais eficaz na queima de gordura e perda de peso. No entanto, pesquise e consulte seu médico para escolher o tipo que seja melhor para você, se você sofre de resistência à insulina ou diabetes. As dosagens recomendadas são 200 a 400 microgramas, três vezes ao dia, cerca de quinze minutos antes de cada refeição.

O Sistema DHEMM é o começo de um novo estilo de vida. O objetivo final é permitir que você emagreça, recupere a saúde e faça a transição para uma alimentação e um estilo de vida saudáveis.

CAPÍTULO NOVE

Evite alimentos que engordam

Dito de forma simples, determinados alimentos fazem com que você engorde mais do que os outros. Por isso, seu consumo deve ser minimizado ou evitado. Os alimentos apresentados neste capítulo têm o maior impacto sobre a geração de gordura em excesso, bem como má saúde.

Açúcar

Os açúcares incluem: açúcar branco refinado, açúcar mascavo e xarope de milho rico em frutose. Quando você come açúcar, desencadeia um ciclo vicioso de vontade súbita de comer mais açúcar, aumento da produção de insulina, aumento do apetite, mais ingestão de açúcar e mais produção de insulina, até se ver preso em um ciclo de desejo, compulsão e colisão o dia todo. Isso acaba levando ao desenvolvimento da resistência à insulina, um dos fatores que mais contribui para o ganho de peso e o envelhecimento acelerado.

Exemplos de alimentos que contêm muito açúcar são: bolos, tortas, doces, molho barbecue, cereais matinais, cookies, donuts, ponche de frutas, suco de frutas, sorvetes, geleias, pudins, picolés, refrigerantes e iogurtes com frutas adicionadas. Basta ler o rótulo e procurar açúcar na lista de ingredientes. Como regra geral, tente evitar produtos que tenham mais de 5 gramas de açúcar por porção.

Sal

Muitas pessoas estão cientes dos problemas de saúde, como pressão alta e doenças cardiovasculares, provocados pelo excesso de sal na alimentação. A maioria, porém, não percebe que o sal contribui para o ganho de peso. O sal causa estragos nas medidas corporais. Um estudo realizado em 2007 e publicado na *Obesity Research* revelou que dietas com alto teor de sal estão diretamente associadas a um maior número de células de gordura no corpo e, pior ainda, que o sal torna as células de gordura mais densas e mais espessas.

Quando você come muito sal, seus rins têm que fazer hora extra para excretar o excesso de sal. O corpo é capaz de lidar bem com cerca de 1.400 a 2.500 mg por dia, mas hoje a maioria das pessoas consome 4.500 a 6.000 mg de sal por dia. Se os rins se tornarem incapazes de excretar todo o excesso, o sal começa a se acumular nos tecidos e danificar as células. Quando as células do corpo sofrem danos, outras funções orgânicas sofrem; entre elas, a capacidade de queimar gordura. Uma dieta rica em sal também enrijece as artérias, o que dificulta o acesso do oxigênio às células. Quando suas células recebem menos oxigênio, seu metabolismo torna-se menos eficiente, reduzindo assim sua capacidade de queimar gordura.

Uma dieta com alto teor de sal faz com que você retenha líquido e fique inchado. Mesmo perdendo gordura corporal, você continuará inchado; vai continuar se sentindo inchado, pesado, o que se refletirá em sua aparência. O sal atrai e retém água, aumentando o volume sanguíneo e fazendo seu corpo se expandir e se tornar maior. A retenção de água e fluidos extras provoca edema. Mesmo depois de fazer uma refeição rica em sal ou um lanche salgado, você notará como seu estômago começa a parecer inchado e maior. Muitas pessoas que seguem uma dieta rica em sal estão carregando cerca de cinco a dez quilos de peso extra sob a forma de água. Quando come salgadinhos, você se sente com mais sede e fome e acaba comendo demais – tudo o que não quer que aconteça quando está tentando perder peso.

Gorduras trans

Existem três tipos de gorduras: as gorduras saudáveis (discutidas no capítulo anterior), as gorduras ruins (que discutiremos um pouco mais adiante neste capítulo na seção intitulada "Gorduras saturadas") e as gorduras péssimas – gorduras do tipo trans, que também aparecem nos rótulos dos produtos como óleos hidrogenados. Essas gorduras artificiais são as piores de todas – são consideradas tóxicas por muitos. O organismo não digere corretamente as gorduras trans, e elas afetam negativamente o peso e a saúde. As gorduras trans são encontradas em frituras, como batata frita, batata de saquinho e anéis de cebola, e, infelizmente, em praticamente todos os tipos de alimentos industrializados e produtos de padaria, entre eles cookies, doces, donuts e bolachas, porque não estragam rápido e ajudam a prolongar a vida útil desses produtos. Comer gorduras trans é como comer plástico; é péssimo para a saúde, mas os norte-americanos modernos os consomem em grandes quantidades, muitas vezes sem a menor consciência do que estão fazendo. As gorduras trans perturbam o metabolismo, causam ganho de peso e aumentam o risco de desenvolvermos diabetes, doenças cardíacas, inflamação e câncer.

Um estudo de Harvard revelou que basta ingerirmos 3% das calorias diárias sob a forma de gorduras trans (cerca de 7 a 8 gramas de gordura trans) para aumentar em 50% o risco de doença cardíaca. E considerando-se que a pessoa típica consome cerca de 4 a 10 gramas de gorduras trans na alimentação, não é de admirar que as doenças cardíacas sejam uma das principais causas de morte nos tempos modernos. Aprenda a identificar gorduras trans nos alimentos. Leia os rótulos de todos os produtos alimentícios antes de comprá-los e evite produtos cujos rótulos contenham as palavras *gordura trans, gordura hidrogenada* e *gordura parcialmente hidrogenada.*

Gorduras saturadas

As gorduras saturadas são encontradas na carne vermelha e em muitos derivados de leite, como leite integral, queijo e manteiga. A ingestão de grande quantidade de gordura saturada pode aumentar o colesterol no sangue e provocar ataques cardíacos ou derrames. O consumo dessas gorduras deve ser limitado ou evitado, se possível. Para comer menos gordura saturada, opte por carne magra ou aves sem pele, ou pelo menos tire a gordura antes de cozinhar. Você também pode comer menos doces, bolos e biscoitos – em outras palavras, produtos de padaria que contenham manteiga e/ou leite também são ricos em gorduras saturadas e devem ser evitados.

Farinha branca

A farinha branca, que pode ser encontrada em muitas sobremesas e massas, contribui para o ganho de peso. Não se deixe enganar pelas denominações "farinha de trigo" ou "farinha de trigo enriquecida". Durante o processamento, as duas partes mais nutritivas do trigo, o farelo e o germe, são eliminadas. Durante o processamento do trigo para a produção da farinha branca, eliminam-se muitos dos nutrientes do produto. "Farinha de trigo" ou "farinha de trigo enriquecida" é essencialmente o mesmo que farinha branca, a menos que o rótulo indique explicitamente "farinha de trigo integral". A farinha de trigo integral é uma alternativa mais saudável. Entre os exemplos de produtos feitos de farinha branca que contribuem para o ganho de peso incluem-se pão branco, massas, massa de pizza branca, tortilhas de farinha, biscoitos, pão, bolachas, crepes, croutons, muffins, panquecas, tortas, pretzels, waffles e macarrão.

Além disso, o processo de branqueamento da farinha branca é quase o mesmo utilizado para branquear sua roupa. Quando você come farinha branca, na realidade está comendo alguns desses agentes de branqueamento, o que aumenta a sobrecarga tóxica no corpo.

Refrigerantes e isotônicos

É possível consumir mais calorias tomando refrigerantes e outras bebidas doces do que de qualquer outro alimento. Uma garrafa de refrigerante de 600 ml tem cerca de 250 calorias. Os refrigerantes são calorias vazias porque não contêm nutrientes. Se você for uma daquelas pessoas que bebe litros e litros de refrigerante, simplesmente substituir o refrigerante por água é uma boa maneira de perder uma quantidade considerável de peso dentro de um ano. Os refrigerantes diet têm menos calorias e são uma escolha melhor para quem está tentando emagrecer, mesmo que tenham efeitos colaterais ocultos devido aos adoçantes artificiais neles contidos. No capítulo anterior, apresentei opções de bebidas mais saudáveis.

Embutidos

Alimentos como cachorro-quente, salame, calabresa, bacon, diversos tipos de linguiça etc. são carnes de baixa qualidade, não raro cheias de nitratos e outros conservantes que são prejudiciais para a sua digestão e saúde. É possível encontrar variedades mais saudáveis desses alimentos que não contenham nitratos ou conservantes em lojas de produtos naturais. Se sentir uma necessidade irresistível de comer bacon ou salsicha de vez em quando, opte por variedades menos processadas e mais saudáveis.

Derivados de leite de vaca

O leite que você acredita lhe fazer bem pode, na verdade, estar contribuindo para a deterioração de seus ossos e órgãos. O corpo humano tem muita dificuldade de decompor o leite de vaca, o que significa que, se consumido regularmente, ele deixará no corpo resíduos que se acumulam com o tempo. Assim como o leite materno é feito para bebês humanos, o leite de vaca destina-se aos bezerrinhos, não a nós. Além disso, como o leite é pasteurizado, a maioria de seus atributos positivos, como suas enzimas, é submetidas ao cozimento. É verdade que os derivados contêm cálcio, mas também contêm proteínas animais que o corpo tem grande dificuldade de digerir. E o cálcio pode ser obtido de outras fontes alimentares, como nozes, sementes e vegetais de folhas verdes, como couve, espinafre e folhas de dente-de-leão, alimentos ricos em cálcio absorvível e que também fornecem muitos outros nutrientes essenciais.

Outro problema do leite de vaca é que as vacas recebem injeções de hormônios de crescimento e antibióticos para ajudá-las a produzir leite; assim, ao consumirmos derivados de leite, estamos levando esses hormônios e antibióticos diretamente para a nossa corrente sanguínea. Por ser considerado um alimento gerador de muco, o leite de vaca causa alergias, infecções, resfriados e asma – doenças das quais muitas crianças sofrem por consumir mais derivados de leite do que os adultos. As crianças acabam acumulando muco muito antes na vida.

Os produtos derivados de leite de cabra e ovelha são melhores do que os produzidos com leite de vaca, particularmente se forem crus. Há também opções de leites vegetais, como leite de amêndoas, arroz, cânhamo ou soja (não adoçado). As enzimas presentes naturalmente no leite de cabra estão muito mais próximas daquelas produzidas pelo ser humano; por isso, somos capazes de digerir o leite de cabra significativamente melhor. Se você não abre mão de comer queijo, pense em optar pelo queijo de cabra, particularmente em sua forma crua, não pasteurizada, que pode ser uma delícia. O queijo de leite de ovelha é a próxima melhor escolha.

Se, ainda assim, você resolver consumir derivados de leite de vaca, compre marcas orgânicas e light, pois são mais nutritivas.

Alimentos diet ou light que engordam

Existem muitos produtos comercializados como *diet* ou *light* por terem quantidade reduzida de açúcar ou gordura. Entretanto, sem analisar todos os ingredientes que os compõem, você não poderá identificar os ingredientes ocultos capazes de contribuir para o ganho de peso. Além disso, existem muitos produtos diet que têm pouco ou nenhum valor nutricional e proporcionam pouquíssimos benefícios para a saúde.

Refrigerantes diet

Embora os refrigerantes diet sejam melhores do que os refrigerantes comuns porque não contêm açúcar, ainda assim os refrigerantes diet causam problemas de saúde e de peso. Acredita-se que os adoçantes artificiais utilizados nos refrigerantes diet causem alguns problemas de saúde, entre eles, câncer. Você já se perguntou por que as pessoas bebem refrigerantes diet, mas ainda assim não são magras? Os refrigerantes dietéticos são feitos de produtos químicos e não têm valor nutricional algum. Quando o corpo não encontra nada que reconheça como nutrição, o cérebro envia sinais para ser alimentado com algo que tenha valor nutricional, o que gera vontade de comer mais. Refrigerantes diet nos fazem desejar comer alimentos que engordam. Se você é viciado em refrigerantes e refrigerantes diet, poderia experimentar o chá-verde, que queima gordura e ajuda a emagrecer, além de fornecer sua dose diária de cafeína. Ou experimente beber água. Se a água pura não o atrai, tente acrescentar um pouco de suco de limão ou cranberry. No entanto, não substitua o refrigerante por sucos industrializados, pois eles contêm grande quantidade de açúcar e aditivos que causam ganho de peso.

Produtos de padaria diet

É preciso ter cuidado para que produtos de padaria ditos diet não tenham a mesma quantidade (ou mais) de gordura do que as versões originais. Embora a porção possa dizer zero grama de açúcar, é possível que contenha 9 gramas de gordura, o que também pode causar ganho de peso. Enquanto não se afastar totalmente de açúcar e doces, quando quiser satisfazer a vontade de comer doces, experimente crackers integrais, que contêm menos açúcar (cerca de uma colher de chá a menos que a maioria dos outros crackers) e muito pouca gordura, cerca de 2 gramas por porção. Sua doçura é sutil, mas eles não têm o enorme número de calorias contidas em bolos e biscoitos.

Molhos light

Seu objetivo não deve ser tentar evitar completamente o consumo de gordura. Existem gorduras saudáveis que fazem muito bem ao corpo. A maioria dos produtos light geralmente tem mais quantidade de açúcar, o que prejudica a finalidade original de consumir um produto light para emagrecer. Tente um molho à base de óleo, com baixo teor de gordura, que contenha azeite ou óleo de canola (gorduras saudáveis) e que tenha 2 a 4 gramas de gordura por porção.

Barras de cereais ricas em proteína (barras de energia) e shakes

Quando comemos uma barra de cereais ou de proteína, o corpo tenta quebrar o açúcar e os produtos químicos nela contidos, mas, quando esses elementos não são totalmente digeridos pelo corpo, o excedente acaba sendo armazenado no corpo sob a forma de gordura. Uma alternativa melhor seria um abacate, que é rico em proteínas; como se encontra em seu estado natural, o corpo sabe como quebrá-lo completamente e usá-lo para abastecer o corpo de energia. (Para ver uma lista de outros lanches saudáveis e com alto teor de proteína consulte o Capítulo 11.)

Petiscos de frutas

Os petiscos de frutas contêm açúcares adicionados e ingredientes artificiais que neutralizam qualquer possível benefício nutricional que possam proporcionar. Não se deixe enganar pelo marketing se a embalagem disser que o produto é feito com frutas ou sucos de frutas de verdade. Ao contrário, faça questão de ler a lista de ingredientes; se o produto tiver grande quantidade de gramas de açúcar, ele engorda. Uma melhor alternativa é comer as frutas frescas. Basta pegar a fruta de verdade e obter todos os seus benefícios. Diferentemente dos petiscos de frutas, a fruta real é rica em fibras, fitonutrientes e antioxidantes que combatem o câncer. Cuidado também com as frutas secas, que geralmente também contêm grande quantidade de açúcar adicionado.

Adoçantes artificiais

Você certamente está familiarizado com aqueles saquinhos que são usados para substituir o açúcar. A maioria das pessoas não percebe que, embora os adoçantes artificiais em geral tenham zero caloria, eles podem contribuir para o ganho de peso. Os adoçantes artificiais aumentam o apetite, enviando sinais falsos para o cérebro de que vem doce por aí. O cérebro fica confuso quando o doce não chega e, por isso, não dá o sinal de que você está satisfeito. Você desenvolve um apetite por doces e açúcar ao longo do dia, o que às vezes o faz comer ainda mais açúcar.

Vamos examinar o aspartame, em particular. Apesar de ter zero caloria, estudos mostram que o aspartame pode, de fato, induzir ao ganho de peso. Alguns pesquisadores acreditam que os dois principais ingredientes do aspartame, a fenilalanina e o ácido aspártico, estimulam a secreção de insulina e leptina, hormônios que instruem o corpo a armazenar gordura, segundo um estudo chamado Physiological Mechanisms Mediating Aspartame-Induced Satiety.

A melhor escolha de adoçante sem calorias é a estévia, erva que cresce naturalmente em partes do Paraguai e do Brasil, e atualmente pode ser encontrada com facilidade nos Estados Unidos. Não é preciso usá-la em grande quantidade – de acordo com os estudos, a estévia é trinta vezes mais doce que o açúcar. No entanto, não eleva os níveis de açúcar no sangue nem provoca vontades súbitas de comer doce de início do mesmo modo que os açúcares simples. Um estudo publicado no *Journal of Ethno-Pharmacology* revelou que a estévia dilata os vasos sanguíneos e ajuda a prevenir a hipertensão arterial. Além disso, ajuda a regular o sistema digestivo, estimula o crescimento de bactérias benéficas e nos ajuda a desintoxicar o corpo e a excretar mais urina naturalmente.

O fato de um produto ser light nem sempre significa que não seja rico em açúcar, sal e calorias. Adquira o hábito de ler o rótulo dos alimentos para verificar se o produto é realmente saudável e nutritivo. No entanto, se limitar ou evitar o consumo dos alimentos listados anteriormente, será muito mais fácil alcançar seu peso ideal.

PARTE 3

O SISTEMA DHEMM: UM SISTEMA DE EMAGRECIMENTO PERMANENTE

O Sistema DHEMM: Um sistema de emagrecimento permanente

O Sistema DHEMM aborda as causas subjacentes ao ganho de peso, que são:

- Sobrecarga tóxica
- Desequilíbrios hormonais
- Metabolismo lento
- Hábitos alimentares prejudiciais à saúde

O Sistema DHEMM oferece um plano imediato para abordar de maneira rápida, ainda que natural, todos os fatores citados anteriormente nos seus esforços para emagrecer e melhorar a saúde. Garanto que a jornada será empolgante. O Sistema DHEMM não é uma solução temporária para quem deseja emagrecer. A expectativa é que, adotando-o, sua vida mude para melhor, pois você não só vai emagrecer como também terá mais energia e melhor aparência; provavelmente, pela primeira vez na vida, sentirá vontade de comer alimentos saudáveis e ricos em nutrientes.

O Sistema DHEMM fornece ao seu organismo os alimentos, suplementos e métodos de desintoxicação que ajudam o corpo a eliminar toxinas, corrigir desequilíbrios hormonais e ansiar por alimentos saudáveis. O corpo repousa automaticamente; possui uma capacidade natural de se curar e restaurar o equilíbrio; é capaz de se renovar e rejuvenescer naturalmente. A inteligência natural do corpo sabe o que fazer; basta você não atrapalhar. Se lhe der um descanso e uma chance de restaurar e curar a si próprio, ele o fará. Além disso, eliminando as principais fontes de alimentos que introduzem toxinas e causam doenças, como açúcar e farináceos, óleos/gorduras ruins e alérgenos alimentares, seu corpo pode se curar.

O Sistema DHEMM concentra-se na boa nutrição e em uma alimentação saudável. Você aprenderá o que comer e como fazer para queimar gordura com mais eficiência, ao mesmo tempo que controla a fome e o desejo súbito de comer certos alimentos. Aprenderá quais alimentos aceleram o metabolismo e ajudam a eliminar o excesso de gordura no corpo. O foco do Sistema DHEMM gira em torno dos "superalimentos" que desintoxicam e livram o corpo da gordura, além de proporcionar as maiores fontes de proteína, carboidratos e fibras que ajudam a derreter gordura.

- Você vai eliminar rápido os resíduos e o excesso de gordura e vai aprender a manter o corpo resistente à gordura no futuro.
- Vai eliminar anos da sua aparência, pois as rugas e linhas de expressão diminuirão, permitindo-lhe viver uma "segunda juventude".
- Vai emagrecer, pois eliminará o excesso de resíduos. O impacto de resíduos no intestino e no sistema digestivo causa excesso de peso.
- Vai ter mais energia, pois seu corpo responderá melhor aos alimentos saudáveis. Eliminando o excesso de resíduos, seu corpo também vai absorver uma quantidade ainda maior dos nutrientes presentes nos alimentos ingeridos, aumentando a sensação de bem-estar e seus níveis de energia.

- Você observará uma melhora na digestão, na sensação de empachamento e de fadiga após as refeições.
- Você vai aprender novas maneiras de encontrar tempo para dormir, descansar e relaxar, além de maneiras simples e fáceis de se movimentar e acelerar seu metabolismo sem precisar frequentar a academia.
- Você vai eliminar a vontade súbita de comer alimentos pouco saudáveis. Modificando seus hábitos alimentares durante apenas um mês, vai se conscientizar do efeito dos alimentos sobre você, permitindo-lhe começar a evitar alimentos que lhe fazem mal.
- Vai se sentir mais equilibrado e feliz devido a um equilíbrio saudável entre os sinais hormonais do seu corpo.

No Sistema DHEMM, você não vai:

- *Contar calorias*. Não há necessidade de contar calorias nem pesar gramas de comida.
- *Seguir um regime de exercícios*. Você não vai precisar se exercitar na academia durante horas por semana (a não ser que queira fazê-lo por outros benefícios à saúde que os exercícios proporcionam).
- *Sentir fome*. Se seguir as minhas recomendações, você não vai sentir muita fome durante o programa.
- *Ter vontade súbita de comer determinados alimentos*. Embora possa sentir vontade súbita de comer determinados alimentos durante a primeira fase, passada essa etapa inicial, esses episódios desaparecerão. É necessário romper o vício em alimentos insalubres; garanto que opções não lhe faltarão.

- *Comer alimentos sem sabor.* Você também não tem que se preocupar em acreditar que só vai comer comidas ruins, sem sabor. As opções alimentares são deliciosas e serão muitas.
- *Observar resultados lentos.* As pessoas costumam reclamar que os benefícios demoram muito para aparecer e que, nas dietas tradicionais, os resultados são mais imediatos. No Sistema DHEMM, porém, os quilos serão eliminados rapidamente.

Um, dois três e...: Preparando-se para começar o Sistema DHEMM

Sempre que planejo minhas férias ou uma viagem mais longa, dedico-me com antecedência a encontrar um bom hotel, reservar meu voo e fazer minha mala com as roupas que vou querer usar. Em outras palavras, preparo-me para a viagem. O mesmo se aplica à jornada rumo à saúde e ao bem-estar que você está prestes a iniciar. Dedique o tempo necessário à preparação, pois isso facilitará a transição e aumentará as chances de você conseguir seguir o programa do começo ao fim.

Dedique vários de seus dias preparando-se para iniciar o Sistema DHEMM. Reúna os alimentos, suplementos e outros recursos (por exemplo, livros) desejados. Talvez você queira reduzir o consumo de alimentos que serão eliminados durante a fase de detox, como cafeína, açúcar, refrigerante, alimentos processados ou industrializados, fast-food, além de produtos à base de farinha branca, alguns dias antes de iniciar o programa. A eliminação sistemática de itens da sua dieta ajudará a minimizar os possíveis sintomas de abstinência e dará o pontapé inicial no processo de emagrecimento rumo à saúde ideal.

Visão geral dos cinco elementos principais do Sistema DHEMM

A sigla DHEMM, em inglês, significa **D**etox (desintoxicação), **H**ormonal Balance (equilíbrio hormonal), **E**at (alimente-se bem), **M**ental Mastery (domínio mental) e **M**ove (mexa-se). O sistema concentra-se em ajudá-lo a desintoxicar, limpar e reprogramar as suas papilas gustativas para que você anseie por ingerir alimentos saudáveis e naturais. Todos os cinco elementos principais do programa incluem métodos de desintoxicação, opções de comida e bebida, e suplementos que podem acelerar seu progresso.

D significa DETOX. Acelere o processo de emagrecimento eliminando as toxinas do seu organismo. Você vai desintoxicar seu corpo por meio da eliminação de determinados alimentos durante três semanas, além de usar outros métodos de desintoxicação que eliminam os resíduos tóxicos do organismo. Ao fazê-lo, você vai se livrar de alimentos insalubres e reprogramar as suas papilas gustativas para que elas passem a ansiar por alimentos saudáveis e ricos em nutrientes.

H significa HORMONAL BALANCE (equilíbrio hormonal). Como vimos no Capítulo 6, os hormônios controlam o apetite, o metabolismo e o quanto engordamos ou emagrecemos. Com o Sistema DHEMM, abordamos os hormônios que impactam o peso e a saúde, além de oferecermos dicas para alcançar o equilíbrio hormonal e favorecer o emagrecimento e a saúde ideal.

E significa EAT (alimente-se bem). Para emagrecer de uma vez por todas, siga uma alimentação "saudável e balanceada". Você aprenderá como ter uma alimentação saudável e balanceada para ajudá-lo a chegar ao peso ideal. Desfrutará do mesmo plano alimentar, composto de alimentos naturais e saudáveis, iniciado na fase de desintoxicação, mas começará a reintroduzir alguns dos alimentos que evitou, avaliando se produzem alguma reação negativa na sua jornada à saúde ideal e ao emagrecimento. Ao reintroduzi-los, você poderá monitorar seus efeitos sobre a sua saúde. Por exemplo, se, ao reintroduzir leite e observar que o nariz entupiu, é melhor ficar longe do leite, pois a lactose nele presente deve estar criando intolerâncias no seu organismo.

M significa MOVE (mexa-se). Mexa-se sem precisar frequentar a academia ou praticar exercícios. Você pode começar esta parte do programa imediatamente. Movimentando-se mais, você incorpora ao seu dia a dia maneiras fáceis e eficientes de tornar-se fisicamente ativo, além de fortalecer seus músculos.

M significa MENTAL MASTERY (domínio mental). No Capítulo 18, discutirei motivação e domínio mental – o emagrecimento começa na mente antes de começar no corpo. É importante ter o foco mental adequado para podermos alcançar as nossas metas de emagrecimento no longo prazo. Exporei também o domínio mental visando ao emagrecimento no meu próximo livro.

Ao elaborar esse sistema de cinco fases, meu foco não foi apenas o corpo, mas também a saúde e o bem-estar como um todo. Você vai eliminar o excesso de gordura do corpo e reverter alguns dos males e problemas de saúde que o afligem, restaurando a saúde ideal. O acesso a alimentos orgânicos e suplementos de melhor qualidade tornou-se mais fácil e mais barato hoje, o que faz da saúde ideal algo que todos podem alcançar. Atualmente é possível encontrar perto de casa praticamente tudo de que vamos precisar.

Você pode fazer inúmeras mudanças – grandes e pequenas – no seu estilo de vida e em sua alimentação que impactarão imediatamente a sua saúde, melhorando-a consideravelmente. Qualquer que seja a sua abordagem ao Sistema DHEMM, sua jornada será única, e as mudanças que você vivenciar serão perfeitas e apropriadas para você.

CAPÍTULO DEZ

Desintoxique-se (D) – Elimine as toxinas e acelere o emagrecimento

O Sistema DHEMM destina-se tanto ao emagrecimento quanto à desintoxicação. Você obterá os benefícios do emagrecimento; porém, ainda mais importante, adotando-o, efetuará a transição para uma vida mais saudável e mais vibrante. A fase de desintoxicação serve como transição para a adoção de alimentos naturais, integrais, não processados, e também para a eliminação das escolhas alimentares insalubres mais comuns. Durante esta fase, você reeducará seu corpo e programará suas papilas gustativas para desfrutar de alimentos que ajudam a emagrecer permanentemente. Além disso, vai eliminar alimentos que talvez apresentem alguma sensibilidade e que causam inflamação no corpo. Não é incomum as pessoas perderem até sete quilos nessa fase, cuja duração é de três semanas. Além da perda de peso, você vai ter mais energia, dormir melhor, livrar-se da sinusite, dos problemas digestivos crônicos e de dores de cabeça recorrentes.

Nesta fase, você iniciará o processo de limpeza concentrando-se em alimentos que limpam e desintoxicam o corpo, ao mesmo tempo que evitará alimentos que causam ganho de peso, excesso de toxinas e inflamação no corpo. Vai reprogramar as suas papilas gustativas para que elas desejem ingerir alimentos integrais, naturais e saudáveis, e não junk food e alimentos carregados de açúcar. Você começará a desfrutar de uma nova variedade de alimentos e continuará emagrecendo durante esse período de três semanas. Durante esta fase, você vai eliminar os seis grandes vilões – os alimentos que mais viciam, fazem mal e engordam. Ao final dessas três semanas, quando poderá começar a reintroduzi-los de volta na sua alimentação, você provavelmente terá perdido a vontade de comê-los. Uma vez que o organismo deixar de ansiar por eles, você terá uma química corporal equilibrada que lhe permitirá ingeri-los com moderação, de vez em quando, mas não todos os dias.

Seu organismo será reprogramado para desfrutar e ansiar por alimentos saudáveis e naturais que limitam a produção de insulina, uma causa subjacente de excesso de gordura corporal. Além disso, também vai comer alimentos que constroem e mantêm o tônus muscular com pouquíssimo esforço. Ao escolher o que comer, você vai equilibrar carboidratos, proteínas e gorduras em todas as refeições. Não vai contar calorias: seu foco será a qualidade, não a quantidade de calorias. Consumindo grandes quantidades de hortaliças e frutas frescas, cereais, leguminosas, oleaginosas, sementes e gorduras, você vai reconstruir suas células após o detox. Se você é uma dessas pessoas que, como eu, adora comer, ficará feliz ao saber que, durante as três semanas de duração desta fase, desfrutará de alimentos deliciosos e ricos em nutrientes e não sentirá fome. Se disciplina não for o seu forte, não se preocupe com a possibilidade de fracassar ou desistir no meio do caminho. Eis o que fazer. Se escorregar ou ingerir alimentos que não deveria, simplesmente continue evitando os seis grandes vilões e siga adiante. Desafie-se a manter o programa, mas não se puna se sair dos trilhos. Se constatar que é difícil demais abrir mão de um ou dois itens, como café, simplesmente evite todos os outros, menos a cafeína, e aproveite ao máximo o restante do programa. Isso ainda é melhor do que desistir de tudo. Talvez, da próxima vez que tentar, você esteja pronto para abrir mão dos seis grandes vilões. O importante não é a perfeição, é continuar avançando! Outra opção é encontrar um amigo, colega de trabalho ou familiar para adotar o Sistema DHEMM junto com você para que vocês possam se apoiar e estimular um ao outro. Esta é a sua jornada. Aproprie-se dela, desfrute-a e adapte-a às suas necessidades.

Os seis grandes vilões alimentares que você deve evitar durante esta fase

Nesta fase, que tem duração de três semanas, evite consumir os seis alimentos e bebidas a seguir. São alimentos e bebidas que engordam, viciam e/ou fazem mal à saúde. Aqui estão:

1. Bebidas à base de cafeína (chá, café, refrigerantes, refrigerantes diet)
2. Açúcar (balas, doces, biscoitos, bolos, alimentos industrializados que contenham açúcar)
3. Carboidratos refinados (pão branco, arroz branco, massas, batata-inglesa)
4. Proteínas animais (ovos, peixes, frango, carne)
5. Laticínios (leite e queijos)
6. Álcool (destilados, cerveja, vinho)

Nesta fase, recomendo que você se abstenha dessas seis principais categorias de alimentos, substituindo-os por alimentos saudáveis, integrais, de origem vegetal, como hortaliças nutritivas, cereais integrais, leguminosas, frutas e oleaginosas.

Quando as pessoas decidem se abster de ingerir esses seis tipos de alimentos, a primeira pergunta que fazem é: "Mas então o que vou comer?" Bem, você vai descobrir uma gama de alimentos deliciosos e naturais que o tornam mais saudável e cheio de energia. Não vai passar fome, pois não deixará de comer – simplesmente vai consumir alimentos diferentes daqueles que estava acostumado a comer. Como acontece no Sistema DHEMM como um todo, você não vai contar calorias nem medir carboidratos, proteínas ou gorduras na sua alimentação; simplesmente vai aprender a desfrutar de alimentos mais saudáveis que abastecerão seu corpo. Além disso, se estiver satisfeito com as escolhas alimentares e com o emagrecimento alcançado durante esta fase, pode continuar nela durante o tempo desejado, pois as escolhas alimentares nela preconizadas são muito saudáveis e naturais. No entanto, para aqueles que desejarem reintroduzir as seis categorias de alimentos já mencionados, a próxima fase pode orientá-lo a desenvolver um plano alimentar saudável para o longo prazo.

O que você deve comer durante esta fase

Para garantir alimentos da mais alta qualidade, talvez seja necessário visitar uma loja de produtos naturais, que terá uma oferta maior de alimentos orgânicos e naturais, além de uma maior variedade de opções. Eu, pessoalmente, nunca pensei que sentiria vontade de comer nozes e sementes cruas, mas simplesmente adoro comê-las no lanchinho do meio da tarde, em especial sementes de girassol e castanha-de-caju. Certamente são melhores do que os doces que eu costumava comer no meio da tarde antes de adotar o Sistema DHEMM.

O que comer no café da manhã

- *Cereais integrais ou cereais de grãos mistos.* Existem diversos cereais para o café da manhã contendo grãos integrais ou mistos. O mingau de aveia é uma excelente opção; para adoçá-lo, use estévia ou frutas frescas.

O que comer no almoço/jantar

- *Hortaliças.* Boas opções seriam espinafre, acelga, couve, brócolis, couve-flor, vagem, aspargo, couve-de-bruxelas, abobrinha, berinjela, abóbora, tomate e cogumelo.
- *Grãos integrais.* Arroz integral ou arroz selvagem, crackers de grãos integrais, trigo-sarraceno, quinoa.
- *Saladas.* Prepare saladas suntuosas usando folhas mistas, alface-romana, espinafre, rúcula, cenoura, cogumelo, pepino, radicchio, endívias, pimentão, abacate, tomate e rabanete.
- *Feijões e leguminosas.* Ainda que sejam considerados amidos, os feijões e as leguminosas são especialmente saudáveis, pois são ricos em fibras e pobres em gordura. Não economize em feijão-preto, feijão-mulatinho, favas, feijão-branco, lentilha, grão-de-bico e feijão-fradinho. Você pode usar até enlatados, mas é bom sempre escorrê-los em água corrente para eliminar o sal antes do consumo.
- *Tofu, tempeh e produtos vegetarianos.* Refogue, asse ou grelhe tofu e tempeh, e misture-os com hortaliças e arroz integral. Existem também boas variedades vegetarianas de hambúrguer, salsicha e frango.

O que comer na hora do lanche

- *Frutas.* Aqui estão algumas ótimas opções: maçã, amoras, mirtilos, framboesa, morango, cereja, pêssego, goji berries, grapefruit e laranja.

- *Nozes e sementes.* Entre elas, incluem-se amêndoas, nozes, macadâmia, castanha-de-caju, soja, sementes de girassol, semente de abóbora, semente de gergelim, semente de cânhamo e semente de linhaça moída na hora, para citar apenas algumas. Quando possível, opte pelas variedades orgânicas.
- *Outras opções para o lanche.* Bolachas de arroz, crackers de linhaça, pasta de amendoim sem açúcar e pipoca (pode usar uma pitada de sal marinho).

Ingredientes para o preparo dos alimentos

- *Óleos.* As melhores opções são azeite de oliva extravirgem, óleos de canola, girassol e açafrão orgânicos e óleo de nozes.
- *Temperos.* Use sal marinho, alho, cebola, gengibre e tamari. Não use sal refinado comum.
- *Óleos* para salada. As melhores opções são óleo de semente de linhaça, óleo de abacate e azeite de oliva.
- *Farinhas sem glúten.* Boas opções são farinhas de arroz, feijão, aveia, soja, cevada, fécula de batata, fubá, semente de linhaça, farinha de nozes, sementes, quinoa ou tapioca.
- *Manteigas não derivadas de laticínios.* Use manteigas de nozes ou sementes, como manteiga de amêndoa ou manteiga vegana. Verifique se não contêm açúcar.
- *Adoçantes.* A estévia é especialmente boa para cereais matinais, smoothies e produtos assados. O néctar de agave é outra opção, mas deve ser usado com cautela.

Bebidas

No Capítulo 8, apresentei algumas das melhores opções de bebidas, explicando os benefícios específicos à saúde por elas proporcionados. As bebidas que recomendo durante esta fase estão enumeradas a seguir:

- Água
- Água de coco
- Sucos feitos na hora
- Chás de ervas, sem cafeína, como chá de hortelã e chá de camomila
- Leites vegetais, como leite de amêndoa, arroz, cânhamo ou soja (sem ser adoçados)

Métodos de desintoxicação que auxiliam esta fase

Como vimos no Capítulo 5, existem diversos métodos para desintoxicação e eliminação de toxinas do organismo. Durante a fase de desintoxicação, com duração de três semanas, considero obrigatório tomar ervas/suplementos para limpeza do cólon e do fígado. É preciso eliminar rapidamente as toxinas do corpo para evitar o mal-estar e minimizar os sintomas do detox. Todos os outros métodos de detox aqui apresentados são opcionais, mas recomendo veementemente que você escolha dois ou três dos outros no longo prazo quando tiver disponibilidade de tempo e dinheiro para fazê-lo.

Algumas pessoas observam uma mudança para melhor nos níveis de saúde e energia já nos primeiros dias; outras, porém, levam semanas para apresentar uma melhora. Inclua, no mínimo, suco verde e fibras durante esta fase, pois são cruciais para a desintoxicação. Você pode tentar incluir outros suplementos apresentados no Capítulo 8 depois da fase de detox de 21 dias.

O que esperar durante esta fase

Você vai se surpreender com o bem-estar que sentirá após esta fase – vai se sentir mais leve e com mais energia. Sua clareza mental aumentará. Muitas pessoas que acreditavam que se sentirem lentas, letárgicas, era normal, ficam agradavelmente surpresas ao final desta fase.

Após a realização desta fase de detox, você terá proporcionado ao seu corpo uma chance de se livrar da vontade súbita de comer determinados alimentos e de hábitos alimentares viciantes. Talvez tenha alguns desejos por determinados alimentos, e alguns dias podem ser mais difíceis do que outros, mas você vai começar a ver a luz no fim do túnel. Há também quem não sinta nenhum tipo de vontade súbita de comer.

Espere e acolha os sintomas da desintoxicação

Talvez você apresente alguns sintomas de desintoxicação; a intensidade desses sintomas dependerá do grau de toxicidade do seu organismo, para início de conversa. Espere e acolha os sintomas da desintoxicação porque, embora possam ser desagradáveis, são sinais de progresso. Seu corpo está viciado nos seis grandes vilões e, ao romper com esses vícios, você aprenderá pela primeira vez o grau de dependência que seu organismo desenvolveu com relação a tais alimentos.

Os sintomas típicos de desintoxicação são:

- *Vontade súbita de comer determinados alimentos*. À medida que começa a se desintoxicar, o organismo sente falta dos alimentos que costumava ingerir, como carne, laticínios, açúcar e cafeína. Essa vontade súbita de comer tais alimentos pode demorar várias horas ou vários dias, mas começará a diminuir quando o organismo eliminar sua sobrecarga tóxica.

- *Dor de cabeça, dores no corpo, náusea.* Se você costumava tomar muito café, nos primeiros dias após suspendê-lo talvez sinta dor de cabeça. Pode apresentar também dores no corpo, nas articulações e até náuseas.
- *Fadiga.* Permita-se tempo para descansar durante esta fase de desintoxicação, pois a eliminação de toxinas o esgotará, deixando-o exausto. Vá com calma, descanse.
- *Erupções cutâneas.* Erupções cutâneas, ou até mesmo acne, são sinais de que o organismo está excretando toxinas pela pele, nosso maior órgão de eliminação. Por meio da colonterapia ou de ervas para limpeza do cólon, você poderá minimizar as erupções cutâneas.
- *Irritabilidade.* Não comer alguns de seus alimentos preferidos pode causar irritação; por isso, é normal ficar de mau humor. Durante esta fase, evite também frequentar eventos sociais.

Resumo da fase de desintoxicação (Fase I)

Eis uma breve recapitulação do que você precisa fazer durante esta fase de desintoxicação de 21 dias para emagrecimento rápido e renovação da saúde e energia. Muitos acabam permanecendo seis a oito semanas nesta fase porque adoram o emagrecimento rápido, o aumento da energia, a melhora da digestão e da pele proporcionados. Fique à vontade para fazer o mesmo, se assim o desejar.

- *Evite os seis grandes vilões da alimentação.* Os seis grandes vilões que precisam ser evitados durante esta fase de desintoxicação foram apresentados neste capítulo, que apresenta também opções de comida e bebida cujo consumo é liberado durante a fase 1.
- *Faça uma limpeza do cólon e do fígado.* Use ervas/suplementos para limpeza do cólon e do fígado durante a fase de desintoxicação de 21 dias. Fique à vontade para selecionar um ou dois métodos de desintoxicação descritos no Capítulo 5; esses outros métodos são opcionais durante esta fase.
- *Tome um suco verde e um suplemento de fibras todo dia pela manhã.* O suco verde e as fibras são obrigatórios durante a fase de desintoxicação de 21 dias, ajudando enormemente a desintoxicar e limpar o organismo. Depois da fase de desintoxicação de 21 dias, você poderá incluir outros suplementos descritos no Capítulo 8.

Em suma

O organismo é totalmente capaz de se curar, rejuvenescer e restaurar a saúde ideal, e a desintoxicação lhe permite fazer exatamente isso. Os 21 dias desta fase proporcionarão ao seu organismo tempo suficiente para reprogramar suas papilas gustativas, e você vai poder começar a desfrutar de alimentos mais saudáveis e mais naturais, eliminando de uma vez por todas os seus hábitos alimentares insalubres.

Passados os 21 dias desta fase de desintoxicação, você observará seus enormes benefícios à saúde. Começará a emagrecer naturalmente. Começará a pensar com mais clareza. Vai se sentir energizado e mais vivo. Observará que sua pele está mais limpa e radiante. E vai se sentir mais feliz e equilibrado. E, mais importante, a desintoxicação do organismo, no longo prazo, garantirá que seu corpo não acumule resíduos tóxicos que levam ao excesso de gordura no corpo.

CAPÍTULO ONZE

EAT (E) – Coma alimentos naturais e balanceados para emagrecer de uma vez por todas

Discutimos, em capítulos anteriores, quais alimentos são saudáveis e contribuem para o ganho de peso e quais contribuem para o emagrecimento. Neste capítulo, vamos nos concentrar no quanto comer, que tipo de alimentos comer e nas combinações de alimentos mais benéficas para o corpo.

Você vai desfrutar de um plano alimentar saudável, composto de alimentos integrais, que iniciou na fase de desintoxicação, mas começará a reintroduzir alguns dos alimentos que evitou, verificando quais deles terão consequências negativas para a sua saúde e seus esforços de emagrecimento. Ao reintroduzi-los, vai poder monitorar seus efeitos sobre a saúde. Quando começar a reintroduzir determinados alimentos, você terá que observar como eles afetam seu peso e como você se sente. Se determinados alimentos ainda lhe causarem reações alérgicas (sintomas como inchaço, gases, dor de cabeça) e prejudicarem seus objetivos de emagrecimento, é importante continuar evitando-os. Seria útil anotar em um diário tudo que você come diariamente e a sensação ou sintomas alérgicos associados a determinados alimentos.

Os alimentos no Sistema DHEMM o ajudarão a equilibrar seus hormônios, regular o metabolismo e eliminar toxinas que levam a doenças crônicas. Os alimentos que fazem parte do Sistema DHEMM, inclusive proteínas magras, bons carboidratos e gorduras saudáveis, têm as seguintes características:

- Contêm pouco açúcar
- São basicamente naturais, integrais, crus ou orgânicos
- São ricos em fibras e em ácidos graxos ômega-3
- São ricos em vitaminas, minerais e nutrientes
- Têm baixo teor de sódio

Como fazer a transição da fase D para a fase E

Aqui estão algumas diretrizes que ajudam a fazer a transição da fase D (Detox) para a fase E (Eat). Isso ajudará a garantir que você continue emagrecendo ao passar à segunda fase.

Com relação aos seis grandes vilões alimentares que você evitou na Fase 1 (fase de Detox), aqui está como voltar a reintroduzi-los em sua alimentação:

1. *Bebidas à base de cafeína.* Sinta-se à vontade para reintroduzir uma quantidade limitada de cafeína de volta em sua alimentação. A cafeína pode acelerar seu metabolismo em 5% a 8%, ajudando a queimar entre 100 e 175 calorias por dia. Isso não significa que você deva exagerar e tomar várias xícaras de café por dia, mas uma xícara de café não terá efeitos adversos sobre os seus objetivos de emagrecimento. Além disso, descobriu-se que o chá-verde, meu acelerador de metabolismo favorito, proporciona muitos benefícios à

saúde, além de ajudar a queimar gordura. O consumo diário de chá-verde é altamente recomendado.

2. *Açúcar.* No Capítulo 3, expliquei que o açúcar é altamente viciante, engorda e adoece; não há motivo algum para reintroduzir o açúcar na sua alimentação. Evidentemente, estamos nos referindo ao açúcar branco refinado, ao xarope rico em frutose etc. Pode continuar usando estévia e outros adoçantes naturais que não tenham efeitos adversos sobre a sua saúde e seus objetivos de emagrecimento.

3. *Carboidratos refinados.* Continue evitando carboidratos refinados, como pão branco, arroz banco, massas, farinha branca e batata-inglesa. Sinta-se à vontade para usar alternativas mais saudáveis, como pães integrais, massas integrais, arroz integral ou arroz selvagem, farinha integral e batata-doce.

4. *Carnes.* A carne oferece ao corpo proteínas magras, que são extremamente eficazes para ajudar a manter músculos, queimar calorias e equilibrar os níveis de açúcar no sangue. Sendo assim, durante esta fase, é importante reintroduzir carnes (proteína magra) na sua alimentação. Uma boa abordagem é reintroduzir peixes na primeira semana, depois frango, e, na semana seguinte, carne vermelha de vez em quando. A carne vermelha contém grande quantidade de gordura saturada; por isso, tente limitar seu consumo a duas a três vezes por semana. Em seu lugar, opte pela proteína do peixe, frango e fontes vegetais, como arroz integral, leguminosas e oleaginosas.

5. *Laticínios.* Se tiver detectado alguma alergia ou intolerância a laticínios (leite de vaca) durante a Fase 1, é importante continuar evitando seu consumo. No entanto, ovos, queijos

light e leites vegetais (como leite de amêndoas ou leite de soja) continuam sendo excelentes opções de laticínios no longo prazo.

6. *Álcool.* Quem estava acostumado a beber antes da Fase 1 deve estar ansioso para reintroduzir o álcool de volta na alimentação. É importante, porém, beber com moderação. Saiba que o álcool pode sobrecarregar o fígado; se consumir grande quantidade de álcool, será importante realizar limpezas hepáticas várias vezes ao ano.

Métodos de desintoxicação. Na fase de desintoxicação, você realizou uma limpeza de cólon e uma limpeza de fígado. Por uma questão de manutenção, você pode voltar a realizá-las sempre que sentir que uma sobrecarga tóxica está se acumulando no seu sistema; na maior parte das pessoas, isso ocorre a cada três a seis meses. No entanto, as pessoas que mantêm hábitos saudáveis, bebem água alcalina ou tomam poucos medicamentos controlados ou suplementos talvez precisem realizá-las apenas uma vez ao ano. Essa é uma boa hora para voltar ao Capítulo 5 e começar a incorporar outros métodos de desintoxicação à sua rotina.

Suplementos. Na fase de detox, os sucos verdes e as fibras foram suplementos obrigatórios. Você pode continuar tomando ambos, pois eles continuarão ajudando-o a melhorar a saúde, limpar o trato digestivo e alcançar os objetivos de emagrecimento. Durante esta fase, é importante também acrescentar quaisquer suplementos adicionais que tenham sido descritos no Capítulo 8. Lembre-se de que esses suplementos não são obrigatórios, mas podem ser acrescentados para abordar males específicos e problemas digestivos.

Uma observação final. É preciso entender a diferença entre "gordura corporal" e "gordura corporal teimosa". É possível queimar gordura corporal fazendo refeições saudáveis, "naturais e balanceadas" e mantendo-se fisicamente ativo, mas, para perder a gordura corporal teimosa, será necessário corrigir desequilíbrios hormonais, como vimos no Capítulo 6. Em situações em que uma alimentação saudável e atividade física não bastam para alcançar os objetivos de emagrecimento, é provável que a culpa seja dos desequilíbrios hormonais. Se tiver dificuldade de emagrecer ou se seu peso estagnar durante o processo de emagrecimento, será necessário incorporar métodos para equilibrar os hormônios, como discutimos no Capítulo 6. Além disso, lembre-se de incluir alguns dos aceleradores do metabolismo discutidos no Capítulo 7 para ajudar seu corpo a queimar gordura com mais eficiência.

O que são alimentos "naturais e balanceados"?

Como vimos antes, alimentos "naturais" são basicamente alimentos orgânicos, crus ou integrais que o corpo consegue digerir com eficiência e utilizar para gerar energia sem deixar excesso de resíduos ou toxinas no corpo. Entre eles incluem-se proteínas magras, bons carboidratos e gorduras saudáveis. Entende-se por alimentos "balanceados" aqueles que permitam equilibrar as refeições ingerindo proteínas sempre que comer algum carboidrato. Assim, se for comer carboidrato, inclua sempre alguma proteína. A manutenção desse equilíbrio entre proteínas e carboidratos é um método muito simples, porém incrivelmente eficaz, de prevenir as elevações súbitas de insulina e ajudar o corpo a queimar gordura.

Por que acrescentar proteína em todas as refeições? A proteína contrabalança a reação exagerada do organismo aos carboidratos, que causam picos de insulina e armazenamento de gordura. As proteínas também ajudam a prolongar a sensação de saciedade e, assim, impedir que você coma demais ou sinta uma vontade súbita de comer determinados alimentos. A proteína também ajuda a desenvolver e manter massa muscular e, como vimos, os músculos queimam naturalmente mais calorias do que a gordura.

A ingestão de alimentos naturais e balanceados ajuda a emagrecer pelas razões apresentadas a seguir:

- Ajuda a abordar as razões subjacentes ao acúmulo de gordura pelo corpo.
- Você aprenderá quais alimentos o ajudarão a permanecer magro e manter um peso saudável.
- Você terá mais controle sobre os níveis de insulina e glicose no sangue.
- Você queimará gordura, especialmente gordura abdominal e os temidos "pneus".
- Você passará a controlar o apetite e a vontade súbita de comer.

Doze princípios para uma alimentação "natural e balanceada"

Encare os princípios a seguir como instruções para seguir uma alimentação "natural e balanceada".

- *Princípio nº 1: Opte por alimentos ricos em nutrientes, não por calorias vazias.* Isso significa que você vai ingerir alimentos ricos em vitaminas, minerais, fitonutrientes, fibras e ácidos graxos ômega-3. Comer junk food é comer calorias vazias. É importante que as calorias que você ingerir proporcionem benefícios nutricionais que possam ajudá-lo na cura seu corpo e manter permanentemente um peso saudável. Antes de comer alguma coisa, pergunte-se: este alimento é rico em nutrientes ou são apenas calorias vazias? Assuma o compromisso de prestar atenção a tudo que come.

- *Princípio nº 2*: Coma proteína em todas as refeições. Não deixe de incluir uma proteína em todas as refeições, e coma-a primeiro, antes de comer carboidratos e gorduras. Você pode também comer a proteína isoladamente. A ingestão de proteína não causa picos de insulina, o que a torna um alimento básico importantíssimo para quem deseja ter uma alimentação natural e saudável.
- *Princípio nº 3*: Equilibre sempre a ingestão de carboidratos com uma proteína. Sempre que for comer um carboidrato, coma junto algum tipo de proteína. Como orientação geral, a quantidade de proteína deve corresponder à metade da de carboidrato. Por exemplo, se comer 30 gramas de carboidratos, coma aproximadamente 15 gramas de proteína junto, a fim de prevenir os picos de insulina que fazem com que o excesso de gordura seja armazenado no corpo. Examine o rótulo dos alimentos para determinar a quantidade de carboidratos e proteína neles contidos. (Veja os exemplos no final desta seção para entender melhor como equilibrar carboidratos e proteínas em cada refeição.)
- *Princípio nº 4: Não exagere nos carboidratos*. É importante não comer uma quantidade exagerada de carboidratos. Limite seu consumo a não mais do que duas porções de alimentos ricos em carboidratos a cada refeição ou lanche. Isso evitará que o excesso de carboidratos seja armazenado sob a forma de gordura. Se, ainda assim, continuar com

fome, experimente comer uma maior quantidade de hortaliças para satisfazer sua fome. Não tente comer outros alimentos ricos em carboidratos, pois eles serão convertidos em gordura no corpo, ou proteína em excesso, que prejudicará o emagrecimento, adicionando calorias a mais. Uma porção de alimentos ricos em carboidratos equivale a ½ xícara ou 15 gramas de carboidratos. Sendo assim, a quantidade máxima de alimentos ricos em carboidratos que você deve ingerir a cada refeição deve equivaler a duas porções, ou seja, 30 gramas ou aproximadamente 1 xícara, sempre *balanceados com um alimento rico em proteína*.

- *Princípio nº 5: Evite comer açúcar, sal e gorduras do tipo trans.* Discutimos vários alimentos que causam ganho de peso e fazem mal à saúde. Esses três, porém, encabeçam a lista. Tente evitá-los a qualquer custo. Eles não têm valor nutricional algum e simplesmente são prejudiciais à saúde. O Capítulo 3 é totalmente dedicado a explicar os malefícios do açúcar. O sal também faz mal à saúde e causa inchaço, edema e retenção de líquido. Quanto às gorduras do tipo trans, a boa-nova é que, nos Estados Unidos, o FDA as regula e os fabricantes de alimentos atualmente são obrigados a listar a quantidade de gorduras trans em cada porção quando esse tipo de gordura exceder 0,5 grama por porção.
- *Princípio nº 6: Coma pelo menos cinco porções de frutas e hortaliças por dia.* As frutas são decompostas no organismo com maior rapidez do que qualquer outro alimento, deixando-nos abastecidos e energizados; além disso, não deixam resíduos tóxicos e agem como um forte elemento de limpeza do organismo. Para emagrecer, é preciso comer

hortaliças, pois estudos mostram que as pessoas que ingerem uma grande variedade de hortaliças têm menor quantidade de gordura corporal. Frutas e hortaliças são naturalmente balanceadas porque contêm tanto proteínas quanto carboidratos. São compostas basicamente de água e fibras; por isso, podem ser ingeridas em maior quantidade. Existem, porém, algumas exceções. O consumo de milho e batata-inglesa deve ser mínimo e, obviamente, sempre balanceados com proteína.

- *Princípio nº 7: Limite a ingestão de carne vermelha a duas a três vezes por semana.* A carne vermelha contém grande quantidade de gordura saturada; por isso, tente limitar seu consumo a duas a três vezes por semana. Opte, em seu lugar, por peixe, aves e fontes vegetais, como arroz integral, feijão e nozes, que contêm gorduras essenciais benéficas.
- *Princípio nº 8: Faça dois lanches saudáveis por dia.* Os lanchinhos impedem que você sinta fome durante as refeições. Permitem que você abasteça seu corpo a cada três ou quatro horas, mantendo o metabolismo acelerado. Consulte a lista de lanches saudáveis apresentada mais adiante neste capítulo.
- *Princípio nº 9: Coma pelo menos 30 gramas de fibras por dia.* Diversos estudos demonstraram que as dietas ricas em fibras auxiliam o emagrecimento e conferem proteção contra doenças cardíacas, derrames e determinados tipos de câncer. O Capítulo 8 apresenta uma lista de alimentos ricos em fibras e de suplementos de fibras que ajudam a ingerir 30 gramas de fibras por dia.
- *Princípio nº 10: Coma a fruta isoladamente, uma hora antes ou uma hora depois da refeição.* As enzimas presentes

na fruta são mais bem digeridas quando ela é ingerida isoladamente. Sendo assim, as frutas são perfeitas para o lanche.
- *Princípio nº 11: Coma quatro a cinco vezes ao dia.* Seu emagrecimento será mais acelerado se você fizer de quatro ou cinco refeições por dia, em vez de três (ou menos). Experimente comer a cada três ou quatro horas, fazendo três refeições e dois lanches saudáveis. Sempre que comer, você estimulará seu metabolismo durante um curto período; assim, quanto mais frequentemente comer, mais acelerará seu metabolismo. Comer a cada duas a três horas alimenta os músculos e faz a gordura passar fome.
- *Princípio nº 12: Sempre que possível, opte por produtos orgânicos.* Compre produtos orgânicos, isentos de conservantes químicos, aditivos alimentares, hormônios, pesticidas ou antibióticos. Os alimentos orgânicos frescos são muito menos tóxicos do que os alimentos altamente processados e industrializados/congelados, deixando menos resíduos no corpo.

Aqui estão alguns exemplos de como "equilibrar" carboidratos com proteínas (as proteínas estão em itálico):

- Café da manhã
    + Mingau de aveia preparado com *leite desnatado* ou *semidesnatado* (para adoçar, acrescente frutas frescas)
    + Omelete com *peito de peru light* e batata hash brown
    + Um *ovo* ou *claras de ovo* com torrada integral
    + Panquecas ou waffles com *salsicha*
    + *Iogurte* sem açúcar com cereal integral

- Almoço
  - Sanduíche de *atum* no pão integral acompanhado de salada de folhas variadas
  - Sanduíche de *frios* light no pão integral
  - *Sopa de feijão* ou de *ervilha* com crackers integrais
  - Salada Caesar com tiras de *peito de frango* ou *carne*
  - Sanduíche de *frango* grelhado no pão integral
  - *Salmão* grelhado com salada verde

- Jantar
  - *Filé* com batata-doce e hortaliças
  - *Salmão* grelhado com quinoa e hortaliças
  - *Frango* assado com purê de batata e hortaliças sauté
  - Stir-fry de *frango* com arroz integral
  - *Contrafilé* com feijão-de-lima
  - *Almôndegas* com queijo light sobre massa integral e salada
  - *Chili* com crackers integrais e salada

- Lanches
  - *Pasta de amendoim* (sem açúcar) com talos de aipo
  - *Queijo* light com uma maçã
  - *Iogurte* natural (sem açúcar) com frutas frescas
  - Duas colheres de sopa de *nozes* (amêndoas, macadâmia, castanha-do-pará) com suco de frutas feito na hora
  - Pedacinhos de aipo ou cenoura com pastinha de *queijo* light
  - Crackers integrais com *leite desnatado* ou *semidesnatado*
  - *Queijo* light com crackers

Escolhas alimentares "naturais e balanceadas"
Durante esta fase, você vai comer alimentos naturais e balanceados escolhidos entre as proteínas, bons carboidratos e gorduras saudáveis apresentados nas listas a seguir. Esta seção oferece listas específicas de algumas escolhas alimentares para cada categoria. O objetivo dessas listas é oferecer muitas opções alimentares, mas saiba que elas não representam as únicas opções adequadas ao Sistema DHEMM. Use sempre os princípios citados aqui para selecionar o equilíbrio correto de proteínas magras, bons carboidratos e gorduras saudáveis todos os dias. O resultado final proporcionará o melhor equilíbrio de carboidratos, proteínas e gorduras, a fim de garantir que a velocidade de quebra do alimento e sua transformação em energia seja propícia aos seus objetivos de emagrecimento.

A seguir, apresentamos diretrizes diárias sobre a quantidade de cada tipo de alimento que você deve ingerir para ter uma dieta balanceada.

- *Proteínas magras* (30% da alimentação diária): Duas a três porções (90 a 120 gramas por porção) de proteínas magras, como carne vermelha, aves e peixes.
- *Bons carboidratos* (45% da alimentação diária): Pelo menos cinco porções de frutas e hortaliças/leguminosas (feijões) e duas ou três porções de grãos integrais (1/2 xícara = uma porção).
- *Gorduras saudáveis* (25% da alimentação diária): Uma a duas porções (aproximadamente 30 gramas) de nozes e sementes por dia e uma a três colheres de sopa de óleos saudáveis.

PROTEÍNAS MAGRAS		
Coma 2 a 3 porções (90 a 120 gramas por porção) de proteínas magras por dia		
Peixes e frutos do mar	Frango e peru	Carnes vermelhas magras
Robalo, lula, bagre, mariscos, bacalhau, caranguejo, linguado, haddock, linguado-gigante, lagosta, cavala, ostra, perca, salmão selvagem, sardinha, vieiras, camarão, vermelho, tilápia, truta e atum	Peito de frango sem pele, frango da Cornualha sem pele, peito de peru sem pele **Laticínios** Bebida de proteína/ proteína em pó, produtos feitos com leite de ovelha, iogurte natural sem açúcar, leites vegetais, como leite de amêndoas, arroz, cânhamo ou soja (sem açúcar adicionado)	Cortes magros de carne vermelha, filé, contrafilé, alcatra, lagarto, lombinho de porco, costeleta de porco, porco assado

GORDURAS SAUDÁVEIS		
Nozes e sementes: 1 a 2 porções (cerca de 30 gramas) de nozes/sementes por dia Óleos saudáveis: 1 a 3 colheres de sopa por dia		
Nozes	**Sementes**	**Óleo saudáveis**
Amêndoa, castanha-do-pará, castanha, coco, avelã, macadâmia, noz-pecã, pistache, nozes	Sementes de linhaça moída, sementes de abóbora, sementes de gergelim, sementes de girassol	Óleo de abacate, óleo de canola, óleo de coco, azeite de oliva extravirgem, óleo de semente de linhaça, óleo de peixe, óleo de gergelim, óleo de nozes

LANCHES SAUDÁVEIS		
Faça dois lanches saudáveis por dia		
Frutas e hortaliças saudáveis e com poucas calorias *(menos de 100 calorias)*	Nozes e sementes saudáveis (cruas ou assadas) e com poucas calorias *(menos de 100 calorias)*	Lanches saudáveis ricos em proteínas e com pouca gordura
• 1 maçã grande • ½ xícara de purê de maçã sem açúcar • 1 laranja grande • 1 grapefruit média • 1 pera média • 1 banana média • 1 xícara de mirtilos • 1 xícara de amoras • 1 xícara de framboesa • 1 xícara de cerejas frescas • 1 nectarina grande • 2 pêssegos médios • 2 xícaras de uva • 1 xícara de aipo/ talos de aipo • ½ xícara de cenoura baby • 1 xícara de brócolis • 1 xícara de couve-flor	• 12 amêndoas cruas • 8 metades de nozes • 4 castanhas-do-pará • 15 gramas de sementes de abóbora • 2 colheres de sopa de sementes de girassol • 10 macadâmias • 20 amendoins	• 1 ovo cozido • 50 gramas de atum ligeiramente salgado • ½ xícara de queijo cottage light • 30 gramas de queijo de ovelha • 1 xícara de iogurte natural desnatado • 8 chips de tortilla assados com 3 colheres de sopa de molho salsa • 5 xícaras de pipoca light

BONS CARBOIDRATOS		
Frutas: 2 porções ou 2 frutas inteiras por dia Hortaliças/leguminosas: 3 a 4 xícaras por dia Grãos integrais: 2 a 3 porções por dia (1/2 xícara = uma porção)		
Frutas	**Hortaliças/leguminosas**	**Grãos integrais**
Maçã, damasco, abacate, banana, amoras, mirtilos, melão-cantalupo, cereja, cranberries, tâmara, figo, uva, kiwi, grapefruit, goiaba, limão, lima, manga, nectarina, laranja, papaia, pera, pêssego, romã, abacaxi, ameixa, framboesa, morango, tangerina, melancia	Alfafa, alcachofra, aspargo, beterraba e folhas de beterraba, brócolis, couve-de-bruxelas, repolho, cenoura, couve-flor, aipo, coentro, couve, pepino, dente-de-leão, berinjela, erva-doce, alho, vagem, acelga, alga *kelp*, alho-poró, alface, cogumelo, mostarda (folha), quiabo, cebola, salsa, pastinaca, ervilha, pimentão, abóbora, rabanete, ruibarbo, aipo-rábano, cebolinha, espinafre, batata-doce, tomate, nabo, folhas de nabo, agrião, inhame, abobrinha	Cevada, farelo, arroz integral, trigo-sarraceno, trigo para quibe, fubá de milho, painço, aveia, farelo de aveia, quinoa, centeio, espelta, gérmen de trigo, arroz selvagem, pães de grãos integrais/sem glúten, massas de grãos integrais/sem glúten, cereais de grãos integrais
	Feijão-preto, lentilha, feijão-mulatinho, feijão-fradinho, ervilha partida, grão-de-bico, feijão-de-lima, feijão-branco	

O que você deve beber durante esta fase

Entre as bebidas permitidas durante esta fase estão água, chá-verde, sucos de frutas feitos na hora, sucos verdes, água de coco, leites vegetais, um refrigerante diet ocasional, se desejado, e possivelmente uma xícara de café por dia.

Durante períodos de intensa desintoxicação (na Fase 1, por exemplo), abstive-me de beber café, mas, em outros momentos, costumo beber uma xícara de café por dia. As opiniões sobre benefícios ou malefícios do café para a saúde variam. Embora propicie a formação de ácido, o café não sobrecarrega demais o fígado; portanto, na minha opinião, não interfere nas etapas de desintoxicação e limpeza em longo prazo. No entanto, na primeira fase do Sistema DHEMM, deve-se evitar totalmente o café. A vontade de bebê-lo pode acabar diminuindo com o tempo. De todo modo, o café não é o maior problema para quem deseja manter a forma e a saúde. Se você ingerir uma quantidade moderada de cafeína (umas duas xícaras de café ou chá por dia) e conseguir dormir bem à noite e manter-se energizado e equilibrado ao longo do dia, a cafeína na realidade pode até melhorar a saúde e acelerar o metabolismo. Recomendo também que, em lugar do café, você beba chá-verde, pelos seus muitos outros benefícios à saúde. Entretanto, se uma xícara de café comum ou descafeinado pela manhã (somente uma) lhe der muito prazer, isso não deve ser um problema para a sua saúde.

Métodos de desintoxicação e suplementos que auxiliam esta fase

É importante dar continuidade a todos os métodos de desintoxicação e suplementos obrigatórios durante esta fase. Continue experimentando diferentes métodos de desintoxicação para identificar quais são os mais eficazes para você. Além disso, pense em tomar suplementos nutricionais que sejam úteis para seus problemas de saúde específicos. Por exemplo, se costuma sofrer de constipação ou inchaço, além de chá-verde e fibras, probióticos e enzimas seriam boas opções a serem incluídas durante esta fase.

Reintroduzindo alimentos e identificando alergias alimentares

Durante esta fase, você pode começar a reintroduzir alimentos que evitou durante a Fase 1, mas esteja atento ao que acontece com o seu corpo durante essa reintrodução. Durante a Fase 1 do programa, você pode ter eliminado alimentos aos quais, sem saber, era sensível ou alérgico; assim, sua reintrodução provocará os sintomas que esses alimentos o faziam apresentar.

Alergias alimentares não são apenas reações exacerbadas que podem acabar levando-o a correr à emergência do hospital com manchas na pele ou falta de ar por ter comido amendoim ou algo semelhante. Essa é uma reação alérgica imediata e aguda. Não é muito comum, mas pode ser bastante grave. No entanto, existem reações a alimentos que são muito menos intensas, mas igualmente letais. São as alergias tardias, e elas são muito mais comuns, afetando milhões de pessoas. Seu diagnóstico não é fácil, mas elas desempenham uma função importantíssima em doenças crônicas e problemas de peso. Em metade das pessoas, alguns alimentos não caem bem ou podem causar reações alérgicas tardias. Tais reações alérgicas tardias podem causar sintomas desde algumas horas até dias após o consumo do alimento. Entre as reações tardias incluem-se ganho de peso, retenção de líquidos, erupções na pele, fadiga, confusão mental, síndrome do cólon irritável, problemas de humor, dor de cabeça, congestão nasal, sinusite, dores e inchaços musculares e articulares. A ingestão dos alimentos aos quais você é alérgico causa inflamação, que acaba levando ao inchaço e à retenção de líquidos. Eliminar esses líquidos, reduzindo a inflamação, é uma coisa boa que pode ser realizada com os métodos de desintoxicação aqui descritos. Seu corpo pode então iniciar o processo de cura, permitindo-lhe alcançar o emagrecimento permanente e a saúde ideal.

Os alimentos aos quais a maior parte das pessoas apresenta sensibilidade são glúten, leite de vaca, ovos, milho, amendoim, fermento e trigo. O glúten, um tipo especial de proteína encontrada no centeio, no trigo e na cevada, é responsável pela textura elástica da massa. É encontrado na maior parte dos tipos de cereais e em muitos tipos de pão. Nem todos os alimentos das famílias dos grãos contêm glúten. Entre os exemplos dos grãos que não contêm glúten estão arroz selvagem, milho, trigo-sarraceno, painço, quinoa, aveia e soja. Como não é uma proteína que ocorra naturalmente no corpo humano, estudos demonstram que o glúten pode causar inflamação geral do trato intestinal e também danificar o revestimento do intestino delgado, dificultando a absorção dos nutrientes dos alimentos.

Eliminar as alergias alimentares é fundamental para sentir-se melhor e lidar com sintomas crônicos. Para identificar os alimentos aos quais é alérgico, você pode fazer um exame de sangue que detecta anticorpos à imunoglubulina G (IgG) aos alimentos. O exame pode ser útil, mas talvez nem sempre identifique todas as alergias alimentares. Talvez seja mais útil identificar as alergias alimentares pelo processo de eliminação. Isso significa simplesmente eliminar da sua dieta todos os gatilhos de possíveis alergias durante três ou quatro semanas e sua lenta reintrodução posterior, um de cada vez, observando como seu organismo reage a cada um deles. Anote em um diário o efeito de cada alimento e como você se sente e os sintomas que eles causem no seu corpo. O diário também pode ajudar a registrar os quilos perdidos, sua saúde e bem-estar.

Por exemplo, se estiver tentando identificar se tem alergia ao trigo, coma uma porção de cereal à base de trigo no café da manhã ou talvez um sanduíche no almoço. Em seguida, nos dois ou três dias seguintes, observe cuidadosamente seu corpo. Verifique se o trigo provoca sintomas, como retenção de líquido, dor de cabeça, coriza ou dor nas articulações. Se apresentar tais reações ou sintomas depois de reintroduzir o alimento, não continue a incluí-lo na sua alimentação. Ao contrário, espere e volte a tentar reintroduzi-lo daí a um ou dois meses. Se continuar apresentando alguma reação negativa, simplesmente o elimine totalmente da sua alimentação ou consulte um nutricionista experiente em administrar alergias alimentares.

Como os alimentos aos quais somos mais alérgicos ou sensíveis são aqueles que consumimos e desejamos diariamente, a princípio, evitá-los pode ser um desafio. Os sintomas de abstinência e a vontade súbita de comê-los podem surgir nos três ou quatro primeiros dias. Além disso, suas reações alérgicas poderiam piorar durante esse período. No entanto, depois de alguns dias, você vai se sentir melhor e começar a vivenciar uma sensação de bem-estar. Sintomas como confusão mental, retenção de líquidos, baixa energia, inchaço, dor de cabeça e outras queixas digestivas também diminuirão. Assim que você eliminar os alimentos ofensores, permitirá que seu corpo reaja mais eficientemente ao restante deste programa, e a cura e o emagrecimento finalmente poderão acontecer.

Desfrutando de recompensas nesta fase

Embora a manutenção dos quilos perdidos seja um esforço para a vida inteira, nesta fase ainda é possível desfrutar de algumas "recompensas alimentares". O objetivo é manter seus novos hábitos alimentares saudáveis e permitir-se duas "recompensas" por semana. Em minha opinião, por mais que eu desfrute dessas recompensas, logo começo a ansiar por voltar aos meus hábitos alimentares saudáveis, pois sei como eles fazem com que eu me sinta e o efeito que têm em minha aparência. Permitindo-se essas recompensas no fim de semana, você mantém seu metabolismo em dúvida. Como seu metabolismo está bem treinado devido aos hábitos alimentares saudáveis, duas recompensas no fim de semana não terão um efeito adverso sobre seus objetivos de emagrecimento.

Cabe aqui uma advertência, porém: se você introduzir alguma recompensa alimentar que o faça voltar aos seus antigos hábitos alimentares, evite-as a todo custo. Não vale a pena perder todas as conquistas realizadas. Por isso, permita-se comer alimentos não tão saudáveis em duas refeições por semana, sabendo que vai passar o resto da semana ingerindo alimentos saudáveis, que queimam gordura e desintoxicam, ajudando-o a manter a forma. Eu, pessoalmente, gosto de comer pizza de massa fina e um refrigerante diet nos finais de semana – especialmente quando estou assistindo a algum jogo na televisão.

Resumo da Fase 2, comer alimentos "naturais e balanceados"

Aqui está uma breve recapitulação do que você precisa fazer durante esta fase para emagrecer permanentemente e obter saúde ideal e vitalidade:

- *Siga os doze princípios para ter uma alimentação "natural e balanceada".* Esses doze princípios são suas diretrizes e instruções para garantir que sua alimentação o ajudará a perder gordura corporal e controlar seu peso no longo prazo.
- *Selecione suas opções de alimentos e bebidas.* Apresentamos opções alimentares muito específicas de proteínas magras, bons carboidratos e gorduras saudáveis. É importante obter diariamente o equilíbrio correto desses alimentos. Fique atento também a alergias alimentares durante esta fase e continue evitando os seis grandes vilões da alimentação que o fazem sentir-se doente e pouco saudável. Se seguir consistentemente os princípios da alimentação natural e equilibrada, você vai poder se permitir algumas recompensas.
- *Escolha os métodos de desintoxicação e suplementos nutricionais desejados.* Todos os métodos de desintoxicação e suplementos obrigatórios identificados na Fase 1 devem ser mantidos durante esta fase. É importante continuar experimentando outros métodos de desintoxicação e suplementos nutricionais para identificar quais são os mais eficazes para você.

Em suma

Durante esta fase, você alcançará o peso desejado e começará a desfrutar da saúde ideal. Esta fase lhe ensina tudo o que é necessário saber para uma vida de controle do peso. Você conquistará não apenas um corpo esguio, mas também um corpo saudável, e um corpo saudável é um corpo sexy! Começará a apresentar menos problemas e queixas de saúde; sua vitalidade e seu bem-estar aumentarão para o resto da vida. Você agora compreende quais alimentos proporcionam ao seu organismo a capacidade de manter-se esguio, saudável e cheio de energia. Continuará ingerindo esses alimentos e poderá até incluir algumas "recompensas alimentares" no final de semana.

As recomendações alimentares, escolhas de alimentos e suplementos no Sistema DHEMM podem ajudar seu corpo a manter-se esguio e livre de toxinas sem acúmulo de substâncias tóxicas que prejudiquem seus esforços para emagrecer.

CAPÍTULO DOZE

MOVE (M) – Mexa-se sem frequentar a academia ou "se exercitar"

As pessoas, de um modo geral, passam o dia todo sentadas. Vão para o trabalho de carro, ônibus ou metrô; lá chegando, sentam-se diante do computador e depois fazem o mesmo trajeto de volta para casa, onde se jogam no sofá para assistir a seu programa favorito na TV. Para muitas, a televisão tornou-se o maior aliado e principal fonte de entretenimento, além da babá dos filhos. O corpo sofre porque ficamos sentados 14 a 15 horas ou mais por dia. Isso enfraquece o coração, retarda o metabolismo e compromete nossa força muscular. Se antes nos sentávamos quando precisávamos de uma pausa num dia corrido, hoje passamos sentados mais de 80% das horas em que passamos acordados.

A maneira na qual nos alimentamos e nos exercitamos hoje não funciona porque não é natural. Não podemos apenas ser sedentários durante 15 horas por dia e acreditar que trinta minutos na esteira, queimando apenas cerca de 250 calorias, bastam como atividade física. Deveríamos queimar calorias por meio de atividade física constante ao longo do dia. Além disso, quando tentamos fazer dieta eliminando grupos inteiros de alimentos, muitas vezes fracassamos porque precisamos de todos os grupos alimentares básicos para manter o corpo saudável e esguio. O corpo precisa de nutrição e sustentação, não de privação. Há uma década, não existiam tantas academias quanto hoje, mas não enfrentávamos a epidemia de obesidade que enfrentamos agora. Há um século, as pessoas administravam o peso porque se mexiam; mexiam-se para buscar comida, mexiam-se durante o trabalho e mexiam-se nas horas de recreação. A moderna era eletrônica nos tornou mais preguiçosos do que nunca. No trabalho, deixamos de caminhar até o fim do corredor para conversar com um colega. Em vez disso, usamos e-mail ou mensagens de texto. Os dedos são as únicas partes do nosso corpo que poderiam estar ganhando massa muscular e resistência.

O Sistema DHEMM não é um programa antiexercício, tampouco estou propondo que você não se exercite. Os exercícios são excelentes para a saúde cardiovascular em geral, mas não são o principal fator para o emagrecimento. Neste livro discutimos os verdadeiros fatores que produzem emagrecimento rápido e permanente. Acredito ser importante manter-se fisicamente ativo, mas a prática de exercícios vigorosos – trinta a sessenta minutos de exercícios aeróbicos – não é uma exigência para perder gordura corporal. Para perder gordura corporal, você precisa de mais atividade física ao longo do dia. Portanto, o objetivo é simples: mexa-se, torne-se mais ativo e você auxiliará seus esforços de emagrecimento e sua saúde em geral. Mexer-se, porém, não significa necessariamente frequentar a academia.

Neste capítulo queremos discutir como queimar calorias ao longo do dia por meio de atividades cotidianas, além de oferecermos dicas para alcançar um nível mais alto de condicionamento físico. Você queima calorias quando caminha do metrô ao seu destino, quando limpa a casa, quando vai ao supermercado e quando dança e se diverte. Não vamos nos concentrar aqui em frequentar uma academia ou exercitar-se como método principal para tornar-se fisicamente ativo. Se você é como eu, tem dificuldade de encontrar tempo para se exercitar. Ir à academia para se exercitar durante uma hora não nos torna necessariamente fisicamente ativos. Ser fisicamente ativo envolve os grandes e pequenos movimentos que fazemos ao longo do dia.

É importante observar que você deve continuar desintoxicando-se, ingerindo alimentos naturais e balanceados, e usando os suplementos nutricionais discutidos nas Fases 1 e 2 como plano para manter o emagrecimento permanente e a saúde ideal para o resto da vida.

Como superar as desculpas comuns para não ser fisicamente ativo

E então, qual a sua desculpa para não ser fisicamente ativo? Primeiro, queremos que você supere as desculpas comuns que muitas pessoas dão para não ser fisicamente ativas. Eis as cinco principais:

Não tenho tempo. Muitas pessoas levam uma vida extremamente atribulada; seu dia começa no momento em que acordam e termina na hora em que se deitam para dormir. Isso faz com que muitos usem a falta de tempo como desculpa para não ser mais fisicamente ativas. Muitos homens e mulheres no mundo corporativo afirmam que sua agenda é atribulada demais. No caso das mulheres, são o trabalho, os filhos e a casa que impedem que tenham tempo para ser ativas. Neste capítulo, porém, você vai aprender maneiras fáceis e eficazes de tornar-se fisicamente mais ativo sem ir à academia ou encontrar tempo para se exercitar.

Se estiver comprometido a emagrecer e ser saudável, você precisará também comprometer-se a incorporar a atividade física ao seu dia a dia. Pense no tempo que você passa assistindo à sua série ou novela preferida na televisão. Se encontra tempo para isso, pode encontrar tempo para ser ativo. Mesmo que simplesmente incorpore breves períodos de atividade ao longo do dia, poderá ter ótimos resultados. Por exemplo, quando for ao shopping ou ao supermercado, opte por estacionar bem longe da entrada principal para caminhar um pouco mais durante sua rotina diária. Uma caminhada breve, de dez minutos, ajuda a clarear a mente e lhe permite pensar, redefinir o foco, arejar a cabeça. Assim, em vez de se estressar, tentando encontrar uma hora para ir à academia, tente encontrar dez minutos aqui e ali durante o dia para se movimentar mais.

Estou cansado demais. Essa é mais difícil porque, se fosse fisicamente mais ativo, você teria mais energia, mas até então você não tem energia para começar. Durante esse período, é muito importante começar aos poucos para não forçar demais. Quanto mais você se movimenta, mais seu metabolismo e seus níveis hormonais melhoram, permitindo que você se torne fisicamente mais ativo. Seus níveis de energia serão a primeira coisa a melhorar; depois, com o tempo, você vai começar a ativar e fortalecer seus músculos com as recomendações aqui apresentadas. Prometo que insistir para superar a fadiga o ajudará a recuperar a energia tão necessária para enfrentar seu dia.

Tenho vergonha. Talvez você tenha vergonha por estar obeso ou acima do peso, mas, se não fizer nada, certamente continuará acima do peso e provavelmente engordará ainda mais. Use seu constrangimento como motivação para tomar uma atitude. Estar acima do peso ou fora de forma envia a mensagem de que você não está cuidando do seu corpo nem da sua saúde. Não hesite em usar roupas largas se quiser ocultar suas formas, mas nem por isso deixe de se movimentar. Ao começar a emagrecer, você ganhará mais experiência e poderá começar a usar roupas mais justas. Além disso, pode começar a se movimentar mais no conforto da sua casa ou no trabalho. Para ser fisicamente ativo não é necessário frequentar uma academia, o que pode ser intimidador para pessoas que realmente estiverem acima do peso. Por isso, se tiver com vergonha do seu corpo, deixe-a de lado! Todos nós já passamos por isso. Chegou a hora de deixar que esse constrangimento o motive a criar um corpo que você se orgulhe em mostrar.

Não tenho paciência para me exercitar. Eu não tenho paciência para nada que não queira fazer. É a vida. Mas tive que começar a acreditar que ser fisicamente ativo era importante para que eu alcançasse meus objetivos de saúde. Além disso, a variedade é o tempero da vida; por isso, alterne atividades diferentes, como caminhar, lavar o carro, praticar ioga, jardinagem etc. Continue fazendo coisas diferentes até encontrar as mais adequadas para você. Para conhecer maneiras de entrar em forma e ser sexy ao mesmo tempo, consulte o Capítulo 16.

Estou sem dinheiro. Ninguém precisa ter dinheiro para tornar-se fisicamente ativo. Se analisar a lista de atividades que recomendo para começar a se movimentar, você vai ver que muitas delas são gratuitas, fáceis e divertidas até. Se a falta de dinheiro for um problema para você, saiba que acreditar que para alcançar a boa forma é preciso matricular-se em uma academia é uma falsa percepção. Simplesmente não é.

Por que atividade física em lugar de exercício?

Existem muitos tipos de atividade física. Os exercícios constituem apenas um tipo dessa atividade, na qual você dedica um tempo específico para se exercitar ou movimentar o corpo. Exercício, que proporciona alguns benefícios para a saúde, é o que fazemos quando reservamos um tempo para atividades físicas que aumentam a atividade do coração e do pulmão e, ao mesmo tempo, fortalecem os músculos e as articulações. A atividade física, porém, consiste em qualquer tipo de movimento. Pode ser um movimento grande ou pequeno – desde que seja algo que o faz se levantar da cadeira e movimentar o corpo. Nosso objetivo é que você seja fisicamente ativo ao longo do dia, mesmo sem frequentar academia ou exercitar-se. A boa-nova é que qualquer quantidade mínima de atividade física faz muito para melhorar a sua saúde e alcançar seus objetivos de emagrecimento. Seu objetivo será deixar de ser fisicamente sedentário e tornar-se fisicamente mais ativo até que seu nível de condicionamento geral melhore. Você não precisa ser rato de academia nem praticar musculação para manter um nível de condicionamento moderado ou aceitável.

Ser fisicamente ativo mantém o sangue circulando e o coração bombeando, além de manter a mente aguda à medida que o oxigênio flui para cada célula do seu corpo. A atividade física mantém seu metabolismo acelerado ao longo do dia. Além disso, seus músculos permitem a melhor utilização da glicose (principal fonte de energia dos carboidratos), o que ajuda a prevenir picos de açúcar e insulina no sangue. Sabe-se também que a atividade física melhora a função da insulina no corpo, algo especialmente útil para as pessoas que apresentam resistência à insulina. Está comprovado que uma breve caminhada diária reduz o risco de desenvolvimento de diabetes, câncer, doença cardíaca, hipertensão e diversas outras doenças.

Use um contador de passos

Um estudo realizado pelo dr. James Hill revelou que as pessoas que estavam acima do peso andavam de 1.500 a 2.000 passos a menos por dia do que as que mantinham um peso saudável. Isso significa que, se você puder encontrar uma maneira de incorporar mais 2.000 passos – o que equivale mais ou menos a quatro quadras – ao seu dia a dia, poderia alcançar mais rápido seu peso saudável. Quanto mais passos você andar, mais vai acelerar seu metabolismo e queimar calorias e gordura. Provavelmente é por isso que as pessoas que vivem em cidades mantêm um peso mais saudável, de um modo geral, do que as que vivem em áreas rurais, menos densas, e andam o tempo todo de carro.

Para saber o quanto de atividade física você pratica atualmente, adquira um contador de passos, conhecido também como pedômetro de bolso. O contador de passos contará quantos passos você dá em um determinado dia. Isso lhe proporcionará uma noção do seu atual nível de atividade física. É um aparelho barato e fácil de usar. Basta prendê-lo à camisa ou à calça pela manhã e deixá-lo lá o dia todo até a hora de ir dormir. Anote quantos passos você dá durante uns três dias simplesmente seguindo sua rotina diária normal.

Se estiver andando 5.000 passos por dia ou menos, você será considerado relativamente sedentário. Seu objetivo deve ser chegar a 7.500 passos por dia para ser considerado fisicamente ativo; obviamente, quanto mais, melhor. Uma das maneiras de realizar isso é tentar acrescentar 250 passos por semana até alcançar um nível de 7.500 ou mais passos por dia. Na verdade, ao começar a emagrecer, você naturalmente terá mais energia para tornar-se fisicamente mais ativo a cada semana.

Evidentemente, se a sua rotina normal inclui frequentar a academia, melhor ainda, pois os passos adicionais e os movimentos que você fizer durante a prática de exercícios valem para sua contagem diária de passos. O contador de passos o mantém motivado porque é um lembrete visual para se manter em movimento ao longo do dia.

Dicas para tornar-se fisicamente mais ativo

Existem diversas excelentes maneiras de tornar-se fisicamente ativo sem precisar frequentar uma academia. O objetivo é fazer pequenas mudanças em sua vida pessoal e profissional que sejam fáceis de ser incorporar, com planejamento e comprometimento mínimos. Por exemplo, uma cliente minha comprou um miniciclo, pedais que podem ser usados sobre o chão ou sob a mesa. O objetivo era usá-lo enquanto estava sentada no sofá, assistindo à sua novela preferida. Mantendo a resistência do aparelho no mínimo, ela não se esforçava demais, mas pedalava continuamente, bem devagar. Resultado: perdeu um quilo na primeira semana. Passou então a pedalar durante o dobro do tempo diante da televisão e, na segunda semana, perdeu 1,5 quilo. Pedalar vendo televisão tornou-se um hábito muito fácil, pois ela entrava no ritmo e, depois de um tempo, praticamente se esquecia de que estava pedalando.

Há quem tenha chegado ao extremo de levar para o escritório esteiras portáteis para poder caminhar enquanto trabalha ou fala ao telefone. Você poderia também usar um miniciclo sob a mesa de trabalho. Eu, pessoalmente, conheço mulheres que perderam peso e medidas em uma semana apenas usando um miniciclo sob a mesa de trabalho durante uma ou duas horas por dia. Caso não se sinta à vontade levando um aparelho desses para o trabalho, levante-se e ande ao redor quando estiver ao telefone e não use o elevador, vá de escada.

Aqui estão 25 maneiras fáceis de simplesmente começar a se mexer sem ter que se exercitar ou frequentar uma academia. Identifique pelo menos cinco a dez dessas sugestões e incorpore-as à sua rotina a partir de hoje. Essas atividades podem ajudá-lo a perder entre 50 calorias e 500 calorias.

1. No intervalo do almoço, dê uma caminhada acelerada de 15 minutos. Por exemplo, caminhe até o restaurante onde vai almoçar e volte a pé para o trabalho.
2. Cuide de seu jardim; o ar fresco e a beleza natural são muito serenos, relaxantes.
3. Recolha as folhas caídas no jardim.
4. Corte a grama com um cortador de grama manual.
5. Faça uma aula de ioga, em especial Bikram yoga.
6. Arrume a garagem ou aquele quarto de guardados.
7. Esfregue o chão da cozinha ou varra a casa.
8. Lave o carro.
9. Ande de bicicleta pelo bairro.
10. Leve seu bebê para passear de carrinho.
11. Estacione o mais longe possível da porta de entrada do supermercado ou do shopping e percorra a pé a distância restante.
12. Enquanto estiver fazendo compras, acelere o passo.
13. Enquanto estiver assistindo à sua série favorita na TV, levante pesinhos ou use um miniciclo para desenvolver tônus e força muscular.

14. Caminhe de um lado para outro ao assistir a jogos do seu filho, o que pode ser até benéfico para os pais nervosos!
15. Desenvolva um novo hobby, como jogar tênis, andar de patins, jogar boliche, andar de bicicleta, dançar ou jogar vôlei.
16. Desça do ônibus ou do metrô um ponto ou estação antes e caminhe a distância restante até seu destino.
17. Não se comunique por e-mail com colegas de trabalho que estejam no mesmo prédio que você – caminhe até a sala deles.
18. Se jogar golfe, despreze o carrinho de golfe.
19. Leve o cachorro para passear diariamente.
20. Use as escadas, não o elevador.
21. Pule corda, use o bambolê ou jogue Wii com seus filhos.
22. Caminhe pela sala durante a *conference call*.
23. Cante ou toque um instrumento musical.
24. Coloque sua música preferida para tocar e dance, dance, dance!
15. Transe frequentemente; você vai queimar umas 200 calorias durante tinta minutos de sexo ativo... o que não é uma alternativa ruim à academia, não?

Progredindo – de fisicamente ativo para um alto nível de condicionamento

Ao começar a se tornar fisicamente mais ativo, tente progredir no condicionamento cardiovascular e treinamento de força. Uma das maneiras de fazê-lo é praticar atividades, como caminhada acelerada, natação, ciclismo, corrida, zumba ou qualquer outro tipo de exercício aeróbico. Isso aumentará o fluxo sanguíneo e estimulará a circulação, diminuirá a pressão arterial e os níveis de colesterol e permitirá que seu organismo utilize melhor o açúcar no sangue. Além disso, é importante envolver grupos musculares maiores incorporando treinamento de força. Meninas, não desanimem diante da ideia de levantar peso ou puxar ferro. É possível construir massa muscular magra sem levantar peso e, ainda assim, alcançar melhor equilíbrio e força nos ossos e articulações. Existem algumas maneiras muito simples de ativar e fortalecer os músculos que podem ser feitas até na privacidade do seu lar. Eu, particularmente, gosto de Bikram yoga porque alonga e fortalece os músculos, além de aumentar o fluxo de sangue e melhorar a circulação, o que a torna uma rotina de exercícios bastante completa.

Depois que se tornar fisicamente mais ativo, comece a incorporar treinamento de força à sua rotina, pois é fundamental para desenvolver massa muscular e perder gordura. O treinamento de força usa métodos de resistência, como pesos livres, equipamentos de musculação ou o seu próprio peso corporal, para desenvolver músculo e força. Comece aos poucos, passando alguns minutos por dia flexionando os músculos para manter a massa muscular. Como músculo queima mais calorias do que gordura, é muito importante tentar manter a quantidade de massa muscular. Para realmente desenvolver músculo, você pode levantar peso, que é outra opção. Entretanto, se não quiser levantar peso ou praticar musculação, você pode ajudar a manter o tônus muscular usando seu peso corporal para fortalecer os músculos alguns minutos a cada dia.

Cinco minutos flexionando os músculos pela manhã lembram ao cérebro que você precisa dos seus músculos e dizem ao cérebro para queimar gordura. Atividades musculares de curta duração ajudam a tonificar os músculos e evitar a atrofia muscular.

Reserve cinco minutos todos os dias para praticar os exercícios a seguir que vão ativar e fortalecer seus músculos.

- Abdominal
- Flexão de braço
- Agachamento
- Alongamento da panturrilha
- Exercícios de braço com pesos soltos (frente e lateral)

Comece a se mexer e faça seu coração bombear fazendo coisas rápidas, divertidas e fáceis, de modo que os "exercícios" tornem-se uma parte natural da sua vida cotidiana. Exercício não é algo que se tenha que ir a algum lugar para fazer. Você pode e deve "exercitar-se" ao longo do dia para manter o metabolismo acelerado.

Esqueça a ideia de que "sem dor não há ganho". Não é verdade, movimentos fáceis e naturais como caminhadas proporcionarão ganhos significativos, pois mantêm os músculos, elevam o ritmo cardíaco e mantêm o metabolismo acelerado ao longo do dia.

Por que a plataforma vibratória é eficaz para o emagrecimento

Talvez você ainda não tenha ouvido falar, mas a plataforma vibratória é o exercício do futuro e poderia tornar-se tão comum quanto a esteira é hoje. A plataforma vibratória utiliza uma base na qual você se equilibra durante dez ou quinze minutos, causando rápidas contrações musculares que queimam calorias e proporcionam força muscular equivalente à obtida em uma hora de academia. No entanto, a plataforma vibratória não envolve suor ou desconforto e faz com que você se sinta rejuvenescido, mais calmo, mais leve.

Muitos dos melhores atletas do mundo que fazem parte da NFL, NHL, NBA ou atletas olímpicos, bem como celebridades de Hollywood, estão usando as plataformas vibratórias para emagrecer, desenvolver tônus muscular e densidade óssea, aliviar dores nas costas e artrite, melhorar a circulação e acelerar o metabolismo. Em minha opinião, como mulher, trata-se de uma maneira especialmente benéfica para queimar gordura e celulite na região do quadril, coxas e nádegas.

A estimulação do exercício de vibração que envolve o corpo todo oferece resultados rápidos que são simples, porém fenomenais. A plataforma vibratória coloca os músculos em uma situação na qual eles devem se expandir e contrair continuamente, em grande velocidade, cerca de 25 a 50 vezes por segundo, o que ajuda o seu fortalecimento. Essas contrações bombeiam oxigênio adicional às células, o que permite que se reparem e regenerem rapidamente, resultando em transformações corporais impressionantes. Lembre-se, porém, de que a queima de gordura e o emagrecimento só são obtidos com as plataformas vibratórias quando associadas à nutrição adequada.

As contrações musculares causadas pela plataforma vibratória provavelmente não desenvolverão tanta massa muscular quanto a musculação, mas, a não ser que você seja adepto do bodybuilding, constitui uma maneira muito eficaz para a manutenção do tônus e da força muscular.

Os resultados de um estudo realizado ao longo de alguns anos chocaram muitos médicos ao redor do mundo. As pesquisas mostraram que os exercícios vibratórios eram quatro vezes mais eficazes para o emagrecimento do que os exercícios tradicionais. Além disso, seis meses depois de deixar de usar a plataforma vibratória, as pessoas do grupo que a utilizaram não voltaram a engordar. Todas as pessoas que haviam apenas seguido uma dieta ou associaram a dieta a exercícios tradicionais recuperaram todo o peso perdido e engordaram até um pouco mais.

Existem dois tipos principais de plataformas vibratórias: as que vibram para cima e para baixo, usando um movimento semelhante ao de um pistão (linear), e as que vibram de um lado para outro como uma gangorra (pivotal). Já usei ambos os tipos e prefiro a plataforma pivotal. A eficácia de ambos os tipos é comprovada, mas seria interessante pesquisar os dois tipos se houver interesse em incorporar a plataforma vibratória à sua rotina. É possível definir grupos musculares específicos adotando diferentes posições na plataforma vibratória, a fim de obter resultados ainda mais rápidos na construção de músculos. As plataformas vibratórias fazem muito sucesso entre celebridades e atletas de elite que dependem do corpo, mas que são ocupados demais para passar horas suando na academia.

Resumo da Fase 3

Eis uma breve recapitulação do que você precisa fazer durante esta fase para tornar-se fisicamente ativo e alcançar um melhor nível de condicionamento.

- *Identifique quais são suas maiores desculpas para não se movimentar.* Discutimos neste capítulo as cinco principais desculpas usadas pelas pessoas para não serem fisicamente mais ativas. Analise-as e veja se alguma delas o está impedindo de exercitar-se; em caso afirmativo, comprometa-se a superá-las.
- *Avalie seu atual nível de atividade física.* A fim de identificar quanto de atividade física você pratica atualmente,

adquira um contador de passos, conhecido também como pedômetro de bolso, para contar quantos passos você dá em um determinado dia. Se não puder fazê-lo, preste atenção à quantidade de movimentos que faz no seu dia. Seu objetivo deve ser aumentar os movimentos todo dia para tornar-se fisicamente mais ativo a cada semana.

- *Selecione pelo menos cinco maneiras de se movimentar.* Escolha entre uma lista composta de 25 maneiras fáceis de simplesmente movimentar-se sem se exercitar e sem frequentar uma academia, ou use ideias próprias. Incorpore suas escolhas à sua rotina a partir de hoje.
- *Continue desintoxicando seu corpo, seguindo uma alimentação natural e balanceada, e tomando suplementos nutricionais.* Todas as atividades destinadas a melhorar a saúde discutidas nas Fases 1 e 2 devem continuar sendo seguidas durante a Fase 3.

Em suma

Gostaria de estimulá-lo a viver a vida como ela deve ser vivida: uma vida ativa, engajada, como participante integral. Levante-se da cadeira, fique de pé e vá viver. Como a maior parte dos nossos problemas de peso e de saúde pode ser eliminada seguindo as diretrizes da desintoxicação, recomendações para ter uma alimentação natural e balanceada, e dicas para começar a se movimentar apresentadas no Sistema DHEMM, você poderá alcançar a saúde ideal. Desfrutará de um corpo novo, com energia renovada, saúde e bem-estar. Anime-se com sua nova vida. Não se trata apenas de emagrecer – trata-se de uma jornada rumo à saúde ideal e ao bem-estar. Você vai adorar as transformações observadas no seu corpo e vai se empolgar com os resultados.

CAPÍTULO TREZE

Histórias de sucesso com o Sistema DHEMM

É um prazer informar que o Sistema DHEMM deu certo para tantas pessoas! Aqui estão só algumas das muitas histórias de sucesso que recebemos semanalmente de quem está emagrecendo e tornando-se saudável graças a ele. Essas histórias são narradas em primeira pessoa para que você possa saber o que esperar durante a sua experiência com o Sistema DHEMM. Trata-se, realmente, de uma experiência transformadora!

A história de Ângela:
"Perdi 34 quilos em sete meses sem praticar exercícios!"

O Sistema DHEMM resolveu todos os meus problemas – salvou minha saúde, minha vaidade e melhorou minha relação com o meu marido! Depois de terminar este livro, posso afirmar com toda sinceridade que já não mais ignoro as tentativas do meu marido de conversar comigo sobre o meu peso. Pense em uma pessoa tapando o ouvido com as mãos quando surgia o assunto, e cantarolando "Lá-lá-lá-lá-lá-lá-lá". Era eu.

Agora chega de divagar. Iniciei o Sistema DHEMM no dia 9 de março de 2012 – três dias depois de comemorar meu 19º aniversário de casamento. Ao fim da terceira semana de Detox/Fase 1, eu tinha emagrecido 9,3 quilos. Em outubro de 2012, já tinha perdido mais de 34 quilos! Ainda não acabou, mas já estou comemorando o que perdi. Voltei a usar salto alto. Minha barriga diminuiu, já posso identificar onde fica minha cintura, minhas maçãs do rosto estão aparentes e minha papada desapareceu: agora tenho um pescoço bonito e longilíneo.

Emagrecer foi incrível, mas foi só a cereja do bolo em relação aos outros benefícios. Tenho mais energia, minha pele tem mais viço e me sinto melhor em relação a mim mesma. Percorri um looooooooongo caminho em um período muito curto de tempo. Dizem que a ignorância é uma bênção, e, para algumas pessoas, pode até ser que seja. Mas a ignorância estava me matando e vivi em NEGAÇÃO durante anos.

Quanto ao meu peso: minhas calças tamanho 58, que deveriam ser meus "jeans de gordo", estavam apertadas, e as blusas tamanho 60/62 não estavam abotoando. Brincava com uma amiga minha que a única vez que vesti um jeans tamanho 54 na vida foi em sonho. Consegui vestir calças desse tamanho no final de abril.

Quando comecei o Sistema DHEMM, em março, meu objetivo era poder usar calças 52/54 a tempo do meu aniversário de quarenta anos, em agosto. Em maio, eu já estava lá (com elástico); em junho, vestia 54 sem elástico nenhum. Em relação à parte de cima, rapidamente comecei a caber em blazers tamanho 58, não só os deixando abertinhos, como também fechando seus botões. Foi então que provei um blazer 56 em uma loja. Fiquei abismada quando ele fechou. A surpresa foi tão grande, que acho que chorei. Em meados de junho, eu usava confortavelmente um vestido tamanho 54, quando antes costumava usar 60/62. Isso MUITO antes do meu aniversário. Em outubro de 2012, eu vestia blusas 48/50 e calças/jeans/saias 48!

Além disso, graças ao Sistema DHEMM, também consegui resolver meus problemas de pele. Como precisava monitorar meu corpo, investigando à medida que reintroduzia diferentes alimentos, consegui descobrir que a minha pele não reagia muito bem a pães, especificamente a glúten e trigo. Depois que eliminei esses ingredientes da minha alimentação cotidiana, meus problemas de pele acabaram. Oba!

Ler e seguir o Sistema DHEMM me levou a vivenciar coisas maravilhosas. Em uma das minhas idas mais recentes a Myrtle Beach, eu e meu marido caminhamos na praia de verdade. Vamos bastante para lá, mas costumo ficar em casa, lendo e admirando a praia da varanda. Agora, como tenho mais energia, consigo caminhar na praia, no deque etc. Estamos caminhando muito mais juntos. Quando fui a uma consulta médica em junho, meu médico me abraçou de tanto orgulho que estava em relação à melhora da minha pele e ao meu emagrecimento. Em um aniversário recente da minha avó (ela completou 91 anos), dancei com a minha família durante boa parte da noite. Não teria conseguido durar tanto tempo na pista de dança há apenas quatro meses. O que aprendi e o que comecei a fazer melhoraram a minha qualidade de vida. Eu realmente aparento ser mais jovem, e sem dúvida tenho mais saúde do que antes!

A história de Dotta:
"Emagreci quase 10 quilos só na Fase 1, de três semanas!"

Quando me pergunto por onde começar, meus olhos se enchem de lágrimas. Não tenho como expressar minha gratidão por ter conhecido o Sistema DHEMM. Antes de iniciar o programa, fui diagnosticada com artrose leve nos dois joelhos, sendo o joelho direito o pior deles. Todo dia, e o dia todo, eu andava "remando". Sabe como as grávidas costumam oscilar quando caminham, alternando o peso entre uma perna e a outra? Bem, aos 35 anos, era o que eu fazia! Não porque estivesse grávida, mas porque meus joelhos doíam tanto que eu tinha que andar devagar, mancando, alternando meu peso de um lado para outro a cada passo. A dor no meu joelho direito me acordava diversas vezes de madrugada. Era desesperador!

Depois de uma semana da fase de Detox, meus joelhos já não doíam mais! É isso mesmo! Observei mudanças depois de apenas uma semana! Não conseguia acreditar na rapidez com que constatei os resultados. E, adivinhe só, a dor nunca mais voltou! Obrigada, JJ!

Hoje, 14 de junho de 2012, é o vigésimo dia da minha fase de Detox e, até agora, emagreci quase 10 quilos! Só na primeira semana, tinha perdido 6 quilos. Como não ficar animada com isso? Meu coração transborda de alegria, estou simplesmente eufórica. Meu corpo me agradece todo dia por ter encontrado esse método maravilhoso! Eu nunca havia emagrecido tanto em tão pouco tempo – nem com dietas da moda ou com o acompanhamento de um personal trainer. E estou me sentindo ÓTIMA, também! Nos outros programas de emagrecimento, costumava me sentir frustrada, impedida de comer o que queria, mas não com o Sistema DHEMM. Ele me ensinou como comer e que alimentos escolher para que o meu corpo queime calorias com muito mais rapidez. Eu já não sinto um desejo súbito de doce, mesmo os que eu adorava comer antes, como sorvete, barra de chocolate, carboidratos simples (chips de batata, arroz e macarrão com queijo) e refrigerantes. Eu era viciada em açúcar, mas isso mudou!

O Sistema DHEMM mudou a minha vida, literalmente! Estou feliz como nunca!

Tenho tanta energia! Não vivo mais cansada! Costumava odiar ter que me levantar da cadeira para fazer qualquer coisa. Antes da dor nos joelhos, achava que era preguiçosa, porque me sentia exausta o tempo todo. O Sistema DHEMM me fez perceber o porquê dessa sensação. Eu estava alimentando o meu corpo com as comidas erradas, e por causa disso ele estava repleto de toxinas. Era como se a gordura do meu corpo pesasse toneladas, me colocando para baixo. Não me achava atraente, e minha autoestima definitivamente precisava de uma boa levantada. Graças ao Sistema DHEMM, agora tenho vontade de comer frutas e hortaliças e estou descobrindo formas novas e inovadoras de preparar feijões e leguminosas. Minha autoestima melhorou, e várias pessoas perceberam isso. Todo mundo vem notando que emagreci.

NUNCA vou retomar a maneira como costumava comer: sinto-me bem demais para voltar ao que era. Hoje caminho de cabeça erguida, e com propósito – sem mancar! Caminho como se pensasse que EU SOU a mulher mais sexy do planeta. Como se isso não bastasse, recebo elogios diariamente. E é viver de forma saudável que me deixa assim. Eu mereço ser saudável e, com o Sistema DHEMM, me aproximo mais do meu peso ideal a cada dia!

Antes de começar o Sistema DHEMM, eu vestia, tranquilamente, tamanho 58. Agora eu caibo em roupas 54 e até mesmo 52 do meu armário. Consigo usar calças em que não cabia há dois anos. ISSO NÃO TEM PREÇO! Muito obrigada, JJ Smith! Agradeço a Deus por você todo santo dia. Que Deus te abençoe!

A história de Alícia:

"Emagreci mais de 23 quilos, e meu colesterol diminuiu cinquenta pontos!"

Em primeiro lugar, tenho que agradecer a Deus por JJ Smith e por este livro! Aprendi sobre o Sistema DHEMM no rádio, e eu e minha amiga imediatamente decidimos que esse era um projeto que conseguiríamos empreender. Compramos o livro no mesmo dia. Uma das principais razões pelas quais eu queria emagrecer era que, na época, eu pesava 127 quilos e estava sentindo dores e inchaço no joelho esquerdo. Meu médico tinha acabado de me avisar que meu colesterol estava alto demais e que eu teria que tomar medicamentos para baixá-lo. Disse a ele que não queria tomar remédios e perguntei se podia tentar fazer dieta e exercícios antes de começar o tratamento.

Foi então que a minha jornada começou (em fevereiro de 2012). Li seu livro em UMA noite e comecei a comer de forma saudável imediatamente. Admito que não segui o programa de desintoxicação à risca; comecei simplesmente cortando amido, arroz, batata, massas e açúcares. Perdi 9 quilos só no primeiro mês. Em três meses, meu colesterol diminuiu cinquenta pontos. Perdi cerca de 13 centímetros de cintura. Em agosto de 2012, eu pesava 103 quilos, tendo partido de 127 quilos. Adoro a maneira como JJ explica que comer os alimentos errados engorda e afeta o metabolismo. Também foi bom descobrir que, em diferentes fases da vida, vivenciamos uma queda no metabolismo, e o livro explica como podemos ajudar a acelerá-lo.

Eu achava que comer de maneira saudável seria um desafio e tanto para mim, porque amo frango frito e, aos sábados de manhã, simplesmente tinha que comer batata frita com bacon ou salsicha e três ovos fritos. Mas tenho que admitir que isso não foi nem um pouco desafiador. Na verdade, tem sido muito divertido escolher novos alimentos saudáveis para mim e meu marido. A diferença em relação ao meu novo eu é indescritível. Meu nível de energia está lá em cima, e me sinto ótima ao acordar pela manhã. Meu marido e eu nos divertimos MUITO MAIS agora, e não consigo exprimir em palavras o que este livro fez pelo nosso relacionamento. Não sinto mais dores ou inchaço no joelho. Consigo andar quase 3,5 quilômetros sem dificuldade. JJ, só posso dizer OBRIGADA, OBRIGADA, OBRIGADA! Que Deus continue a abençoá-la e inspirá-la a inspirar outras mulheres. Você certamente foi uma inspiração real para mim e estou ansiosa para perder os próximos 13 quilos. Aí mesmo é que vou sair vestida para matar! Minha definição de DEM? Diariamente, Energia para me Movimentar!

A história de Bruce:

"Estou enfim começando a enxergar meu abdômen depois de apenas três semanas!"

Em primeiro lugar, tenho que dizer MUITO OBRIGADO, JJ, por ter escrito este livro maravilhoso. Ele realmente transforma vidas e representa uma experiência incrível. Antes do Sistema DHEMM, eu frequentava a academia três a quatro vezes por semana, uma hora por vez, fazendo meia hora de exercícios aeróbicos e meia hora de musculação, e pesava 116 quilos. Estava ganhando músculo, mas não exatamente perdendo peso. Depois do Sistema DHEMM, peso 103 quilos SEM ir à academia. Não importava o que fizesse na academia, eu acabava ganhando músculo, mas não perdendo barriga (que apelidei de barriga de muffin). Depois da fase Detox de três semanas, comecei a enxergar o abdômen perdido desde a época em que jogava futebol no ensino médio.

A dieta tem funcionado tão bem que vou continuar na fase Detox durante cinco semanas. Sim, sinto como se estivesse enferrujado. Nas próximas semanas do Detox, vou começar a correr com uma roupa especial para emagrecer chamada *sauna suit*, e com sorte não vou desmaiar, mas realmente estou preparado para a próxima etapa. De novo, só queria agradecer a você, JJ. Acredito de verdade em você e na sua marca e mal posso esperar para descobrir o que vem por aí!

A história de Carrie:
"Perdi 20 quilos em três meses sem fazer exercícios!"

Toda vez que falo do Sistema DHEMM fico animada e emocionada. Sinceramente, minha vontade é sair pelas ruas gritando sobre os benefícios do sistema (rsrsrs)! Iniciei o Sistema DHEMM há três meses (queria esperar para escrever minha história depois da marca dos noventa dias), e, nesse momento, a pessoa que vos fala tem 20 quilos a menos. Não consigo acreditar que perdi 20 quilos graças ao Sistema DHEMM. Meu corpo está se tornando uma máquina de queimar gordura, e perco 1,5 quilo a 2,5 quilos por semana durante o programa SEM PRATICAR EXERCÍCIOS! Só nas primeiras duas semanas, durante a fase Detox, perdi quase 6,5 quilos. E, é bom esclarecer, você não deixa de comer na fase Detox. Eu jamais conseguiria fazer isso. O Sistema DHEMM permite que você coma abundantemente; basta que os alimentos que você coma ajudem o corpo a ficar mais saudável e a queimar gordura!

Estou realmente surpresa por ter emagrecido 20 quilos SEM me exercitar. Todo mundo sabe que DEVERÍAMOS praticar exercícios, mas às vezes nos sentimos pesados ou exaustos demais para dar o primeiro passo. Antes, os exercícios forçavam demais meus joelhos e articulações. Mas agora, a partir da semana que vem, vou começar a caminhar na minha esteira, que mais parece um depósito de roupas depois de tantos anos (rsrsrs)!

Este livro é simplesmente incrível! Ainda acho que meu capítulo favorito é aquele sobre dez maneiras de fazer o detox. São maneiras divertidas de eliminar as toxinas do seu corpo das quais eu nunca tinha ouvido falar. Aprendi a "esfoliar" a pele, o que vem ajudando a melhorar a celulite que tenho entranhada na parte de trás das pernas. Este livro oferece inúmeras dicas secretas para afinar a silhueta e se sentir melhor.

A melhor parte? Meus colegas de trabalho estão me parando para dizer que estou com uma aparência incrível, e eu digo para eles comprarem este livro – essa é A VERDADE! Uma das minhas colegas de trabalho é diabética. Quando lhe mostrei a seção sobre insulina, ela se convenceu de que também precisava do livro. Agora somos mais ou menos seis no trabalho, começando juntos a fase Detox de três semanas. Também vou refazer com eles a primeira fase Detox, porque sou apaixonada pelo estilo de vida saudável que este livro propõe! Amo este livro... e o recomendo DEMAIS a todos!

A história de Jennifer:
"Emagreci 7 quilos na fase Detox de três semanas."

Em primeiro lugar, deixe-me começar dizendo que o Sistema DHEMM funciona e faz todo sentido. Tive momentos de "eureca!" ao ler o livro! JJ é fantástica, uma mentora e guia maravilhosa! Acabei de completar minha fase Detox de três semanas. Na primeira semana, perdi 2 quilos! Lembro que o meu namorado me disse que meu rosto estava ficando mais fino e que eu parecia iluminada. Minha motivação só aumentou depois disso! Agora, admito: aquela primeira semana foi difícil para mim. O desejo de comer açúcar estava me matando! Quase cedi, mas comia uma fruta no lugar de doces, e o desejo diminuía. Na segunda semana, tinha perdido mais 3 quilos e estava me sentindo muito bem, meus desejos tinham desaparecido, e sinceramente comecei a sentir vontade de comer frutas e saladas. Lembro que almocei com um amigo que tinha pedido um hambúrguer gorduroso, batata frita e refrigerante. Aquilo não me incomodou nem um pouco. Eu tinha minha salada e estava ótima. Mal conseguia acreditar! Na terceira semana, tinha emagrecido outros 2 quilos! Assim, meu emagrecimento total durante o detox de três semanas foi de 7 quilos!

Veja só: reconquistei minha autoconfiança, e ela está nas alturas! Comemoro vitórias não relacionadas à balança, como o meu jeans favorito estar folgado e eu conseguir cruzar as pernas confortavelmente. Agora aboto até em cima um dos meus casacos preferidos. Consigo enrolar uma toalha de banho em volta do meu corpo. Mais importante, sofro de asma, e às vezes preciso até me lembrar de tomar meus remédios de tão bem que estou respirando! Até o meu sono está melhor e mais repousante. Todos os benefícios que acompanham a adoção do sistema são incríveis! São as minhas vitórias imediatas depois de concluir o Detox de três semanas. Não vou dizer que foi fácil. NÃO durante a primeira semana e pouquinho; na realidade, tentar romper meus vícios foi uma das coisas mais difíceis que já fiz na vida. Mas, se você levar a sério, funciona, e melhora depois. Você logo começa a perceber que consegue. Começa a entender que tem o poder para retomar o controle da própria vida!

O Sistema DHEMM mudou minha vida. Embora eu queira (e vá) me livrar dos quilos a mais, não se trata de emagrecer rapidamente. Para mim, o sistema não é uma solução milagrosa, e sim um programa de desenvolvimento pessoal, em que a mudança acontece de dentro para fora, transformando a minha relação com a comida! Antes, mesmo trabalhando na área de saúde, não fazia ideia do que realmente significava ter uma alimentação saudável! Este livro ensina a prestar atenção e a tomar as decisões corretas. Hoje, leio todos os rótulos dos alimentos! Tenho consciência de cada coisinha que levo à boca, e o que adoro é que não é por causa de uma dieta. DHEMM é sinônimo de mudança de vida. É a única coisa que descobri que sinceramente consigo fazer pelo resto da vida. Na verdade, estou refazendo a fase de três semanas do DHEMM porque amei os resultados e como me senti; então, por que não continuar por aqui por um tempo? Funciona. Sou a prova disso. Funciona se você levar a sério. Continue firme: você tem tudo a perder! Estou indo com tudo.

A história de Todd:
"O Sistema DHEMM me deu o abdômen de tanquinho que sempre quis!"

Este livro me ajudou a perceber que eu poderia me sentir muito melhor eliminando os alimentos ruins da minha dieta durante a fase Detox. Hoje me sinto mais alerta, mais afiado mentalmente, e não alterno entre altos e baixos como costumava fazer diariamente. Nunca me achei gordo de verdade, mas estou com 44 anos e, como a maioria dos homens, sempre sonhei em ter um abdômen de tanquinho. Malhei a vida inteira, às vezes mais, às vezes menos, mas nunca conseguia conquistar aquele tanquinho dos sonhos, até que descobri o Sistema DHEMM. Perdi 6 quilos em três semanas e estou o tempo todo admirando ou tirando fotos do meu abdômen. Ele está melhor hoje do que quando eu tinha 21 anos!

A história de Whitley:
"Perdi 8 quilos em três semanas sem precisar parar de comer!"

Comprei este livro e o li em um dia. É bom deixar claro que já li todos os livros de dieta de famosos do planeta, mas até então NUNCA tinha aprendido tanto sobre por que fui gorda a vida inteira. Ele é INCRÍVEL. Não vou nem começar dizendo quantos quilos perdi, embora esteja pulando de alegria nesse quesito. Quero que as pessoas entendam que este livro transformou, pela primeira vez, uma coisa que NENHUM outro livro de dieta conseguiu comigo: mudei meu estilo de vida. Não sinto vontade de comer porcaria; aliás, nem quero. Não estou tentando evitá-las como quando se está "de dieta". Eu realmente sinto vontade de comer saladas e frutas, oleaginosas e grãos. Minha cabeça mudou, meus desejos mudaram, e meu corpo está me agradecendo por isso.

O livro começa com uma fase de Detox e pede que se evitem alimentos pouco saudáveis e se tomem suplementos e substâncias para limpeza de cólon por 21 dias. Essa foi a parte que mudou meus desejos e hábitos alimentares. A fase Detox foi fácil para mim porque não deixei de comer... e comer à beça. Mas comia coisas diferentes daquelas com as quais estava acostumada. O livro me ajudou a entender que eu estava viciada em açúcar. Era viciada em biscoitos, balas, bolos e energéticos e raramente comia coisas saudáveis. É por isso que eu sempre recuperava meu peso depois de dietas; nunca me livrei de fato dos vícios e sempre voltava a me alimentar de forma não saudável. Depois das três semanas da fase de Detox, fiquei encantada por ter perdido 8 quilos. Não simplesmente emagreci 8 quilos nas primeiras três semanas. Na verdade, muitas dietas causam o mesmo emagrecimento; o problema é manter o peso depois. Diferentemente de qualquer outra dieta que eu já tenha experimentado (e, caramba, foram muitas), há vinte anos não me sinto tão bem quanto hoje. Tenho 49 anos e vivia cansada, exausta, infeliz, com os cabelos e a pele sem viço. Achava que isso tudo era apenas consequência da idade. Mas meus colegas de trabalho me dizem o tempo todo que minha aparência está ótima. Falam que minha silhueta está mais fina, que aparento estar mais jovem. O fato de as outras pessoas estarem notando é ótimo, mas, vale destacar, as informações deste livro me fizeram me sentir literalmente vinte anos mais jovem. Durmo melhor e me sinto mais confiante, mais feliz. AMO a maneira como estou me sentindo e, pela primeira vez em muito tempo, MAL POSSO esperar pela chegada do verão! Pode vir quente que eu estou fervendo!

A história de Carolyn:
"O Sistema DHEMM é claro, conciso e faz todo o sentido!"

O Sistema DHEMM de JJ é fácil de seguir, com instruções claras. Ela admite que a primeira fase, de três semanas, é a mais difícil, pois é preciso se esforçar para desintoxicar e limpar o corpo, evitando alguns alimentos e empregando outros métodos de detox, como os usados para limpeza intestinal e os sucos verdes. Nessa fase, você expulsa as toxinas que causam o ganho de peso e retreina suas papilas gustativas de forma a estabelecer hábitos alimentares mais saudáveis.

Como mulher, minha parte favorita foi sobre maneiras de evitar o ganho de peso que acompanha a menopausa, com todo o seu conteúdo preparado especialmente para as moças de plantão, assim como as dicas para se livrar da celulite e da "pochete" e outras questões que as mulheres costumam enfrentar.

O que mais gostei no livro é que já tinha lido fragmentos dispersos sobre alimentação saudável, desintoxicação e emagrecimento em geral, mas nunca tinha lido TUDO junto em um só lugar. JJ apresenta tudo junto através do Sistema DHEMM, que é fácil de seguir. Gostaria de ter um fichário ou caderno para poder levar todas as listas de compras para o supermercado. São tantos os alimentos e suplementos que ela recomenda que eu tenho que levar o livro comigo quando vou às compras! Ele está recheado de dicas ótimas que NÃO INCLUEM dietas malucas, contar calorias (a JJ fala que é inútil), comida industrializada ou exercícios intensos... É só conteúdo útil e consistente!

A história de Megan:
"Este livro é a Bíblia da vida saudável!"

Tenho que admitir que este livro mudou a minha vida! Graças a Deus! Queria emagrecer quando comprei este livro, e consegui, mas UAU, ele virou a minha Bíblia para uma vida saudável. NUNCA tinha aprendido tanto sobre o meu corpo e a minha saúde. Este livro mudou toda a minha forma de me alimentar, e o detox realmente fez desaparecer minha acne, indigestão e gases. Eu tinha problemas com essas coisas, mas hoje estou ótima! Sigo o Sistema DHEMM há dois meses e perdi cerca de 10 quilos e nem sei quantos centímetros. Meu aniversário está chegando, e estarei ótima aos 40 anos! É tão bom estar bonita! PARABÉNS PARA MIM! É incrível como emagreci sem precisar me exercitar e o quanto minha barriga diminuiu. Estou muito feliz com isso.

Finalmente, há um capítulo fantástico chamado "Motivação para ter um novo corpo e ser uma nova mulher". Foi muito emocionante lê-lo, pois ele falava do amor-próprio como sendo algo essencial para manter o peso ideal com saúde. Um capítulo muito, muito importante... só ele já vale o livro inteiro!

Recomendo DEMAIS este livro. Inclusive comprei e embalei para presente outros cinco exemplares dele: para minha mãe e minhas amigas. Todo mundo que conheço e amo TEM que ter este livro.

A história de Laura:
"Como personal trainer, recomendo este livro a todos os meus clientes!"

Como trabalho como personal trainer, esperava não gostar deste livro por causa do título. Mas a verdade é que ele realmente é tudo isso. Desestimula "dietas" e sugere ótimas dicas para ter uma alimentação saudável e inteligente. AMEI isso!

O livro ensina um sistema (DHEMM) excelente, em especial porque a parte de "mexa-se" inclui maneiras de ser ativo fisicamente, incluindo exercícios. Embora o livro afirme que você não precisa seguir uma rotina de exercícios para ter resultados, ainda assim incentiva que todos sejam fisicamente mais ativos. Se ele desencorajasse a prática de exercícios, eu o teria odiado. Ao contrário, este é o livro sobre emagrecimento mais completo que já li. Não há uma única pergunta que você possa ter sobre o assunto que a autora não responda. Também comecei a usar o Sistema DHEMM com meus alunos. As dicas oferecidas ao longo do livro DEFINITIVAMENTE ajudam a emagrecer E ser mais saudável ao mesmo tempo. Sou uma ENORME fã da JJ Smith e deste livro.

A história de Márcia:
"Emagreci 8 quilos em menos de cinco semanas sem nenhum tipo de exercício!"

O Sistema DHEMM é INCRÍVEL! Comecei o programa no dia 30 de abril e estava muito cética porque já tentei inúmeras estratégias para emagrecer, sempre sem sucesso. Adoraria conhecer JJ pessoalmente para agradecer e lhe dar um abraço apertado. Ela me apresentou a um novo estilo de vida. Essa não é uma DIETA, é um novo estilo de vida, de cuidar de si e do seu corpo.

Emagreci 8 quilos em menos de cinco semanas graças ao Sistema DHEMM e não pratiquei nenhum tipo de exercício. Em geral, costumo pedalar na minha bicicleta ergométrica ou usar outros equipamentos, mas não fiz nada disso nas últimas cinco semanas. Sei que perdi alguns centímetros porque minhas roupas estão com um caimento diferente. Vou começar a pedalar minha bicicleta ergométrica e a fazer abdominais para ver se consigo intensificar meu emagrecimento.

Vou me casar em setembro e quero estar maravilhosa para o meu noivo. De início comecei o programa por causa da data, mas não acho que vou voltar a comer como costumava. Se pudesse anunciar isso aos quatro cantos do mundo, eu o faria: o Sistema DHEMM de JJ Smith é a única maneira de viver a sua vida de forma saudável e natural. Obrigada do fundo do meu coração, JJ!

A história de Tennille:
"Emagreci 3 quilos em seis dias e notei que minha cintura está mais fina!"

Muitíssimo obrigada por compartilhar seus conhecimentos! Acabei de terminar de ler o seu livro incrível (e de enviar exemplares para minha mãe e dois amigos) e estou no oitavo dia da fase Detox. Nem acredito que consegui ficar sem açúcar durante oito dias e me sinto simplesmente maravilhosa! Em êxtase! Meu corpo definitivamente carregava um excesso de toxinas quando comecei este programa, e venho incorporando os alimentos benéficos para o fígado que você menciona no livro. Já notei que minha cintura está mais fina. Só nos primeiros seis dias já tinha perdido 3 quilos!

Sua riqueza de conhecimentos é tão completa e verdadeira que faz total sentido. Trabalho na área de saúde e você está absolutamente correta em relação a como tantos males causados por má alimentação são "tratados" com medicamento sem vez de receitarem desintoxicações e a nutrição natural e saudável necessária. Seu livro é evidentemente um divisor de águas, e estou animada para continuar a ver como o meu corpo responde positivamente ao sistema. Um exemplo: fui viciada em cafeína durante anos. Agora percebo que toda manhã, depois do meu "suco verde", sinto um verdadeiro pico de energia e de clareza mental que permanece durante horas! Poderia continuar a falar por horas, mas só queria aproveitar para lhe agradecer por compartilhar seus ensinamentos. Você poderia ter guardado todo esse conhecimento para si, mas não! Obrigada por ser uma bênção para tantas pessoas!

A história de Cheri:
"Minha acne está desaparecendo e minha pele está macia e radiante!"

Deixe-me começar agradecendo-lhe pelo seu livro. Eu o amo de paixão! Como leitora voraz, acabo encontrando muitos livros de que gosto e os recomendo às pessoas, pois acho que as informações neles contidas podem ser de alguma maneira interessantes ou agradáveis. Mas é muito raro encontrar livros que realmente produzem resultados.

Estou compartilhando minha gratidão porque a visão e o conhecimento que você tem compartilhado em seus livros vêm obtendo resultados que meus médicos e meu dermatologista não conseguiram! Não só presto mais atenção à minha saúde e cuido melhor dela, como também, pela primeira vez, estou ganhando autoconfiança e um recém-descoberto apreço pela minha vida, pelo meu corpo, pelo meu rosto – e nenhum dinheiro do mundo poderia substituir o que estou vivendo neste momento.

Há mais de vinte anos travava uma batalha contra a acne; experimentei inúmeros produtos, todos foram fontes de decepção. Minha acne está desaparecendo, minha pele está mais macia e radiante, e as pessoas também estão comentando, em vez de desviarem o olhar, constrangidas.

PARTE 4

APENAS PARA MULHERES

Apenas para mulheres

Pesquisas confirmam que as mulheres têm mais dificuldade de emagrecer do que os homens porque o organismo feminino simplesmente é mais eficiente no armazenamento de gordura. Portanto, as mulheres têm que ter muito mais determinação se quiserem perder gordura corporal e controlar o peso. O Sistema DHEMM lhes permite realizar algumas mudanças fundamentais na alimentação e no estilo de vida que as ajudarão a descobrir um eu mais sexy, mais enxuto e mais saudável!

Nesta seção, exploraremos juntas algumas maneiras naturais de ajudá-la a conquistar seu eu mais belo, jovem, cheio de energia. Discutiremos questões específicas que afetam as mulheres, como lidar com o ganho de peso na menopausa e com o envelhecimento da pele, além de apresentar maneiras divertidas de entrar em forma e ser ainda mais sexy!

CAPÍTULO CATORZE

Saúde, beleza e vitalidade para as mulheres que já passaram dos quarenta

Acredito que o segredo para a beleza, tanto interior quanto exterior, está em uma alimentação natural e saudável. Quando ingerimos alimentos naturais e orgânicos, simplesmente nos sentimos melhores e mais joviais, o que se reflete em nossa aparência. Quando adotar uma alimentação que mantenha as células renovadas e saudáveis, você vai se sentir mais radiante, qualquer que seja a sua idade. O ser humano foi feito para consumir uma dieta composta basicamente de frutas, hortaliças, nozes e sementes. Com esses tipos de alimentos naturais e saudáveis, o corpo prospera e recebe todos os nutrientes necessários para manter o corpo livre de toxinas e em sua melhor forma e aparência. Muitas pessoas adotam o Sistema DHEMM apenas com o objetivo de emagrecer, mas acabam notando uma melhora radical na saúde, com energia renovada e menos doenças e queixas em geral.

Ao iniciar o Sistema DHEMM, um dos primeiros lugares nos quais você notará mudanças será na qualidade da sua pele. Uma alimentação e um estilo de vida saudáveis apagam anos de sua aparência, eliminarão rugas, sinais da idade e lhe proporcionarão uma "segunda juventude". A pele torna-se mais firme, a acne desaparece. Os olhos adquirem brilho. As olheiras e as bolsas sob os olhos também desaparecem, bem como o tom amarelado do branco do olho. Dentro do corpo, as células também rejuvenescem, fazendo com que seus órgãos funcionem com mais eficiência.

A jornada rumo à desintoxicação e limpeza não é benéfica apenas para quem deseja emagrecer; é também um caminho para uma segunda juventude, maior clareza mental e humor equilibrado.

Os cinco principais alimentos que retardam o envelhecimento combatem as rugas e mantêm a pele jovem

Começou a notar que sua pele está sem brilho, cansada? Notou o surgimento de marcas de expressão e rugas? O brilho da juventude começou a sumir? Existem maneiras de oferecer à pele os nutrientes necessários para rejuvenescer e ter uma aparência mais jovial! Os cinco alimentos a seguir retardam o envelhecimento da pele e diminuem as rugas e linhas de expressão.

- *Verduras.* Os vegetais verdes folhosos contêm vitamina A e betacaroteno, ajudando-nos a ter uma pele mais lisa e mais radiante. Na alimentação, nada melhor do que verduras, como acelga, espinafre e couve. A vitamina A ajuda a pele a produzir células mais frescas e novas e a livrar-se das antigas, reduzindo a secura da pele e mantendo uma aparência radiante e jovem.
- *Frutas cítricas.* A vitamina C, principal ingrediente de inúmeros cremes de beleza, auxilia a produção de colágeno. Quando passamos dos 35, a produção de colágeno começa a diminuir, deixando a pele flácida. Frutas cítricas, como laranja, limão, grapefruit e até tomate, são ricas em vitami-

na C; sua ingestão ajuda a manter a pele mais lisa e mais firme.
- *Frutas vermelhas (principalmente mirtilos e amora-preta).* Essas frutas deliciosas mantêm a aparência jovial da pele e ajudam a combater as rugas. Muitos especialistas as consideram as melhores fontes alimentares de antioxidantes, que destroem os radicais livres capazes de devastar as células da pele. Mirtilos, em particular, são excelentes para combater o envelhecimento; as melhores são as orgânicas silvestres. No entanto, mirtilos frescos ou congelados também são excelentes opções.
- *Nozes e sementes.* As nozes e sementes contêm vitamina E, que ajuda a manter a pele macia e radiante. Incorpore à sua alimentação uma quantidade maior de sementes e nozes de fácil digestão, como amêndoas, pistache, nozes, sementes de linhaça, sementes de gergelim e sementes de girassol para ter uma pele macia e jovial.
- *Frutos do mar.* Os ácidos graxos ômega-3 e o zinco presentes nos frutos do mar ajudam a reduzir a secura e a inflamação da pele. Você certamente já ouviu falar que peixe faz muito bem à saúde – os peixes e frutos do mar são um componente básico do que conhecemos domo "dieta mediterrânea". Muitos tipos de peixe e frutos do mar podem fazer maravilhas pela pele, em especial ostras, salmão e atum.

Suplementos para ter uma pele jovial e radiante

Você pode suplementar sua dieta com vitaminas e outros ingredientes que auxiliam especificamente a saúde dos cabelos, pele e unhas.

- *A vitamina C* é um Botox natural. Mulheres que consomem maior quantidade de vitamina C por meio da alimentação apresentaram 11% menos probabilidade de desenvolver rugas.
- *A vitamina E* restaura a umidade da pele e retarda o envelhecimento das células da pele. Verduras e nozes são excelentes fontes de vitamina E.
- *A vitamina A* também ajuda a manter as rugas a distância. As melhores formas de vitamina A são seus derivados, como por exemplo os retinoides. Eles atuam eliminando a camada superficial de células mortas da pele, gerando colágeno na pele. O colágeno é a fibra estrutural da pele; com o envelhecimento, a produção de colágeno diminui, e criam-se linhas de expressão e aumento de poros. Especialistas em cuidados com a pele discordam em inúmeros aspectos, mas costumam concordar que os retinoides fazem milagres pela pele. Tratamentos à base de retonoides também podem ser úteis nos casos de acne, manchas senis, danos solares e sardas.
- *A niacina* (vitamina B1) é usada para uma variedade de problemas de pele, entre eles acne, inflamação, flacidez e pele sem viço. O uso regular de niacina ajuda a reduzir esses males.
- *Ácidos graxos ômega-3* são "gorduras saudáveis" que ajudam a manter as membranas celulares, de modo que elas permitam a entrada de água e nutrientes e a saída de toxinas. Além disso, ajudam a proteger a pele contra os danos solares.

Você não precisa necessariamente tomar todos esses suplementos. Existem polivitamínicos específicos para cabelos, pele e unhas que contêm muitos deles.

Reduza a celulite e a flacidez

Celulite é o acúmulo de gordura armazenada nas coxas e quadris causado por um sistema linfático preguiçoso. O sistema linfático é um sistema circulatório secundário sob a pele que elimina os resíduos tóxicos, bactérias e células mortas do corpo. Limpando o fígado e o sistema linfático, você ajuda a eliminar do corpo os depósitos de gordura – algo fundamental para diminuir a celulite.

Outra causa de celulite é a flacidez ou a perda de elasticidade da pele e de tecidos conjuntivos, que se tornam então incapazes de manter os tecidos conjuntivos no interior de seus compartimentos. Quando o tecido adiposo ou os depósitos de gordura escapam através de filamentos enfraquecidos de tecido conjuntivo, criam o efeito casca de laranja conhecido como celulite. Portanto, fortalecer a pele e os músculos é uma excelente medida para prevenir o surgimento da celulite. Os alimentos que contêm proteína ajudam a conferir firmeza aos músculos, o que por sua vez mantém os depósitos de gordura em seu devido lugar e reduzem o efeito casca de laranja produzido pela celulite.

Aqui estão algumas dicas específicas para reduzir a celulite:

- *Esfoliação do corpo.* A esfoliação do corpo melhora a circulação, elimina camadas de pele morta e estimula a renovação celular, gerando uma pele de textura mais suave. Ao estimular o sistema linfático, o processo também elimina toxinas. (Consulte, no Capítulo 5, os detalhes de como e quando recorrer à esfoliação.)

- *Beba chá-verde.* O chá-verde é ótimo para queimar gordura, em especial áreas de gordura teimosa, como celulite. Eu, pessoalmente, me esforço para beber duas xícaras por dia.
- *Coma proteínas magras.* Quando o corpo carece de proteína, a pele do rosto, dos braços e das pernas começa a despencar devido à perda de colágeno. Pessoas cujos cabelos estão ralos demais, que apresentam rugas demais para a idade ou cujos olhos ficam edemaciados podem estar carentes de proteína. Nossos músculos, cabelos, unhas, pele e olhos são feitos de proteína. A proteína é necessária para o reparo celular, e todas as células do corpo precisam de proteína para manter a vida e substituir as células mortas. Se seguir diariamente as diretrizes apresentadas neste livro (ou seja, se comer a quantidade indicada de proteína), terá a quantidade suficiente de proteína necessária ao organismo todos os dias. Entretanto, se for uma pessoa muito ativa ou praticar musculação pesada, aumente a ingestão de proteína, algo que se costuma fazer por meio de shakes de proteína, para reparar e reconstruir músculos.

Reduza a circunferência da cintura e torne-se ainda mais sexy

Quando se trata de perder peso, nós, mulheres, enfrentamos alguns desafios peculiares. Uma das perguntas que mais ouço é: "Como faço para me livrar da gordura abdominal?" Vamos discutir a gordura abdominal em geral e, em seguida, discutiremos as seguintes estratégias para reduzir as medidas da cintura:

- Livrar-se das toxinas

- Eliminar o estresse
- Tratar a dominância estrogênica

Pessoas sem aquela barriguinha saliente ou as que têm barriga de tanquinho nos parecem a imagem perfeita de boa saúde, condicionamento físico e força muscular. Sua forma física é um sinal de que estão em controle do próprio corpo e da própria saúde. A maior parte de nós admite desejar ter uma cinturinha mais fina, e não há mal algum nisso. A barriga firme, de tanquinho, é considerada por muitos homens e mulheres a parte mais sexy do corpo. Quando você aparenta estar no controle da sua vida, transmite ao mundo a imagem de que não só é uma pessoa altamente motivada, disciplinada e saudável, como também é atraente e desejada.

Todas nós sabemos o que é gordura abdominal; basta sair para dar uma volta e olhar ao redor. A gordura na região abdominal, conhecida como gordura visceral, localiza-se por trás da parede abdominal e cerca nossos órgãos internos. A gordura visceral normalmente se manifesta sob a forma de barriga ou "pneus" na região da cintura. Até pessoas magras podem começar a armazenar excesso de peso na região abdominal. A gordura visceral contém toxinas e substâncias que são prejudiciais à saúde e podem afetar o sistema nervoso e o sistema endócrino (hormonal), o que acaba afetando o metabolismo e o apetite.

Normalmente, as pessoas não sabem que a gordura abdominal é a gordura mais perigosa do corpo. Por estar localizada em torno de órgãos delicados, tem o potencial de destruir a saúde ou, ainda pior, de levar à morte. Por sua proximidade em relação ao coração, fígado e outros órgãos, causa inúmeros problemas de saúde. Segundo um estudo de 2006 publicado no periódico *Obesity*, a gordura visceral é um fator capaz de prever consideravelmente bem a morte prematura. Se fizer uma lipoaspiração para eliminar a gordura visceral, sua aparência pode até melhorar, mas o procedimento pouco fará para melhorar sua saúde, pois os riscos da gordura visceral continuariam presentes. A boa-nova é que mesmo uma quantidade mínima de atividade física pode ajudar, e muito, a reduzir a gordura visceral.

Elimine as toxinas e diminua a gordura abdominal

Estudos demonstraram que a exposição a uma quantidade excessiva de toxinas ambientais aumenta a gordura abdominal. Sendo assim, uma maneira muito eficaz de abordar essa gordura visceral/barriga é eliminar do corpo as toxinas. Siga os métodos de desintoxicação apresentados no Capítulo 5 para eliminar toxinas, reduzindo assim a gordura abdominal.

Elimine o estresse e reduza a gordura abdominal

O estresse pode ser outro fator que afeta a gordura corporal. Quando estamos diante de situações de estresse, o corpo libera um hormônio chamado cortisol (conhecido também como hormônio do estresse). Estudos demonstraram que, quando o cortisol é liberado na corrente sanguínea, tornamo-nos menos sensíveis à leptina, hormônio responsável por informar ao cérebro que já estamos saciados. Quando isso acontece, tendemos a comer mais e mais, e a sentir uma vontade súbita de comer açúcar. E a gordura causada pelo estresse tende a ser armazenada na região abdominal.

Adote as dicas a seguir para reduzir o estresse na sua vida:

- Pendure *"fotos estimulantes" no trabalho e no carro*. Ao olhar para elas, você se transporta imediatamente para um local feliz, fazendo com que os níveis de estresse diminuam.

- *Transe.* Quanto mais transamos, mais endorfinas o cérebro libera. Esses "neuro-hormônios" atuam como um analgésico natural e ajudam a aliviar a ansiedade.
- *Programe "momentos de diversão" com a pessoa amada ou com seus filhos.* Atividades como jogar futebol na praia, boliche ou ir ao cinema podem desviar sua atenção do estresse.
- *Sorria sempre e ria muito.* Se tiver um comediante preferido, leve um CD no carro para ouvir no caminho de ida e volta do trabalho. Ou assista a filmes que provoquem em você boas risadas. Ou então ouça música que a alcalme ou a faça cantar junto.
- *Permita-se uma massagem.* A massagem estimula os nervos que fazem com que os níveis do cortisol, o hormônio do estresse, diminuam. Pesquisas demonstram que até as pessoas que *aplicam* massagens reduzem os próprios níveis de hormônios do estresse.
- *Mexa-se.* Comprovou-se que a atividade física ou exercícios praticados regularmente ajudam a aliviar o estresse e elevar a temperatura corporal, o que ajuda o corpo a se preparar para o sono. Existem fortes indícios de que exercícios moderados, como uma caminhada acelerada, ativam os neurotransmissores dopamina e serotonina, que proporcionam a sensação de bem-estar e diminuem a depressão.
- *Desenvolva melhores relacionamentos.* O estresse é o maior inimigo da boa saúde. O maior inimigo do estresse é o desenvolvimento de sólidos laços de amizade com as pessoas. Portanto, demonstre mais respeito e compaixão para com as outras pessoas, mais ainda do que sente que elas

merecem. Isso pode até magoar um pouco no início, mas no longo prazo é um investimento seguro.

- *Durma mais.* Muitas pessoas nos Estados Unidos hoje sofrem de privação do sono. Quanto a mim, porém, posso afirmar com toda sinceridade que não sou uma delas. Durmo minhas oito horas de sono por noite e, se deixo de fazê-lo uma noite, compenso no fim de semana. O sono é a maneira que o corpo tem de recarregar o sistema e a atividade mais fácil, ainda que a menos valorizada, para curar o corpo. O sono também ajuda a eliminar as olheiras e as bolsas sob os olhos. Nada compensa a privação de sono. A privação de sono acelera o desgaste, acelerando o envelhecimento, e tira o corpo do equilíbrio e ritmo naturais. Reduzir o tempo de sono ou ir para cama estressado interfere no melhor momento para perder aqueles quilos a mais. Por tudo isso, relaxe ou medite antes de ir dormir. O relaxamento faz os níveis de cortisol diminuírem, o que, por sua vez, ajuda o corpo a queimar mais calorias. Em suma, dormir o suficiente ajuda a queimar mais calorias à noite e durante o dia.

Trate a dominância estrogênica e reduza a gordura abdominal e o inchaço

Se você é como eu e já se frustrou com a gordura extra e o inchaço na região abdominal, vai gostar de saber que às vezes esses quilos a mais têm pouco a ver com a quantidade de exercícios que você vem praticando e com a redução da ingestão de calorias, e tudo a ver com uma mudança hormonal que ocorre com praticamente todas as mulheres depois dos 35 anos. O excesso de gordura abdominal normalmente se deve a um desequilíbrio hormonal chamado dominância estrogênica, que pode ocorrer principalmente em mulheres, mas que ocorre também nos homens. Sem abordar essa questão hormonal, aquela gordura abdominal teimosa provavelmente permanecerá e será impossível eliminá-la, por mais que você reduza a ingestão de calorias ou por mais que se exercite.

A boa-nova é que a dominância estrogênica pode ser tratada e, assim que os hormônios estiverem adequadamente balanceados, a gordura extra ao redor da cintura começará a desaparecer. Para ver uma explicação mais detalhada sobre a dominância estrogênica consulte o Capítulo 15.

Nas mulheres, e muitas vezes também nos homens, os maiores níveis de estrogênio fazem o corpo armazenar gordura na região abdominal. Mais especificamente nas mulheres, a dominância estrogênica faz com que a gordura seja armazenada ao redor do estômago, cintura, quadris e coxas, fazendo-nos adquirir uma aparência roliça, ou com o corpo em forma de pera depois dos quarenta. Nos homens, faz com que pareçam ter um pneu sobressalente ao redor da cintura.

As melhores maneiras de abordar a gordura abdominal causada pela dominância estrogênica são:

- Seguir uma dieta natural e balanceada, como discutimos no Capítulo 11. Isso fará com que você evite os alimentos que causem a circulação de toxinas que imitam o estrogênio no corpo.
- Usar uma terapia de reposição hormonal natural, ou bioidêntica, para restaurar o equilíbrio hormonal (para saber mais, consulte o Capítulo 15).
- Tomar suplementos nutricionais que eliminem o excesso de estrogênio que circula no corpo, proporcionando assim

o equilíbrio hormonal necessário para perder a tão indesejada gordura, ou seja, a gordura abdominal (para saber mais, consulte o Capítulo 14).

As mulheres que conseguem abordar esses três fatores aliviam os sintomas de dominância estrogênica, ou seja, a barriga, em um ou dois meses. No meu caso, pessoalmente, precisei apenas de algumas semanas para que meu estômago literalmente desinchasse.

A maior parte das mulheres de mais de quarenta apresenta algumas áreas problemáticas que discutimos neste capítulo: gordura abdominal, celulite, marcas de expressão e rugas. Agora elas dispõem de estratégias reais para lidar com esses problemas e reverter o processo de envelhecimento, rejuvenescendo fisicamente e sentindo-se mais jovens.

CAPÍTULO QUINZE

Interrompa o ganho de peso durante a perimenopausa e a rnenopausa

Se tiver passado dos 35, você talvez já tenha notado o surgimento daqueles quilinhos a mais que se acumulam ao redor da cintura, nos quadris, nas coxas e no bumbum. Talvez nada tenha mudado em seus hábitos alimentares ou na sua rotina de exercícios, mas, mesmo assim, você não consegue manter o peso. Saiba, porém, que não é a única.

O ganho de peso, junto com a mudança geral no formato do corpo, é normal e deve ser algo esperado. Mais de 90% das mulheres ganham peso entre os 35 e os 55 anos. Durante o período de perimenopausa e menopausa, as mulheres engordam, em média, sete a dez quilos, entre 500 gramas e um quilo por ano; além disso, quanto mais cedo você entrar na menopausa, mais intenso e rápido será o ganho de peso. Não é apenas o fato de ganharmos peso, é também a distribuição dessa gordura adicional na região da cintura, barriga, quadris, coxas e bumbum que faz o corpo adquirir um contorno mais roliço. A redução nos níveis de estrogênio também afeta a produção de colágeno, deixando a pele mais ressecada, fina e flácida, além de reduzir o tônus muscular – tudo isso contribui para uma mudança no formato do corpo.

Mesmo que nada tenha mudado na sua alimentação nos últimos anos, ao se aproximar da perimenopausa/menopausa, a expectativa é que a mulher vá engordar. O ganho de peso, especialmente na região da barriga, bem como flacidez nos braços, quadris e coxas, é uma infeliz realidade do envelhecimento. Eu, pessoalmente, vivenciei essa frustração e conheço muitas mulheres que apresentaram esse indesejável ganho de peso. Infelizmente, à medida que envelhecemos, nosso corpo torna-se naturalmente resistente à insulina, o que aumenta a tendência ao armazenamento de gordura, especialmente em torno da cintura. Além disso, os ovários começam a produzir menos estrogênio durante a perimenopausa, o que faz com que as células de gordura do corpo tentem produzir mais estrogênio. Embora não sejam a principal fonte de produção de estrogênio do corpo, as células de gordura produzem o hormônio. Entretanto, alcançando o equilíbrio hormonal, você pode voltar a ter um corpo que queima gordura em vez de armazená-la.

O ganho de peso nessa fase da vida deve-se à flutuação hormonal, mas a boa-nova é que é possível alcançar um melhor equilíbrio hormonal. Você não precisa aceitar o ganho de peso à medida que envelhece; pode, sim, perder esses quilos a mais.

Entendendo o que acontece na perimenopausa e menopausa

Menopausa é a época da vida da mulher em que a menstruação cessa e ela deixa de ser fértil (ou seja, não é mais capaz de engravidar). Perimenopausa é a fase que precede a menopausa e pode se estender por vários anos. É a transição de períodos menstruais normais para a completa cessação da menstruação.

Durante a perimenopausa, muitas mulheres ficam mais emotivas, mal-humoradas e melancólicas porque, embora ainda menstruem, sua menstruação torna-se muito irregular – às vezes intensa, outras vezes muito leve. É esse estado de desequilíbrio hormonal, bastante severo, que causa as oscilações hormonais e sintomas associados. Essa fase marca oficialmente o início do declínio hormonal, provocando sintomas, como ganho de peso, alterações do humor, ondas de calor, insônia, redução da libido, fadiga e irritabilidade. Já no final da terceira e início da quarta década de vida, muitas mulheres podem começar a iniciar essa transição e, à medida que o corpo vivencia esse turbilhão hormonal, começam a surgir sintomas que não conseguimos explicar. (Foi durante essa fase que tive alergias sazonais pela primeira vez na vida.)

Embora a perimenopausa e a menopausa sejam processos normais que todas as mulheres vivenciarão, é possível minimizar ou evitar por completo os sintomas associados. Se você estiver nessa fase da vida, é importante encontrar um/a médico/a certo/a, que entenda o que realmente está acontecendo com o seu corpo. Normalmente, os médicos tratam apenas os sintomas; poucos associam todos eles e abordam a causa básica por trás do problema. O problema subjacente é a perda de hormônio, e, quanto antes você os repuser, melhor você vai se sentir e melhor será sua aparência física. Ninguém pode se comprometer mais com isso do que você. Esteja ciente de que a perimenopausa é seu chamado à ação; é a hora de recuperar a saúde e alcançar um estado em que se sinta equilibrada, rejuvenescida e cheia de energia.

Ao chegar à menopausa, você já deve estar equilibrando ativamente seus hormônios, de modo que essa transição na sua vida não seja tão dolorosa e deprimente, e que você não tenha tantas ondas de calor, suores noturnos, mudanças de humor e outros sintomas da menopausa. O declínio hormonal vai se acentuar, mas você também será capaz de continuar ajustando seus hormônios de modo a sentir-se equilibrada e saudável.

É importante pesquisar e entender o que acontece com o declínio hormonal em cada fase de transição da sua vida, da perimenopausa à pós-menopausa, passando pela menopausa.

Três importantes hormônios sexuais que afetam o ganho de peso

Existem três importantes hormônios sexuais que podem entrar em desequilíbrio à medida que envelhecemos. Flutuações nos níveis de estrogênio, progesterona e testosterona podem causar ganho de peso, alterações no humor, irregularidades no ciclo menstrual e diversos outros sintomas que discutiremos neste capítulo.

Estrogênio

O estrogênio, produzido pelos ovários, é o que nos transforma de meninas em mulheres. Confere-nos as curvas e nos ajuda a regular a passagem pela fertilidade e menstruação. O estrogênio pode ser encontrado no organismo em três compostos: estradiol (o estrogênio mais potente), estrona (estrogênio dominante após a menopausa) e estriol (a forma mais fraca de estrogênio, que alcança seus níveis mais altos durante a gravidez). O estrogênio estimula o crescimento dos seios, ovários e útero. Tanto homens quanto mulheres produzem estrogênio, mas as mulheres o produzem em níveis muito mais altos.

O estrogênio é um dos dois principais hormônios produzidos pelos ovários. O outro, a progesterona, é produzido principalmente na segunda fase do ciclo menstrual. Quando as mulheres chegam à terceira à quarta décadas de vida, é muito comum o equilíbrio entre os dois hormônios alterar-se radicalmente a favor do estrogênio, causando uma condição conhecida como dominância estrogênica, que provoca suores noturnos, depressão, fadiga, ganho de peso, ansiedade, desequilíbrio dos níveis de açúcar no sangue, baixa libido, secura da pele e dos cabelos, celulite e confusão mental. O excesso de estrogênio no corpo também causa retenção de sal e líquido, tornando-nos edemaciadas e inchadas. No entanto, os níveis de estrogênio e progesterona podem ser equilibrados de modo a aliviar esses sintomas.

Progesterona

O corpo da mulher secreta progesterona todo mês, depois que o óvulo é liberado. Durante épocas de altos níveis de progesterona, o corpo queima mais cem a trezentas calorias por dia em comparação com as épocas de altos níveis de estrogênio. A progesterona também ajuda a reduzir o inchaço e os miomas uterinos, aumenta a libido e deixa a mente mais aguçada.

Como afirmei antes, quando os níveis de progesterona, de um modo geral, começam a cair, instala-se a dominância estrogênica, e a mulher pode apresentar os primeiros sintomas da menopausa – a fase que conhecemos como perimenopausa. O surgimento repentino de gordura abdominal, em particular, é um sinal de que o índice hormonal interno de progesterona/estrogênio se encontra fora de equilíbrio.

O principal objetivo do equilíbrio hormonal é restaurar o balanço entre estrogênio e progesterona, a fim de criar harmonia e equilíbrio no corpo. Quando o equilíbrio entre estrogênio e progesterona é adequado, esses dois hormônios ajudam a queimar gordura, aceleram o metabolismo e aliviam os sintomas de dominância estrogênica.

Felizmente, existem alimentos capazes de elevar os níveis de progesterona, permitindo-nos metabolizar a gordura e dormir melhor. A família da vitamina B, em particular a vitamina B6, é fundamental para melhorar os níveis de progesterona. As vitaminas do grupo B podem ser encontradas em carnes, aves, peixes, feijão e algumas frutas e hortaliças, como banana, abacate, espinafre e tomate. Outro nutriente fundamental, capaz de ajudar a produção de progesterona, é o magnésio, encontrado em folhas verde-escuras, ovos, carnes, sementes, nozes e leguminosas. Felizmente, esses alimentos ricos em magnésio também ajudam a manter a saúde do fígado. A função hepática inadequada causa desequilíbrios hormonais e, em particular, suprime a produção de progesterona.

Testosterona

A testosterona costuma ser negligenciada quando as mulheres enfrentam sintomas da perimenopausa e da menopausa. Entretanto, mulheres com baixos níveis de testosterona apresentam fadiga, fraqueza, baixa energia, baixa motivação, atrofia muscular e diminuição da libido.

Os homens produzem naturalmente 50% mais testosterona do que as mulheres; no entanto, a testosterona é um hormônio vital também para a mulher. Muitas mulheres surpreendem-se ao descobrir que a testosterona na verdade é produzida em pequenas quantidades pelos ovários e pelas suprarrenais. A testosterona sustenta o corpo feminino, ajudando a manter seus níveis de energia, tônus muscular, elasticidade vaginal, libido e vitalidade em geral.

Entre os 35 e os 55 anos de idade, as mulheres normalmente perdem cerca de 50% da testosterona, algo que também contribui para o surgimento de sintomas desagradáveis. Durante a perimenopausa, que em algumas mulheres pode se iniciar já aos 35 anos, a ovulação torna-se irregular, e tanto os níveis de progesterona quanto os de testosterona começam a cair. Em algumas situações, a mulher pode ter altos níveis de testosterona; quando isso ocorre, ela pode apresentar acne ou outros problemas de pele, crescimento de pelos faciais e ganho de peso.

À medida que envelhecemos, os níveis de hormônios diminuem em todos nós. Nas mulheres, ocorre aos 50 uma queda de 30% do estrogênio, 75% da progesterona e, entre os 35 e os 55, 50% da testosterona. Daí, tanto progesterona quanto estrogênio continuam em franco declínio após a menopausa. A realidade é que todos vivenciamos os sintomas do declínio hormonal. Existem, porém, maneiras de manter um melhor equilíbrio hormonal e minimizar esses sintomas desagradáveis.

A dominância estrogênica é o principal desequilíbrio hormonal que causa ganho de peso

Quando os níveis de estrogênio no organismo se mantêm altos em relação aos de progesterona, ocorre o que se conhece como dominância estrogênica. Os principais sintomas da dominância estrogênica são ganho de peso (principalmente no abdômen, quadris e coxas), metabolismo preguiçoso, alterações do humor, irregularidade menstrual e inchaço. Sei bem o que é isso, pois já vivenciei esses sintomas, que foram todos muito concretos e frustrantes para mim.

A dominância estrogênica também causa o aumento do inchaço e da retenção de líquido – o que não quer dizer que você esteja engordando, mas faz com que pareça mais gorda e causa flutuações nos níveis de açúcar no sangue, aumentando o apetite e desacelerando o metabolismo. Quando a mulher ainda menstrua, esse inchaço ocorre na época do ciclo menstrual. Quando já não menstrua mais e não produz progesterona, o inchaço torna-se um problema constante. A progesterona atua como diurético natural. A progesterona também estimula o corpo a usar calorias dos alimentos para gerar energia; sem progesterona suficiente, a capacidade do corpo de metabolizar calorias fica prejudicada e as calorias são armazenadas no corpo sob a forma de gordura.

A dominância estrogênica pode causar resistência à insulina (para saber mais, consulte o Capítulo 6), o que faz com que a insulina seja liberada com mais frequência do que o necessário. Essa secreção adicional de insulina faz com que o corpo sinta vontade de comer açúcar e armazene gordura para regular a secreção de insulina. Em ambos os sexos, acredita-se que a dominância estrogênica seja uma das principais causas de câncer de mama, útero e próstata.

Contrariando a crença popular de que o estrogênio é um hormônio "feminino", os homens também podem apresentar dominância estrogênica. Uma possível causa da dominância estrogênica é a exposição a estrogênios ambientais, e os homens estão expostos às mesmas substâncias que as mulheres. Aqueles que apresentam sinais de dominância estrogênica normalmente têm mais de 40 anos e apresentam aumento da gordura na barriga, queda de cabelo, desenvolvimento de mamas e fadiga.

Tais mudanças, tanto no corpo da mulher quanto no corpo do homem, muitas vezes estão relacionadas ao excesso de estrogênio. Em excesso, o estrogênio promove o crescimento de tecidos sensíveis ao estrogênio, conhecidos como "gordura teimosa", pois são altamente resistentes à queima de gordura. De nada adianta comer menos e exercitar-se mais; nada disso ajudará a eliminar a gordura sensível ao estrogênio. Inicia-se um ciclo vicioso no qual o excesso de estrogênio promove o ganho de peso; o tecido adiposo gerado pelo estrogênio produz mais estrogênio em suas células, o que, por sua vez, promove mais ganho de gordura e assim por diante.

Aqui estão sintomas comuns da dominância estrogênica:

- Ganho de peso/gordura teimosa na região do abdômen, quadril, coxas e nádegas
- Retenção de líquido/inchaço
- Mamas doloridas
- Baixa libido
- TPM problemática/cólicas menstruais
- Pele seca/secura vaginal
- Oscilações do humor ou irritabilidade
- Ondas de calor/suores noturnos
- Insônia
- Confusão mental
- Períodos menstruais irregulares ou excessivamente longos
- Fadiga
- Depressão e baixa motivação
- Enxaquecas cíclicas
- Infertilidade ou abortos espontâneos frequentes
- Mamas fibrocísticas
- Miomas uterinos
- Endometriose
- Sintomas de hipotireoidismo
- Síndrome dos ovários policísticos
- Câncer de mama

Quais são as causas da dominância estrogênica?

Existem três prováveis causas da dominância estrogênica. Vamos examiná-las uma a uma.

- À medida que envelhecemos, os níveis hormonais começam a flutuar e o corpo começa a produzir estrogênio em quantidades bem maiores em relação aos níveis de progesterona no corpo.
- Terapia de reposição hormonal ou uso de anticoncepcionais orais durante muitos anos.
- Exposição regular a xenoestrogênios, compostos feitos pelo homem que imitam os efeitos dos estrogênios naturais no corpo. Xenoestrogênios são substâncias químicas presentes em pesticidas, plásticos, sabão, produtos de limpeza doméstica e até mesmo na descarga dos automóveis, que se assemelham a estrogênio natural no corpo, que o aceita equivocadamente como estrogênio. Muitos xenoestrogênios são solúveis em água e atravessam com facilidade a barreira da pele. Com o tempo, acumulam-se, resultando em quantidades excessivas de estrogênio circulando na corrente sanguínea.

Terapia de reposição com hormônios bioidênticos para equilibrar naturalmente os hormônios

A boa-nova é que a terapia de reposição com hormônios bioidênticos pode resolver o problema de dominância estrogênica ao permitir que você aumente a quantidade de progesterona no corpo. O resultado será uma redução ou a eliminação de muitos dos sintomas de perimenopausa/menopausa. Entretanto, como a terapia de reposição hormonal com hormônios bioidênticos não constitui uma prática amplamente aceita na comunidade médica tradicional, sendo considerada "medicina alternativa", é preciso pesquisar bem até encontrar um bom médico qualificado para prescrevê-la. Acredite, vale a pena.

Hormônios bioidênticos são hormônios derivados de plantas, normalmente da soja ou do inhame selvagem, através de um processo bioquímico que garante que sua estrutura molecular seja idêntica à dos hormônios produzidos pelo organismo da mulher. Hormônios sintéticos não são idênticos, seja em atividade ou estrutura, aos hormônios naturais que emulam. O organismo não tem como distinguir entre os hormônios bioidênticos e os que os ovários produzem; por isso, eles se encaixam perfeitamente nos receptores hormonais, como uma chave em uma fechadura. Os hormônios funcionam como uma chave em uma fechadura e se encaixam na fechadura com perfeição. Os hormônios sintéticos encaixam-se em alguns, mas não todos, dos locais receptores de hormônio (as fechaduras). Isso faz com que os hormônios sintéticos tenham mais efeitos colaterais do que os hormônios bioidênticos por causa do ajuste imperfeito entre chave e fechadura. Os bioidênticos (chave) se encaixam perfeitamente nos receptores hormonais (fechadura), levando o corpo a reconhecer e aceitar os hormônios humanos de ocorrência natural, o que os torna tanto eficazes quanto seguros.

O grande atrativo dos hormônios bioidênticos é que o corpo é capaz de metabolizá-los exatamente como deveriam, minimizando os efeitos colaterais. Os hormônios sintéticos são bastante fortes e, em muitas mulheres, costumam produzir efeitos colaterais insuportáveis. Outro fator importante é que os hormônios bioidênticos podem ser adaptados individualmente às necessidades hormonais de cada mulher, algo quase impossível de fazer com produtos sintéticos fabricados em massa. Segundo um estudo publicado no *Journal of the American Medical Association*, descobriu-se que os hormônios sintéticos aumentavam o risco de câncer de mama, doenças cardíacas, coágulos sanguíneos e derrame em mulheres. Estudos mostram que os hormônios bioidênticos são, ao mesmo tempo, mais seguros e mais eficazes.

Usando hormônios bioidênticos, é possível restaurar o equilíbrio hormonal adequado entre estrogênio e progesterona. Os hormônios bioidênticos podem ser qualquer um dos hormônios esteroides, inclusive estrogênio, progesterona ou testosterona. No entanto, muitos artigos e blogs confundem as pessoas, levando-as a acreditar que hormônios naturais ou bioidênticos são iguais aos hormônios sintéticos, algo que definitivamente não são. Entretanto, quando me refiro à progesterona bioidêntica, estou me referindo à progesterona natural, não à progesterona sintética. Usar uma progesterona natural ou bioidêntica é um fator importante para corrigir a condição subjacente de dominância estrogênica, que resultará na perda dos indesejados quilos a mais. Aumentando os níveis de progesterona no corpo, é possível compensar o excesso de estrogênio e criar um equilíbrio hormonal adequado que permitirá ao seu corpo queimar gordura com mais eficiência.

Se é assim, por que um número maior de médicos não prescreve hormônios bioidênticos?
A estrutura molecular dos hormônios humanos naturais não pode ser patenteada; o mesmo acontece com a estrutura molecular idêntica dos hormônios bioidênticos. Sem patente, a indústria farmacêutica não pode produzi-los, comercializá-los e vendê-los em massa. A inexistência de altos lucros se traduz no desinteresse

das grandes indústrias farmacêuticas. Em vez de venderem os produtos mais naturais, as indústrias farmacêuticas produzem hormônios sintéticos, que são patenteáveis porque têm uma estrutura molecular ligeiramente diferente tanto dos hormônios humanos naturais quanto dos hormônios bioidênticos. Essas empresas então investem milhões de dólares na comercialização de hormônios sintéticos aos médicos (por meio de visitas dos representantes aos consultórios, fóruns e reuniões) para que eles prescrevam os hormônios sintéticos em lugar dos bioidênticos. As empresas lucram bilhões de dólares vendendo esses hormônios sintéticos.

Apesar da existência de inúmeros testes clínicos e pesquisas confiáveis que validam a segurança e a eficácia das terapias de reposição com hormônios bioidênticos, muitos médicos ainda desconhecem seus benefícios à saúde. Isso talvez se deva ao fato de eles acreditarem que medicamentos sintéticos ou vendidos com prescrição médica em geral constituem a melhor abordagem aos sintomas. Entretanto, muitos profissionais que estudam medicina alternativa concentram-se em curar o corpo, não apenas em tratar os sintomas. Assim, saem em busca dos métodos de cura natural que sejam mais eficazes. Essa é a minha abordagem, é claro. Outros acreditam que muitas das universidades e instituições que publicam informações sobre hormônios bioidênticos não têm orçamento para transmitir as informações para os médicos, que demoram a se conscientizar de seus efeitos benéficos à saúde.

Como os hormônios bioidênticos ajudam na batalha contra o peso

Usando progesterona bioidêntica, você pode aumentar seus níveis de progesterona e neutralizar a dominância estrogênica. O equilíbrio adequado entre estrogênio e progesterona ajudará o corpo a metabolizar com eficiência os alimentos para que eles não sejam armazenados sob a forma de gordura. Além disso, a progesterona atua como um diurético natural, reduzindo o inchaço e o peso em água. Quem é resistente à insulina, ficará feliz em saber que o melhor equilíbrio entre progesterona e estrogênio retarda a rápida liberação de insulina na corrente sanguínea, reduzindo assim o armazenamento de gordura no corpo. Existem também estudos que mostram que a progesterona bioidêntica pode reduzir a capacidade do estrogênio de estimular o crescimento celular que pode provocar câncer, conferindo assim proteção adicional contra a doença. No caso de mulheres mais jovens que ainda menstruam, a progesterona bioidêntica é usada até mesmo para aliviar os sintomas da TPM.

Como utilizar progesterona bioidêntica

A progesterona bioidêntica pode ser utilizada sob a forma de creme, pílula, cápsula ou supositório. Entretanto, demonstrou-se que os cremes de aplicação tópica são a maneira mais eficaz de utilizá-la. Se optar pelas pílulas, você terá que tomar uma dose mais alta, pois, quando digerida, a pílula precisa passar pelo fígado para ser metabolizada, deixando grande parte dos ingredientes ativos para serem excretados nas fezes. Com isso, apenas alguns dos ingredientes ativos chegarão à corrente sanguínea para serem usados pelo corpo. Quando você aplica o creme de progesterona na pele, ele é absorvido diretamente na corrente sanguínea. Uma vez na corrente sanguínea, a progesterona bioidêntica pode viajar até os receptores hormonais para ser usada pelo corpo da mesma maneira com que os hormônios humanos seriam usados. Resultado: quando se opta pelo creme tópico do hormônio bioidêntico, é possível utilizar uma dosagem mais baixa.

O maior sucesso na terapia de reposição com hormônios bioidênticos ocorre quando se tem a ajuda de um profissional de saúde treinado, capaz de apresentar uma abordagem individualizada aos seus desequilíbrios hormonais. Não deixe de descrever todos os sintomas que sentir enquanto estiver usando hormônios bioidênticos, para que o seu médico possa ajustar a dose de hormônios até você alcançar um estado de equilíbrio hormonal.

O médico também deve começar com exames laboratoriais que analisem os níveis de hormônios (conhecido também como "painel hormonal"), a fim de entender corretamente seus níveis hormonais. Os dois tipos de exames hormonais mais comuns são o teste da saliva e o exame de sangue. A dose correta da prescrição, feita em uma farmácia de manipulação, incluirá hormônios bioidênticos personalizados baseados nos seus níveis hormonais. O médico então procederá ao monitoramento mensal, a fim de garantir o alívio real dos sintomas. Exames de acompanhamento também podem ser realizados daí a quatro a seis meses para garantir que o equilíbrio hormonal tenha sido restaurado.

Se tiver dificuldade em encontrar um médico especializado em prescrever hormônios bioidênticos, procure informações em uma farmácia de manipulação de sua confiança que talvez possa lhe recomendar profissionais com essa especialização. É nessas farmácias de manipulação que os médicos mandam preparar as receitas de hormônios bioidênticos personalizados, que são prescritas para você de acordo com as suas necessidades individuais. Procure no Google onde estão localizadas as farmácias de manipulação em sua região ou médicos especializados em terapia de reposição com hormônios bioidênticos.

Seu médico deve lhe informar qual o método mais eficiente de utilizar progesterona. No entanto, em muitas lojas de produtos naturais e sites da área de saúde na internet, existem cremes de progesterona bioidêntica prontos à venda que podem ser adquiridos sem necessidade de apresentar receita médica. As mulheres que optam por tomar hormônios bioidênticos vendidos sem receita médica devem estar cientes de que alguns cremes de progesterona prontamente disponíveis nessas lojas são melhores do que outros. Infelizmente, não existe um órgão regulador que supervisione a produção ou padronização de produtos de saúde natural nos Estados Unidos. O padrão de qualidade mais próximo para produtos hormonais bioidênticos é verificar se o produto está dentro do padrão ouro de qualidade da U.S. Pharmacopoeia. Examine o rótulo do produto. Além disso, o dr. John Lee, a maior autoridade no uso de creme de progesterona natural e também o pioneiro em sua utilização, oferece uma lista de cremes de progesterona natural de qualidade. O link para a lista pode ser encontrado em www.johnleemd.com/store/resource_progesterone.html.

Para saber mais sobre a terapia de reposição com hormônios bioidênticos e maneiras de manter-se jovem e cheia de vitalidade recomendo a leitura destes excelentes livros: *Dr. John Lee's Hormone Balance Made Simples*, de John R. Lee e Virginia Hopkins; *Ageless: The Naked Truth About Bioidentical Hormones* e *The Sexy Years: Discover the Hormone Connection: The Secret to Fabulous Sex, Great Health, and Vitality for Women and Men*, ambos de autoria de Suzanne Somers, e *The Miracle of Bio-Identical Hormones*, de Michael E. Platt, M.D.

Suplementos que sustentam o equilíbrio hormonal

Para lidar com a forma mais comum de desequilíbrio hormonal, a dominância estrogênica, os suplementos mais eficazes são aqueles que ajudam a eliminar o excesso de estrogênio do corpo ou a metabolizar o estrogênio de maneira que o "bom estrogênio" seja usado pelo corpo e uma maior quantidade do "estrogênio ruim" seja eliminada do corpo. Demonstrou-se que o seleto grupo de suplementos apresentados a seguir cria equilíbrio hormonal, proporcionando perda de peso e reduzindo as oscilações de humor, ondas de calor e outros sintomas causados pelo desequilíbrio hormonal. Trabalhe junto com seu médico para saber se alguns desses suplementos lhe podem ser benéficos.

D-glucarato de cálcio

O D-glucarato de cálcio é um nutriente comum encontrado em diversas frutas e hortaliças. Acredita-se que ele auxilie o corpo a eliminar diversas toxinas danosas e reduza níveis anormalmente altos de hormônios, principalmente estrogênio. O D-glucarato de cálcio inibe a reabsorção de toxinas que imitam o estrogênio na corrente sanguínea, permitindo que sejam excretadas do corpo. Mulheres que enfrentam o problema de dominância estrogênica costumam tomar 1.000 mg de D-glucarato de cálcio duas vezes ao dia.

Dehidroepiandrosterona (DHEA)

A Dehidroepiandrosterona é um hormônio esteroide produzido pelas glândulas suprarrenais que funciona como precursor da testosterona, hormônio sexual masculino, e do estrogênio, hormônio sexual feminino. Na maior parte das pessoas, a produção de DHEA diminui gradualmente com a idade e acredita-se que sua suplementação possa ajudar a reverter a ação do tempo e acelerar a capacidade de queima de gordura do corpo. O DHEA propicia o emagrecimento por meio de um processo chamado termogênese, a geração de calor no nível celular. Quanto mais termogênese, maior a taxa metabólica e maior a quantidade de gordura queimada. Recomenda-se a ingestão de 100 mg de DHEA por dia.

Diindolilmetano (DIM)

Diindolilmetano é um fitonutriente, um composto vegetal semelhante aos encontrados em hortaliças crucíferas, como brócolis, couve, couve-de-bruxelas e couve-flor. Como seria difícil obter quantidade suficiente dessas hortaliças apenas por meio da alimentação (teríamos que comer um quilo de brócolis por dia) para eliminar adequadamente o estrogênio ruim, podemos tomar um suplemento nutricional conhecido como DIM (diindolilmetano) para obter as quantidades necessárias para restaurar o equilíbrio hormonal e eliminar os sintomas da dominância estrogênica.

O DIM elimina o excesso de estrogênio, modificando o metabolismo do estrogênio no corpo, e permite uma quantidade maior de metabólitos do "bom estrogênio" e a eliminação dos metabólitos do "estrogênio ruim". O suplemento não diminui diretamente os níveis de estrogênio no corpo, e sim redireciona o processo por meio do qual ele é metabolizado, de modo que uma quantidade maior dos metabólitos do "estrogênio ruim" seja eliminada.

Consumir hortaliças que contenham DIM ou um suplemento de DIM pode ajudar a prevenir o desenvolvimento de determinados tipos de câncer. Demonstrou-se também que a substância destrói e impede a mutação de células do câncer. Acredita-se que ajude a prevenir o câncer de mama e de próstata por meio da promoção do equilíbrio entre estrogênio bom e estrogênio ruim no corpo.

Demonstrou-se que o uso de um creme de progesterona bioidêntico em combinação com DIM alivia de maneira ainda mais eficaz os sintomas da dominância de estrogênio do que a utilização do creme isoladamente. Um dos motivos pelos quais isso acontece é que não existe uma maneira ideal de sabermos quanto de progesterona você está obtendo com o uso do creme ou o quanto o seu organismo consegue usar, e o tempo necessário para monitorar os sintomas e realizar exames periódicos para verificar os níveis de testosterona torna o tratamento um pouco lento. Assim, o uso de DIM, junto com um creme de progesterona bioidêntica, alivia mais rápido os sintomas.

Muitos médicos recomendam tomar 200 a 300 mg de DIM por dia (ou 100 a 150 mg duas vezes ao dia). Por ser um suplemento de difícil absorção, é importante que o suplemento esteja na forma de um complexo especializado que melhore a sua biodisponibilidade. Não é bom tomar o DIM isoladamente sem o complexo biodisponível. Existem pouquíssimos relatos de efeitos colaterais do suplemento. No entanto, algumas pessoas apresentaram dor de cabeça, problemas estomacais e formação de gases. Se isso ocorrer, tome-o às refeições e reduza a dose, voltando a aumentá-la gradualmente até chegar à dose recomendada.

Dicas para prevenir o ganho de peso durante a perimenopausa e a menopausa

Além de explorar a terapia de reposição com hormônios bioidênticos e tomar suplementos nutricionais, seguir a alimentação correta, e assim como manter-se fisicamente ativo, ajuda a manter o peso corporal ideal durante a perimenopausa e a menopausa. Os conselhos oferecidos no Sistema DHEMM são especialmente úteis para mulheres na perimenopausa e na menopausa.

Existem oito regras que você pode seguir para ajudá-la a evitar o ganho de peso durante essas fases da vida. São elas:

1. *Mantenha a função hepática saudável* e o intestino regulado para eliminar o excesso de estrogênio do organismo. O Capítulo 5 apresenta ervas e suplementos específicos que ajudam a limpar e proteger o fígado.
2. *Evite o consumo de álcool.* O álcool estimula a produção do perigoso estrogênio. Na verdade, até mesmo um copo de bebida alcoólica por dia basta para elevar os níveis de estrogênio.
3. *Minimize a exposição a xenoestrogênios.* Os xenoestrogênios são substâncias químicas ambientais presentes em pesticidas, plásticos, alguns cosméticos e produtos de limpeza doméstica que podem entrar na corrente sanguínea e elevar os níveis de estrogênio.
4. *Elimine o açúcar e o amido da sua alimentação.* Se quiser perder gordura corporal, elimine o açúcar da sua alimentação. Refiro-me a doces e balas, é claro, mas também, a qualquer alimento industrializado à base de amido que cause picos de insulina, resultando em excesso de gordura no corpo. Se quiser reduzir a fadiga e o ganho de peso (gordura), experimente ingerir ao máximo duas porções de carboidratos amiláceos – por exemplo, batata-inglesa e milho – por dia e evite por completo os doces.
5. *Aumente a quantidade de fibras ingeridas.* As fibras de grãos integrais, frutas e hortaliças ajudam a eliminar o estrogênio do corpo, o que impede o seu acúmulo e a criação de uma carga hormonal no seu sistema.
6. *Opte por proteínas magras.* Já discuti o valor das proteínas magras, mas volto a repetir que as proteínas magras realmente ajudam a compensar os sintomas da perimenopausa e da menopausa, ajudando a manter a massa muscular, que

queima mais calorias do que a gordura. Sempre que o corpo não está obtendo proteína suficiente, começamos a ficar mais mal-humoradas, emotivas, ansiosas ou simplesmente cansadas. Ovos, peixe, carne magra, peru ou frango são boas fontes de proteína.

7. *Coma mais alimentos desintoxicantes.* Aumente a quantidade de alimentos desintoxicantes na dieta; entre eles, brócolis, couve-flor, couve-de-bruxelas, acelga, repolho, beterraba, cenoura, maçã, gengibre, cebola e aipo. Coma pelo menos cinco porções de frutas frescas e hortaliças por dia, em especial folhas verde-escuras, como espinafre, couve e acelga. Com relação às frutas, quanto mais brilhante e mais profunda sua cor, melhor; laranja, amoras e maçã são excelentes escolhas.

8. *Mexa-se!* A desagradável realidade é que, ao chegarem à meia-idade, as mulheres começam a perder naturalmente massa muscular, ou seja, nós, mulheres, não estamos apenas ganhando e armazenando gordura, estamos também perdendo massa muscular. Dois golpes de uma só vez. Por isso, à medida que envelhecemos, é importante começar a praticar alguma atividade física para manter massa muscular magra, que acelera o metabolismo. (Consulte no Capítulo 12 outras ideias para começar a se movimentar mais.)

Enquanto escrevo este livro, estou na minha quarta década de vida e na perimenopausa. Tive muitos sintomas desagradáveis de dominância estrogênica; entre eles acne, inchaço, depressão, ondas de calor, menstruação intensa e dolorosa, períodos irregulares, irritabilidade, perda de massa muscular, oscilações de humor, baixa concentração, distúrbios do sono, incontinência urinária e, o pior de todos para mim, ganho de peso rápido e sem explicação. Meu ganho de peso acelerado, na verdade, foi alarmante, considerando-se que meu estilo de vida e meus hábitos alimentares na época eram bastante saudáveis.

Fiz minhas pesquisas e adotei a terapia de reposição hormonal com hormônios bioidênticos, além de outros suplementos nutricionais e ervas. Hoje, não tenho problema com o envelhecimento. Adoro a fase da vida em que me encontro, pois tenho um corpo saudável, jovial e cheio de energia. Hormônios equilibrados proporcionam alegria, força e enorme saúde física e emocional. Aprendi com a experiência que uma mulher saudável é uma mulher cujos hormônios estão balanceados.

Se estiver frustrada em decorrência do aumento da sua circunferência, do formato de pera adquirido pelo seu corpo, do inchaço e da retenção de líquido, a terapia de reposição hormonal com hormônios bioidênticos e outros suplementos fundamentais podem ajudar a restaurar o equilíbrio hormonal e a função metabólica do corpo. A distribuição de gordura vai se normalizar e você vai começar a ver os quilos desaparecerem.

CAPÍTULO DEZESSEIS

Não é fã de exercícios? Experimente os "SEXexercícios"

Rotinas de "SEXexercícios" não só nos ajudam a entrar em forma como nos fazem sentir sexy novamente. Lembre-se de que os homens são criaturas muito visuais, e ter *sex appeal* não só lhe dará mais confiança na sua feminilidade como também a ajudará a atraí-los. Existem quatro tipos populares de SEXexercícios: pole dancing, dança do ventre, zumba e strip-tease.

Pole dancing

Embora o pole dancing esteja rapidamente se tornando uma atividade de fitness com ampla aceitação, ainda existem muitos conceitos equivocados sobre sua prática. O pole dancing permite que muitas mulheres aumentem sua confiança em si e sua autoestima, ao mesmo tempo que melhoram seu condicionamento físico e fortalecem a musculatura. Se conseguir superar o estigma associado ao pole dancing, você vai descobrir que se trata de uma excelente maneira de desenvolver enorme força muscular e de se divertir muito. A prática requer força significativa nos braços porque, na maior parte do tempo, é preciso usar os braços para erguer o próprio corpo. Os exercícios são variados e aumentam a flexibilidade e o tônus muscular; os movimentos da dança são sexy e fortalecem os músculos.

Embora o pole dancing seja associado a strippers, não há nudez durante as aulas, tampouco homens observando as praticantes da modalidade. Nas aulas, você encontrará mulheres de todas as idades e manequins dedicando-se ao pole dancing, voando no ar, girando para um lado e para outro, com pausas para breves brincadeiras. Durante toda a aula, as alunas aprendem diferentes exercícios no mastro e acabam realizando uma rotina completa. Muitas aproveitam as habilidades recém-adquiridas para oferecer ao namorado ou marido um agrado especial. Algumas escolhem o pole dancing para melhorar o condicionamento físico, aceitar a própria sexualidade ou simplesmente aumentar a autoconfiança. Qualquer que seja a motivação, elas normalmente saem das aulas sentindo-se sexy, sensuais e confiantes com relação ao próprio corpo. O pole dancing pode liberar sua sensualidade e lhe dar confiança para mostrar seu novo corpo.

Dança do ventre

A dança do ventre não é apenas bela e divertida; é também uma excelente forma de exercício. Tonifica os braços, fortalece e firma os músculos abdominais e oblíquos e aumenta a flexibilidade. Pode queimar praticamente o mesmo número de calorias que atividades como corrida, natação ou ciclismo, mas demanda menos do corpo do que o levantamento de peso e é mais divertido do que ir à academia para fazer esteira ou spinning.

A dança do ventre é uma forma de exercício muito diferente daquela com a qual você pode estar acostumada, pois é uma dança bela e sensual. O que a torna peculiar é o fato de ser uma experiência cultural. Pode-se aprender sobre suas origens no Oriente Médio e ao mesmo tempo queimar gordura, melhorar a flexibilidade e a postura e aumentar a sexualidade e feminilidade.

A dança do ventre é excelente para mulheres que almejam ter uma barriguinha sexy, pois é um exercício perfeito para a região abdominal, a cintura e a região do core (o centro do corpo). A dança do ventre confere uma dimensão inteiramente diferente à experiência de condicionamento físico.

Zumba

Zumba é um tipo de aula que vem recebendo muita atenção recentemente. Uma excelente maneira de firmar e tonificar os músculos, além de transpirar ao som de uma animada mistura de ritmos latinos, zumba incorpora treinamento aeróbico intervalado com movimentos de danças latinas, promovendo uma restauradora mudança em relação às rotinas aeróbicas tradicionais. Muitos são apaixonados pelos inúmeros benefícios da zumba para queimar gordura, tonificar os músculos e divertir-se. Nas aulas de zumba, que normalmente duram mais ou menos uma hora, podem-se queimar até 500 calorias e realmente acelerar o metabolismo. As aulas de zumba mais se assemelham à diversão do que a um exercício em si.

É fácil aprender os passos da dança. Os instrutores ensinam as rotinas básicas e, depois, passam a acrescentar movimentos mais complexos. Os movimentos dos ritmos usados nas aulas de zumba – como salsa, merengue, chá-chá-chá, mambo e passos aleatórios de zumba – ajudam a tonificar os músculos. As aulas parecem mais uma noite de diversão em um clube de dança latina do que uma rotina de exercícios, e sua popularidade aumenta a cada dia.

Strip-tease

O strip-tease é mais uma rotina de dança sedutora na qual as mulheres normalmente usam sapatos de salto agulha. Quando fiz aula de strip-tease, os mergulhos e movimentos giratórios repetitivos com as pernas de fato ajudaram a tonificar minhas pernas e coxas. Tanto as aulas de strip-tease quanto as de pole dancing são excelentes maneiras de aceitar sua sexualidade e simplesmente sentir-se mais sexy e mais atraente, o que vai se refletir em sua aparência. Existem vídeos que ensinam strip-tease – por exemplo Flirty Girl Fitness DVDs – para quem prefere se exercitar em casa em vez de frequentar um estúdio de dança.

O strip-tease é uma rotina de exercícios que você talvez prefira praticar na privacidade do seu lar. Assim, poderá se livrar de suas inibições. Quanto mais praticar, mais à vontade ficará em colocar para fora o seu lado sensual. A boa-nova é que a atividade realmente permite trabalhar os músculos durante os movimentos. Assim que se sentir à vontade com a rotina de strip-tease, você certamente vai querer mostrá-la à sua cara-metade. Tenho certeza de que ele vai adorar seu novo corpo enxuto e torneado, bem como a sua sensualidade. Quando ganhar confiança em seu corpo, seus movimentos serão belos e sensuais, e você caminhará com uma presença maravilhosa e sexual que tanto você mesma quanto seu companheiro vão apreciar.

CAPÍTULO DEZESSETE

Motivação para ter um novo corpo e ser uma nova mulher

Eu vi Terrel "Zero Body Fat" Ownes afirmar enfaticamente: "Eu me amo mesmo, de verdade." A afirmação foi feita com tanta paixão e convicção que eu soube na mesma hora que era sincera! Aquilo me fez refletir que eu realmente posso me amar mesmo, de verdade. Na minha opinião, a atitude tem que começar com o desenvolvimento de uma melhor relação comigo mesma.

Quando você se ama e tem confiança em quem é, começa a enviar aos outros um sinal de que tem valor e merece respeito. Amar a si mesmo envia uma mensagem clara de que você deve e merece ser reconhecida, celebrada, apreciada e amada. Às vezes, nossa noção de autovalorização ou autoestima é moldada por pessoas que fazem parte de nosso círculo mais íntimo. Em alguns desses círculos, familiares e membros da família destroem diariamente nossa autoestima. Mesmo que sejam seus familiares, tente se afastar o máximo possível de sua presença. Palavras que magoam negam qualquer progresso rumo à valorização pessoal e à autoestima.

Deixe o amor-próprio curar sua mente, seu corpo e seu espírito

O amor-próprio é fundamental para a manutenção de um peso saudável, ideal. O corpo tem uma capacidade natural de criar e manter o peso perfeito, desde que você respeite o seu verdadeiro eu. Pois, nesse seu verdadeiro eu, encontra-se tudo que é bom e ideal para você. Voltando ao seu verdadeiro eu, a pessoa que você realmente é, você chegará a um lugar onde todos os seus problemas de peso começarão a desaparecer. Somente o poder do amor poderá ajudá-la a encontrar o seu verdadeiro eu. É preciso entender o amor, um poder maior do que você mesma. Na verdade, é muito maior do que qualquer vício ou transtorno alimentar que você possa apresentar. Aprender a amar lhe permitirá a superar o poder do ódio, pois a verdade é que uma alimentação insalubre é um ato de ódio contra si próprio.

O poder do amor é perfeito, saudável, onisciente, curador e abundante. O poder do medo, por outro lado, é destrutivo, caótico e escasso. Expressa-se como um impostor, fazendo com que você contrarie sua própria natureza. É preciso crescer espiritualmente para entender tanto o poder do amor quanto o poder do medo. Ambos estão sempre presentes e ativos, mas um deseja sua saúde e felicidade, enquanto o outro deseja sua morte e destruição.

O amor-próprio é fundamental para a sobrevivência. Não existe relacionamento autêntico e bem-sucedido com os outros se não houver amor-próprio. Um poço seco nada tem a oferecer. O amor-próprio não é egoísta, tampouco satisfaz excessivamente apenas os próprios desejos. Precisamos cuidar primeiro de nossas necessidades para então podermos doar aos outros parte da nossa abundância. Você vai ter que amar a si mesmo e ao seu corpo. Não importa que se sinta gorda ou acima do peso, você precisa amar seu corpo agora, incondicionalmente. Se não puder amar seu corpo agora, não poderá amar a si mesma incondicionalmente. E se não puder amar seu corpo porque não gosta de sua aparência saiba que o fato de estar acima do peso talvez não seja, necessariamente, culpa sua. Porém, agora que você dispõe desses novos conhecimentos sobre alimentação saudável, é hora de se perdoar e perdoar aos outros para poder abrir mão do seu antigo corpo e seguir em frente rumo a um corpo mais saudável e mais esguio.

Quando entendemos o poder do amor, podemos, de fato, começar a amar a comida e fazer dela nossa aliada, não nossa inimiga. É o alimento que nos nutre e nos sustenta; é o alimento que fortalece nossas relações com familiares a amigos. O alimento foi feito para ser comido e desfrutado com prazer... e com moderação. Não se deixe escravizar pela comida. Para isso, é preciso comer quando se tem fome e deixar a comida de lado quando não se tem fome.

A única maneira de ter uma relação saudável com a comida é aprender a amá-la e garantir que o alimento que você ingere também a ame de volta: abasteça-a, nutra-a, sirva de sustento para sua saúde e vitalidade. Uma barra de chocolate não ama você – é lotada de açúcar e substâncias químicas processadas que fazem mal ao corpo. As pessoas que a produziram também não amam você – estão apenas tentando ganhar dinheiro com a venda de um produto. Substâncias químicas e alimentos industrializados causam problemas de saúde, doenças, alergias alimentares e outros males, nenhum dos quais eu classificaria como "amor". Assim, se ainda sentir vontade de comer uma barra de chocolate, isso simplesmente significa que você ainda está crescendo espiritualmente e não alcançou seu verdadeiro eu. Quando o fizer, não desejará alimentos que lhe sejam prejudiciais à saúde.

Os alimentos que amam você são aqueles que contribuem para a sua saúde e bem-estar, como frutas, nozes e sementes e hortaliças. Esses alimentos naturais e saudáveis fortalecem seu corpo e são capazes de combater doenças, tornando-a bela e vibrante. Alimentos naturais e saudáveis fortalecem o seu corpo, combatem doenças, restauram o organismo, deixam a pele mais bonita, revitalizam a mente, conferem energia, retardam o processo de envelhecimento e, assim que você reprogramar as suas papilas gustativas, têm um sabor muito melhor do que você esperava. Sua busca por alimentos saudáveis precisa ser incansável, pois alimentos que nos fazem mal estão prontamente disponíveis e são facilmente acessíveis. Em algumas situações, porém, aposto que você passou direto pela feira livre ou lojas de produtos naturais sem sequer prestar atenção. É hora de começar a prestar atenção a esses lugares e começar a mudar de vida.

Não se estresse com a tentativa de parar de comer alimentos que lhe fazem mal no início da sua jornada. Esse é um processo que envolve romper com vícios relacionados aos muitos alimentos prejudiciais que você ingere e acredita "amar" atualmente. Simplesmente esteja ciente de tudo o que está levando à boca e saiba que chegará um dia em que você deixará de amar alimentos que não a amam de volta.

No meu caso, fui superando meu vício em açúcar, doces e junk food aos poucos com atitudes graduais. Em vez de comer cookies de chocolate normais, feitos com açúcar branco refinado, comecei a comer cookies sem açúcar, preparados com adoçantes artificiais. Embora não fossem muito saudáveis, tanto devido à farinha branca quanto às gorduras trans ou adoçantes artificiais neles contidos, a prática me ajudou a romper com meu vício em açúcar branco refinado. Entretanto, alguns meses depois, assim que me conscientizei dos perigos dos adoçantes artificiais e das gorduras do tipo trans, parei de comê-los também. Você mesma encontrará a abordagem correta para realizar a transição mais adequada para uma alimentação mais saudável.

Há quem coma demais para lidar com sentimentos e emoções dolorosos. Estar acima do peso e comer demais tendem a ser um problema de relacionamento. A pessoa se esconde por trás dos problemas de peso. Constrói um muro em torno dela, fechando-se a novas amizades e novos amores.

Para começar a amar seu corpo e a si mesma, escreva declarações afirmativas em cartões e leia-as em voz alta todos os dias antes de sair para trabalhar:

1. Terei uma relação de amor com a comida. Sei que a comida é um dom de Deus e sou grata porque o alimento nutre meu corpo.
2. Sou grata pelo meu corpo e anseio por um corpo mais esguio e mais saudável que surgirá como consequência dos meus novos conhecimentos sobre alimentação saudável.
3. Não terei medo de subir na balança porque meu peso não é tão importante quanto minha saúde de um modo geral. Um corpo saudável é um corpo belo.
4. Não terei vergonha do meu corpo, pois ele simplesmente abriga meu eu espiritual e mental; não define quem realmente sou.
5. Perdoarei a mim e aos outros. Chega de discussões, chega de brigas, adeus estresse, fracasso e decepções.

Para dar o primeiro passo rumo ao amor-próprio, é preciso avaliar a sua autoimagem. Sua autoimagem vem dos pensamentos e sentimentos que você formou e integrou ao longo da vida e neles se reflete. Uma autoimagem ruim leva a um comportamento de fracasso e derrota pessoais que afeta negativamente seus relacionamentos e sua saúde em geral. Se você não tiver amor-próprio e não se considerar importante, os outros também não lhe darão importância. Se sentir-se indigno do tempo e esforço necessários para emagrecer, é pouco provável que você se torne mais saudável e mais feliz.

Se estiver constantemente preocupada com seu peso e tiver sempre pensamentos e sentimentos negativos que a deixam infeliz consigo mesma, é hora de romper esse ciclo. Quando se vir dizendo coisas negativas a você mesma ou sobre você mesma, pare e substitua esses pensamentos negativos por pensamentos positivos. Expresse os pensamentos positivos em voz alta. Assim, se estiver pensando "olha o tamanho da minha barriga!", pare e diga "estou muito animada para ver como vou ficar bonita depois que perder alguns quilos". Quanto mais você praticar esse método, mais vai começar a mudar sua vida interior.

Não deixe que os pensamentos negativos invadam sua mente. Faça questão de eliminá-los da sua cabeça e substituí-los por pensamentos estimulantes ou positivos. Além disso, é preciso dar ênfase aos pensamentos positivos. Não diga: "Espero emagrecer" ou "estou tentando emagrecer 15 quilos". Diga: "Eu *vou* emagrecer 15 quilos. Vou ter um corpo mais esguio que me faça sentir sexy." Você não está planejando, pretendendo ou esperando – você vai conseguir! Pensamentos e sentimentos têm um poder que pode tanto ajudar quanto prejudicar. Mudando sua forma de pensar, você vai mudar sua vida.

Cuidado com a alimentação emocional

Você recorre à comida quando está triste, magoada ou solitária? A alimentação emocional quase sempre leva a uma alimentação inadequada. Sem perceber, você pode se ver em um ciclo vicioso de "viver para comer", em lugar de "comer para viver". Assim como no caso das pessoas viciadas em drogas ou em álcool, não vale usar a comida como forma de escapar dos seus problemas! A comida deve ser vista pelo que é: combustível para o corpo, aquilo que nos confere energia e vitalidade.

Uma forma importante de abordar a questão da alimentação emocional é aprender a diferença entre fome emocional e fome física. Essa diferença é absolutamente fundamental.

Assim como podemos nos livrar dos resíduos tóxicos que se acumulam em nosso corpo, podemos nos livrar também de emoções tóxicas. Em vez de comer para esquecer os sentimentos ruins, precisamos processá-los e eliminá-los – exatamente como o corpo faz com a comida: reter os nutrientes necessários e livrar-se do restante.

Parte dessa eliminação das emoções negativas envolve o perdão: perdoar-se e aos outros. Os escritores Stephen Kendrick e Alex Kendrick discutem o perdão no livro *The Love Dare* nos seguintes termos:

O perdão não livra ninguém da culpa. Não limpa sua ficha com Deus. Simplesmente faz com que VOCÊ não tenha que se preocupar em encontrar maneiras de castigá-los. Quando você perdoa uma pessoa, não a está libertando, e sim entregando-a nas mãos de Deus, que é quem decidirá o que será feito dela, à Sua maneira. Ao perdoar, você se poupa o trabalho de discutir e brigar. Não se trata mais de ganhar nem perder. Perdoar é ESQUECER!

Dicas para manter a motivação

Para garantir o sucesso no Sistema DHEMM, é importante seguir estas dicas para manter a motivação e o comprometimento:

Perdoe-se. Você precisa se perdoar pelos hábitos alimentares prejudiciais e destrutivos adotados durante tantos anos. Ao lado de tantas outras pessoas, você simplesmente seguiu a dieta americana padrão. Porém, se não se perdoar, não poderá seguir em frente, emagrecer permanentemente e restaurar a saúde ideal. Além disso, é preciso também perdoar amigos, familiares e outros que lhe ofereceram uma alimentação insalubre ao longo dos anos, pois eles provavelmente o fizeram sem saber, fizeram o que de melhor podiam com as informações de que dispunham na época. Em dados momentos, você adotará opções alimentares ruins. Todos nós perdemos o controle e tomamos decisões ruins em relação à alimentação, mas é importante saber que uma decisão ruim não tem que se transformar em duas ou três. O segredo para emagrecer e manter a confiança está em diminuir a quantidade de decisões ruins que você toma diariamente.

Faça da sua saúde sua maior prioridade. É preciso mudar sua forma de pensar. Primeiro, decida que sua saúde é uma das maiores prioridades da sua vida. Saiba que seu corpo é naturalmente magro. Se preparar sua mente e absorver os conhecimentos oferecidos neste livro, você terá todo o poder necessário para se tornar o melhor de si e transformar todos os aspectos da sua vida. Mesmo que seja uma mãe atarefada ou uma alta executiva, saiba que a sua jornada rumo ao seu eu mais maravilhoso e belo começa hoje. É hora de tratar seu corpo como o seu maior presente. É hora de brilhar sendo a pessoa que você sempre foi destinada a ser. Quando temos uma energia saudável e positiva na vida, atraímos coisas impressionantes, como amor, alegria, sucesso e riqueza. Toda interação que ocorre no trabalho, na igreja, em casa ou nas ruas pode ser simplesmente magnética. Seja saudável, emagreça e veja sua vida começar a mudar. Para melhor.

Enumere as razões pelas quais deseja emagrecer. Leve a sério a elaboração desta lista, garantindo que cada razão reflita seus verdadeiros objetivos e desejos e que a lista seja significativa para você. As razões devem ser altamente pessoais, não destinadas a agradar qualquer outra pessoa além de si própria. Essas serão as suas motivações pessoais. Leia-as todos os dias. Talvez seja bom até pendurar a sua lista em local visível no trabalho ou levá-la com você na bolsa ou na carteira. Para manter o foco, será preciso lembrar a você mesma quais são essas motivações.

Visualize suas metas. Como será sua vida quando você for mais magra e mais saudável? Visualize-se com um corpo perfeito e acostume-se com a ideia de que, no final do programa, esse corpo será o seu. Tudo na vida é energia, inclusive os seus pensamentos. Pensamentos positivos atraem energia positiva. Pensamentos negativos atraem energia negativa. Você se torna aquilo que pensa. Se pensar em você mesma como uma mulher magra e saudável, vai começar a caminhar na direção de ser magra e saudável. Não se imagine como uma mulher acima do peso; visualize-se como uma mulher magra. Visualize-se tendo um corpo atraente, sexy, cheio de energia. Permita que seus pensamentos atuem junto com seus esforços de mudar seus hábitos alimentares, para assim acelerar o seu progresso, tendo tudo na sua vida trabalhando a seu favor, não contra você.

Tenha conversas positivas com você mesma. Pensamentos e sentimentos se transformam em ações, e ações transformam-se em realidade. Lembre-se, você está iniciando um novo capítulo na sua vida. Gostaria de estimulá-la neste exato momento para que você inicie a jornada. Muitos me perguntam: "Como faço para começar?" ou "Como chego lá?". Respondo que tudo começa com uma conversa positiva com você mesma. Pare de pensar e dizer coisas negativas sobre você. Você não é gorda, preguiçosa, feia nem doente. Seu verdadeiro eu é naturalmente magro, belo e saudável. Se tiver pensamentos negativos a respeito de si, atrairá pessoas e resultados negativos na vida. Se afirmar que nunca vai conseguir emagrecer, é exatamente isso que vai acontecer: você não vai conseguir emagrecer. Se disser que consegue emagrecer, seu subconsciente acreditará nisso e começará a direcionar suas ações rumo ao emagrecimento.

Não fique obcecada em se pesar todos os dias. Não deixe aquela balança no banheiro destruir a sua motivação. Pesar-se com frequência pode confundir; por isso, concentre-se no caimento das suas roupas. No longo prazo, a balança é confiável, mas suas leituras no dia a dia são imprecisas. As flutuações hormonais podem ser causadas por mudanças hormonais ou retenção de líquido e provocar decepções desnecessárias. Podem mostrar ganho e perda que não existem, porque as balanças mais básicas não diferenciam entre ganho e perda de gordura, músculo e água. Nosso peso também flutua bastante ao longo do dia; por isso, pesar-se muito pode causar confusão e decepção. Programe-se para pesar-se apenas uma vez por semana, sempre na mesma hora do dia, usando as mesmas roupas ou sem roupa (melhor ainda). Concentre-se em perder medidas e em como se sente, não apenas nos quilos. Este programa lhe permitirá fazer coisas maravilhosas pelo seu corpo e pela sua saúde. O número que aparece na balança cuidará de si. Satisfaça-se em emagrecer 500 gramas a um quilo por semana. Se conseguir, ao final de dois meses, terá emagrecido oito quilos.

Concentre-se em perder gordura corporal, não apenas peso. Tudo bem ter uma meta de peso e usá-la como diretriz, mas concentre-se também em medir a gordura corporal geral como percentual do peso geral. Isso garantirá que você perca gordura, não músculo. Percentuais de gordura corporal saudáveis para homens iniciam-se em aproximadamente 8%; para mulheres, 22%. Esses percentuais a manterão em uma faixa saudável e segura que reduzirá seus riscos de desenvolver doenças. Se só tiver em casa uma balança comum e quiser monitorar o seu peso em gordura, seria interessante investir em uma balança que o faça.

Nos Estados Unidos, uma balança dessas custa cem a duzentos dólares. Tenho um modelo da marca Tanita que mede peso, percentual de gordura corporal e massa muscular, ajudando-me a ter uma melhor noção da minha saúde em geral.

Assim que começar a medir sua gordura corporal, você poderá monitorar a perda daquilo que realmente deseja perder.

Tire uma foto! Analisar as fotos de um novo corpo "antes" e "depois" pode ser algo altamente motivador. Obviamente que você receberá comentários e elogios de amigos, familiares e colegas de trabalho; entretanto nada é tão especial quanto ver com os próprios olhos seu novo corpo belo e saudável. A saúde é importante, mas entendo sua necessidade de melhorar também sua aparência física.

Portanto, pegue a câmera e tire fotos em várias etapas de sua jornada rumo ao emagrecimento.

O motivo que faz com que algumas pessoas tenham uma aparência melhor e sintam-se melhores é o fato de se esforçarem para isso. Por que você acredita que as celebridades têm aparência tão maravilhosa apesar da idade? Porque se preocupam constantemente com a aparência. A vida de uma celebridade depende de uma boa imagem.

No entanto, qualquer pessoa pode se comprometer a ter uma aparência fabulosa o tempo todo.

Você pode fazer a escolha de comer alimentos saudáveis e naturais em lugar de junk food, manter-se ativa, beber muita água, descansar e relaxar bastante. Sim, é muito preciso mais do que esforço e disciplina para manter a boa aparência à medida que nos envelhecemos, mas você colherá os benefícios de ser o seu melhor e mais belo eu.

PARTE 5

MATERIAL ADICIONAL

CAPÍTULO DEZOITO

Dê o pontapé inicial no seu processo de emagrecimento com o Detox de 10 dias com sucos verdes

Se estiver tentando emagrecer, você ficará agradavelmente surpresa ao saber que os sucos verdes são uma excelente maneira de dar o pontapé inicial no seu processo de emagrecimento. Milhares de pessoas concluíram o Detox de 10 dias com sucos verdes, desenvolvido por mim, e que ganhou um livro próprio, para iniciar uma jornada rumo a um corpo enxuto e saudável para o resto da vida.

Na verdade, os sucos verdes constituem uma das maneiras mais fáceis de emagrecer, porque é possível obter os nutrientes essenciais em um só copo, sem calorias vazias. São pobres em calorias, mas ricos em nutrientes, o que significa que podem ser tomados em abundância, sem medo de engordar. São nutricionalmente seguros, na medida que contêm um bom equilíbrio de proteína/aminoácidos, bons carboidratos e gorduras saudáveis. Os sucos verdes são repletos de vitaminas benéficas, minerais, antioxidantes, substâncias anti-inflamatórias, fitonutrientes e muito mais. Além disso, têm alto conteúdo de fibra, o que ajuda a manter a saciedade e reduz o desejo súbito de comer. O sabor adocicado da fruta usada no suco compensa o sabor das folhas, gerando uma refeição saborosa e satisfatória que auxilia seus esforços de emagrecimento.

Se você é daquelas pessoas que desejam se sentir mais jovem e aparentar ter menos idade, saiba que, assim que adotar uma alimentação que mantenha suas células limpas e saudáveis, você começará a ter uma aparência radiante em qualquer idade. Quando começamos a beber sucos verdes, uma das primeiras mudanças que observamos é a qualidade da pele. Uma alimentação e uma vida saudável apagarão anos da nossa aparência, eliminarão rugas e manchas da pele, proporcionando-nos uma "segunda juventude". A pele ficará mais firme e a acne desaparecerá. Os olhos ficarão mais brilhantes. As olheiras e bolsas sob os olhos diminuirão, assim como desaparecerá também aquele amarelado dos olhos. Dentro do corpo, as células também vão rejuvenescer, fazendo com que os órgãos funcionem mais eficientemente.

Um benefício surpreendente dos sucos verdes é a melhora da digestão que proporcionam. A atual dieta americana padrão gerou todo tipo de problemas: azia, refluxo ácido, colite, doença de Crohn e síndrome do cólon irritável (SCI), para citar apenas alguns. A raiz da maior parte dos problemas digestivos está na baixa produção de ácido hidroclorídrico no estômago. Quando não há produção de ácido suficiente no estômago durante a digestão, grande parte dos alimentos que ingerimos passa pelo trato digestivo praticamente sem ser digerida, gerando gases, inchaço e outros transtornos digestivos. Como o alimento não digerido acumula-se sob a forma de placas no revestimento intestinal, cria-se um palco perfeito para o desenvolvimento de doenças. Alimentos industrializados, excesso de glúten e proteínas, frituras e outras gorduras insalubres são as principais razões por trás dos problemas digestivos que muitos enfrentam. Como os sucos verdes são totalmente liquefeitos, a maior parte do trabalho que o sistema digestivo normalmente precisaria fazer já foi feita. O corpo pode então assimilar e extrair com maior facilidade os nutrientes necessários para a saúde ideal.

Como os sucos verdes desintoxicam o organismo

Os sucos verdes fazem um excelente trabalho, ajudando-nos a desintoxicar o organismo. Os sucos verdes são ricos em clorofila, cuja estrutura é semelhante à da hemoglobina no sangue humano. Assim, tomar um suco verde é mais ou menos como receber uma transfusão de sangue para limpeza.

A realidade é que é possível ajudar o corpo a desintoxicar e eliminar toxinas que causam ganho de peso e prejudicam a saúde. Você pode e deve desintoxicar e limpar seu organismo se quiser viver melhor, e viver mais. Depois que utiliza nutrientes dos alimentos que ingerimos, o corpo precisa descartar as partículas de alimentos que não foram aproveitadas e os resíduos gerados pelo processo digestivo. Sem a eliminação adequada e completa, os alimentos que não foram digeridos podem voltar e deixar toxinas e resíduos no corpo. Porém, graças aos sucos verdes, é possível obter as fibras necessárias à limpeza do corpo, tonificar o sistema digestivo e eliminar toxinas.

Vários são os fatores que contribuem para o ganho de peso; um dos mais negligenciados pelas dietas tradicionais é a sobrecarga tóxica. Simplificando, as pessoas costumam ter dificuldade de emagrecer porque seu organismo está repleto de toxinas. Quanto mais toxinas ingerimos ou às quais somos expostos todos os dias, mais toxinas acumulamos sob a forma de células de gordura no sangue. Quando sobrecarregado de toxinas, o corpo transfere a energia do processo de queima de calorias para a tentativa de desintoxicar o corpo. Em outras palavras, o corpo não tem energia para queimar calorias. No entanto, quando o corpo elimina as toxinas eficientemente, a energia pode ser usada para queimar gordura.

Os sintomas a seguir indicam a presença de excesso de toxinas no corpo: inchaço, constipação, indigestão, baixa energia, fadiga/cansaço mental, depressão, ganho de peso, dor crônica, infecções, alergias, dor de cabeça e problemas digestivos/intestinais.

Para quem deseja emagrecer e não voltar a engordar, é fundamental desintoxicar-se para romper o vício em alimentos que engordam e fazem mal à saúde. Os métodos de dieta que envolvem resistir a alimentos durante um período e depois voltar aos antigos hábitos alimentares sempre nos fazem recuperar todo o peso perdido. Portanto, o objetivo é romper com o vício em alimentos que lhe fazem estar acima do peso para que você não sinta mais vontade de comê-los. Os sucos verdes fazem um excelente trabalho de reduzir a vontade súbita de comer e romper com vícios em alimentos que fazem mal.

Outra razão pela qual as dietas tradicionais costumam fracassar é o fato de não abordarem os resíduos tóxicos no organismo. Contar calorias, isoladamente, não basta para desintoxicar e limpar o corpo. O emagrecimento não será permanente se os sistemas do seu corpo forem preguiçosos ou estiverem impactados por matéria residual, sofrerem de sobrecarga tóxica ou, ainda, se seus órgãos não estiverem funcionando eficientemente. No Sistema DHEMM, garantimos que você elimine as toxinas e o excesso de resíduos em primeiro lugar para então garantir que ele possa utilizar e metabolizar melhor os alimentos ingeridos.

Uma receita de suco verde para você iniciar sua jornada rumo ao emagrecimento

Para que você constate como é simples preparar um suco verde, aqui está uma receita para experimentar. Você não levará nem cinco minutos para prepará-lo, e a limpeza após o preparo também é rápida e fácil.

Abacaxi com pêssego
3 punhados de folhas de espinafre
2 xícaras de água
2 xícaras de pedaços grandes de abacaxi congelado
2 xícaras de pêssego
2 sachês de estévia
2 colheres (sopa) de sementes de linhaça moídas

Modo de preparo:
Leve ao liquidificador o espinafre e a água; bata até obter a consistência de suco. Desligue o liquidificador e acrescente os outros ingredientes. Volte a bater até obter uma mistura cremosa.

Apêndice

Um cardápio de refeições e receitas para sete dias

Este cardápio para sete dias que inclui receitas serve como base para que você possa dar início aos 21 dias da fase de detox do Sistema DHEMM. As sugestões de cardápio e as receitas aqui apresentadas o ajudarão a se concentrar em alimentos que limpam e desintoxicam o corpo enquanto você reprograma as suas papilas gustativas para passarem a desejar alimentos naturais e saudáveis que ajudam a emagrecer e manter a saúde!

Cardápio para sete dias

Dia um
- Café da manhã:

Mingau de aveia com manteiga de amêndoas
- Almoço:

Pilaf de quinoa
- Jantar:

Salada de espinafre com maçã e nozes
- Lanches:

1 maçã
Pipoca com pouco sal

Dia dois
- Café da manhã:

Queijo cottage com frutas vermelhas
- Almoço:

Sopa de feijão-branco com cevada
Crackers integrais

- Jantar:
Salada de espinafre com molho vinagrete
- Lanches:
1 xícara de morango
Pasta de amendoim (sem açúcar) com aipo

Dia três
- Café da manhã:
Parfait de frutas vermelhas com granola
- Almoço:
Salada de feijão-preto com quinoa
- Jantar:
Pimentão recheado com hortaliças e feijão-fradinho
- Lanches:
1 xícara de mirtilos
1 iogurte natural com frutas vermelhas

Dia quatro
- Café da manhã:
Cereal de grãos integrais
Leite de amêndoas sem açúcar
- Almoço:
Tomate com espinafre sauté
- Jantar:
Stir-fry de folhas
- Lanches:
1 laranja
1 ovo cozido

Dia cinco
- Café da manhã:
Mingau de aveia básico com coberturas

- Almoço:
Salada Caesar básica
- Jantar:
Stir-fry de hortaliças marinadas com arroz integral
- Lanches:
1 maçã
Pipoca com pouco sal

Dia seis
- Café da manhã:
Granola sabor canela
- Almoço:
Salada de pepino com tomate
- Jantar:
Tofu grelhado
Batata-doce frita
Salada verde
- Lanches:
1 xícara de framboesa
1 xícara de cenoura

Dia sete
- Café da manhã:
Cereal de grãos integrais
Leite de amêndoas sem açúcar
- Almoço:
Ensopado de feijão-fradinho com couve-manteiga
- Jantar:
Stir-fry de hortaliças marinadas com arroz integral
- Lanches:
1 pera
Manteiga de amêndoas sem açúcar com aipo

Receitas para o cardápio de sete dias

Pilaf de quinoa

- Ingredientes:

1 xícara de quinoa crua
1 xícara de lentilha vermelha cozida
1 pimentão vermelho médio, picadinho
¼ xícara de uva-passa
2 colheres (sopa) de azeite de oliva extravirgem
¼ xícara de suco de laranja (o melhor é usar o suco feito na hora)
¼ xícara de vinagre de cidra de maçã
2 dentes de alho, descascados e finamente picados
2 colheres (chá) de molho tamari
1 colher (chá) de sementes de cominho
½ colher (chá) de pimenta-malagueta em flocos
½ colher (chá) de sal marinho ou a gosto
½ xícara de castanha de caju torrada, picadinha

- Modo de preparo:

1. Lave e cozinhe a quinoa em 2 xícaras de água durante 10 minutos; escorra e espere esfriar.
2. Misture todos os outros ingredientes, exceto a castanha de caju, em uma vasilha grande.
3. Na hora de servir, acrescente a castanha.

Salada de espinafre com maçã e nozes

- Ingredientes:

½ xícara de nozes picadas
1 maçã sem casca e sem sementes, cortada em pedaços médios

2 colheres (sopa) de azeite extravirgem
2 colheres (sopa) de vinagre de vinho branco
1 colher (sopa) de mel
4 colheres (sopa) de suco de limão
½ colher (chá) de sal marinho
½ colher (chá) de pimenta-do-reino moída na hora
3 colheres (sopa) de cebola roxa picadinha
2 maçãs verdes grandes fatiadas
2 colheres (sopa) de uva-passa branca
170 gramas de espinafre baby, lavado
90 gramas de queijo de cabra esfarelado

- Modo de preparo
1. Torre as nozes em uma frigideira antiaderente grande em fogo médio, mexendo a cada 3 a 4 minutos. Transfira para um prato e espere esfriar.
2. Misture o azeite, vinagre, mel, sal marinho e pimenta em uma saladeira.
3. Acrescente a cebola, a maçã fatiada e a uva-passa primeiro, depois o espinafre. Misture bem o molho.

Salpique as nozes e o queijo de cabra antes de servir.

Queijo cottage com frutas vermelhas
- Ingredientes:

½ xícara de queijo cottage light
¼ xícara de mirtilos
¼ xícara de morangos frescos picados
¼ xícara de nozes
Misture todos os ingredientes em uma vasilha e sirva.

Sopa de feijão-branco com cevada

- Ingredientes:

8 xícaras de caldo de vegetais
4 colheres (sopa) de orégano fresco
4 talos de aipo
3 cenouras grandes
½ quilo de ervilhas congeladas
2 latas de feijão-branco
½ xícara de cevada cozida
Sal marinho

- Modo de preparo:
1. Leve ao fogo o caldo de vegetais, orégano, aipo, cenoura e ervilha e aguarde levantar fervura.
2. Assim que as hortaliças estiverem cozidas (macias ao toque), acrescente o feijão-banco e cozinhe o tempo necessário para aquecê-lo.
3. Coloque a cevada cozida em uma vasilha e cubra com a sopa. Tempere com sal marinho a gosto.

Salada de espinafre com molho vinagrete

- Ingredientes:

6 xícaras de espinafre baby
1 xícara de morangos limpos
¼ xícara de sementes de abóbora tostadas

Molho vinagrete:
¼ xícara de azeite extravirgem
2 colheres (sopa) de vinagre de vinho tinto
1 colher (chá) de mostarda de Dijon

1 colher (chá) de néctar de agave
1 pitada de sal marinho

- Modo de preparo:
1. Coloque o espinafre e ½ xícara dos morangos em uma vasilha grande.
2. Em uma vasilha pequena, misture os ingredientes do molho vinagrete.
3. Despeje sobre a salada, misturando bem o molho.
4. Acrescente os morangos restantes e as sementes de abóbora.

Parfait de frutas vermelhas com granola
- Ingredientes:

1 banana fatiada
½ xícara de mirtilos
½ xícara de framboesas
1 pote de iogurte de soja
1 ½ xícara de granola

- Modo de preparo:
1. Em duas taças altas, vá alternando as camadas de banana, mirtilos, framboesas, iogurte e granola.
2. Sirva imediatamente.

Salada de feijão-preto com quinoa
- Ingredientes:

1 pimentão vermelho cortado em cubinhos
1 xícara de cebolinha verde picada
1 manga descascada e picada em pedaços pequenos

1 xícara de salsa fresca picadinha
2 colheres (sopa) de vinagre de vinho tinto
2 colheres (sopa) de óleo de semente de uva
¼ colher (chá) de sal
2 xícaras de quinoa cozida
1 lata de feijão-preto

- Modo de preparo:
1. Misture o pimentão vermelho, a cebolinha verde, a manga e a salsa em uma vasilha média.
2. Acrescente o vinagre de vinho tinto, o óleo de semente de uva e o sal marinho, misturando bem.
3. Adicione a quinoa e misture todos os ingredientes. Vá acrescentando delicadamente o feijão-preto.
4. Sirva à temperatura ambiente ou leve à geladeira antes de servir.

Pimentão recheado com hortaliças e feijão-fradinho

- Ingredientes:

4 pimentões vermelhos grandes, cortados ao meio no sentido do comprimento
2 colheres (sopa) de azeite de oliva extravirgem
1 cebola média picadinha
1 xícara de cenouras em cubos
2 pimentas jalapeño em fatias bem finas
4 dentes de alho picadinhos
2 folhas de louro
1 colher (chá) de orégano desidratado
1 colher (chá) de manjericão desidratado
2 colheres (chá) de páprica

3 talos de tomilho fresco
1 colher (chá) de sal marinho
1 lata de tomate pelado, em cubos
2 latas de feijão-fradinho, escorrido e lavado
½ xícara de salsa fresca picadinha

- Modo de preparo:
1. Aqueça o forno a 170°C e unte com azeite uma forma de cerca de 22x33 centímetros.
2. Leve a ferver uma panela grande com água e acrescente o pimentão vermelho. Afervente por 5 minutos; escorra e reserve.
3. Em fogo médio-alto, aqueça o óleo em uma frigideira grande e refogue a cebola, a cenoura e a pimenta jalapeño por 5 minutos. Acrescente o alho e refogue por mais 5 minutos.
4. Adicione as outras ervas, temperos e o sal marinho, refogando por mais um minuto.
5. Junte o tomate e o feijão-fradinho, mexa, tampe e cozinhe por 10 minutos; em seguida, misture a salsa.
6. Retire e descarte as folhas de louro e os raminhos de tomilho. Com o auxílio de uma colher, recheie cada metade do pimentão com a mistura de hortaliças.
7. Transfira as metades de pimentão recheado para a forma untada e leve ao forno por 25 minutos.

Tomate com espinafre sauté

- Ingredientes:

1 cebola pequena picadinha
2 colheres (sopa) de óleo de girassol
2 colheres (chá) de gengibre fresco ralado na hora
3 dentes de alho picadinhos

1/2 colher (chá) de sal marinho
2 tomates italianos sem sementes cortados em cubos
1 maço de espinafre baby
½ limão

- Modo de preparo:
1. Leve uma frigideira grande ao fogo médio-alto e refogue a cebola no óleo por 2 minutos.
2. Junte o gengibre, o alho e o sal e refogue por mais 30 segundos.
3. Acrescente o tomate e refogue por mais uns 2 minutos.
4. Adicione o espinafre e cozinhe até murchar, acrescentando um pouco de água para não deixar o espinafre pegar no fundo da panela nem queimar.
5. Tempere com sal e limão, e sirva.

Stir-fry de folhas
- Ingredientes:

500 gramas de hortaliças verdes folhosas (como couve-manteiga, acelga, espinafre, mostarda em folha, dente-de-leão etc.)
2 colheres (sopa) de óleo de amendoim
3 dentes de alho picadinhos
1 pedaço de gengibre fresco de mais ou menos 1 cm, descascado e ralado

- Modo de preparo:
1. Lave e seque as folhas. Corte-as em pedaços pequenos.
2. Aqueça em fogo médio-alto uma frigideira grande antiaderente com o óleo de amendoim e acrescente o alho e o gengibre.
3. Cozinhe por alguns minutos, mexendo constantemente, ou até os talos começarem a ficar macios.

Mingau de aveia básico

- Ingredientes:

1 ¼ xícara de água
1 pitada de sal marinho (opcional)
1 xícara de aveia trilhada
¼ a ½ colher (chá) de estévia em pó (ou a gosto)
Coberturas (leite de amêndoas sem açúcar, frutas vermelhas, amêndoas, uva-passa, canela)

- Modo de preparo:

1. Coloque a água e o sal em uma panela média e leve ao fogo; assim que levantar fervura, adicione a aveia.
2. Reduza o fogo e cozinhe durante 5 minutos, mexendo quando necessário.
3. Tire do fogo, tampe e deixe descansar por 4 a 5 minutos.
4. Salpique a estévia e acrescente qualquer outro ingrediente das coberturas mencionadas.

Salada Caesar básica

- Ingredientes:

2 dentes de alho amassados
1 colher (chá) de sal marinho
¼ xícara de azeite de oliva extravirgem
1 colher (sopa) de suco de limão espremido na hora
1 colher (chá) de vinagre de cidra de maçã
1 colher (chá) de mostarda em pó
1 colher (chá) de molho inglês
1 colher (chá) de pasta de anchova
1 alface romana, picada em pedaços grandes
1/3 xícara de queijo parmesão ralado
Croutons de pão integral (opcional)

- Modo de preparo:
1. Em uma vasilha grande, própria para salada, misture o alho, o sal marinho, o azeite, o suco de limão, o vinagre, a mostarda, o molho inglês e a pasta de anchova.
2. Adicione a alface e misture tudo muito bem.
3. Salpique o queijo parmesão por cima.
4. Junte os croutons.

Stir-fry de hortaliças marinadas com arroz integral

- Ingredientes:

3 colheres (sopa) de azeite de oliva extravirgem
½ xícara de vinagre balsâmico
1 colher (chá) de orégano fresco, picado
1 dente de alho amassado
¼ colher (chá) de coentro moído
¼ colher (chá) de cominho moído
¼ colher (chá) de sal marinho
¼ colher (chá) de pimenta-do-reino moída na hora
1 colher (chá) de xarope de agave
1 cebola grande em fatias finas
4 cenouras médias em fatias finas
2 abobrinhas médias em fatias finas
2 pedaços médios de abóbora em fatias
2 pimentões vermelhos médios em pedacinhos
2 xícaras de arroz integral cozido

- Modo de preparo:
1. Em uma vasilha grande, misture 1 colher (sopa) do azeite, o vinagre, o orégano, o alho, o coentro, o cominho, o sal marinho, a pimenta e o xarope de agave.
2. Adicione todas as hortaliças e reserve por 30 minutos.
3. Escorra as hortaliças e guarde a marinada.

4. Em uma frigideira grande, aqueça as 2 colheres de azeite restantes.
5. Cozinhe a cebola e a cenoura, mexendo constantemente, durante mais 2 ou 3 minutos.
6. Junte a abobrinha e a abóbora, mexendo sem parar, por uns 5 a 7 minutos.
7. Acrescente o pimentão e cozinhe por mais um minuto sem parar de mexer.
8. Acrescente 2 a 3 colheres (sopa) da marinada restante às hortaliças e mexa constantemente, até as hortaliças e a marinada esquentarem, o que deve levar mais 1 a 2 minutos.
9. Sirva sobre o arroz integral cozido.

Granola com canela

- Ingredientes:

3 xícaras de aveia trilhada
½ xícara de nozes picadas
2 colheres (chá) de canela
¼ xícara de néctar de agave
½ xícara de purê de maçã sem açúcar

- Modo de preparo:

1. Preaqueça o forno a 165°C.
2. Coloque a aveia e as nozes em uma vasilha e misture bem; em seguida, acrescente todos os ingredientes restantes e misture.
3. Despeje o purê de maçã e o néctar de agave na vasilha com a aveia e misture tudo muito bem.
4. Espalhe a mistura sobre um tabuleiro forrado com papel--manteiga e leve a assar por 45 a 60 minutos, mexendo a cada 10 a 15 minutos para não deixar queimar.

5. Quando a granola estiver seca e adquirir uma coloração dourada, está pronta. Espere esfriar antes de servir.

Salada de pepino com tomate
- Ingredientes:

5 xícaras de tomate
2 pepinos pequenos
1 abacate sem caroço, descascado
1/4 cebola roxa picadinha
1/4 xícara de manjericão fresco picadinho
1 colher (sopa) de vinagre de vinho tinto
2 colheres (sopa) de azeite extravirgem
Sal marinho e pimenta-do-reino moída na hora

- Modo de preparo:
1. Pique o tomate, o pepino e o abacate em pedaços de tamanho médio e misture em uma vasilha.
2. Em outra vasilha, separada, misture a cebola, o manjericão, o azeite, o sal e a pimenta a gosto.
3. Despeje o molho da salada sobre os tomates e sirva.

Tofu grelhado
- Ingredientes:

½ quilo de tofu extrafirme
¼ xícara de água
2 dentes de alho amassados
3 colheres de sumo de limão espremido na hora
2 colheres (sopa) de molho de soja
Spray culinário de azeite

- Modo de preparo:
1. Acenda o forno na função grelhar.
2. Aperte o tofu (não é preciso espremer, é só apertar um pouco para retirar parte da umidade).
3. Corte o tofu em triângulos (rende uns 16 triângulos).
4. Misture os ingredientes restantes (exceto o tofu) em uma vasilha pequena.
5. Unte com o spray culinário um tabuleiro ou um refratário, mergulhe cada pedaço de tofu no molho e disponha no tabuleiro.
6. Leve ao forno e asse por 10 minutos, até o tofu ficar ligeiramente dourado.
7. Tire do forno, despeje algumas colheres do molho por cima e torne a levar ao forno por mais 3 minutos. Repita até o tofu estar bem douradinho. Tire do forno e sirva.

Batata-doce frita

- Ingredientes:

1 colher (chá) de folhas de alecrim
1 colher (sopa) de azeite extravirgem
2 batatas-doces médias
¼ colher (chá) de sal marinho

- Modo de preparo:
1. Preaqueça o forno a 220°C.
2. Misture o azeite com as folhas de alecrim em uma vasilha pequena e reserve.
3. Lave bem a batata e corte em fatias de mais ou menos meio centímetro no sentido do comprimento; empilhe duas fatias e corte ao meio.
4. Em uma vasilha grande, mistura bem as fatias de batata-doce com a mistura de azeite e alecrim.

5. Arrume as fatias de batata em um tabuleiro grande, forrado com papel-manteiga, em uma só camada.
6. Asse por 30 a 35 minutos, virando-as na metade do tempo, até que dourem ligeiramente.
7. Tire do forno, tempere com sal e sirva quente.

Ensopado de feijão-fradinho com couve-manteiga
- Ingredientes:

4 xícaras de caldo de vegetais com pouco sódio
8 xícaras de couve-manteiga lavada e picada
1 lata grande de tomates pelados (sem sal) cortados em cubos
1 lata grande de feijão-fradinho cozido, lavado e escorrido
Pimenta-do-reino moída na hora

- Modo de preparo:

1. Misture o caldo e 2 xícaras de água em uma caçarola grande e espere levantar fervura.
2. Acrescente a couve-manteiga, tampe, reduza o fogo e cozinhe em fogo baixo durante 15 minutos.
3. Acrescente o tomate em cubos e espere voltar a ferver.
4. Tampe e cozinhe em fogo baixo até o tomate ficar macio.
5. Junte o feijão-fradinho e cozinhe em fogo baixo por uns 2 minutos até aquecer bem.
6. Tempere com a pimenta e sirva imediatamente.

Glossário

Açúcar – Conhecido também como açúcar refinado, o açúcar banco passa por um processo de "refino" destinado a extrair a sacarose (açúcar) de material vegetal. Os açúcares refinados são absorvidos rapidamente após o consumo, causando danos à saúde e colocando-nos em risco. Embora ao pensarmos em açúcar refinado pensemos imediatamente no açúcar branco de mesa, na realidade existem diversos tipos de açúcares refinados; entre eles, xarope de milho rico em frutose, dextrose (açúcar do milho), maltose (açúcar do malte), lactose (açúcar do leite), adoçante de milho, açúcar mascavo, açúcar demerara, açúcar de confeiteiro e melado.

Caloria – Da mesma maneira como a gasolina abastece os nossos automóveis, as calorias são as unidades de energia que abastecem o nosso corpo. As calorias vêm dos alimentos que ingerimos. Quando nos alimentamos, o organismo "quebra" os alimentos, transformando-os em energia. Segundo uma definição mais científica, caloria é a quantidade de energia necessária para elevar a temperatura de um grama de água em um grau Celsius em temperaturas normais.

Carboidratos – Os carboidratos, em especial aqueles encontrados em sua forma natural, contêm a maior parte dos nutrientes essenciais que nos mantêm saudáveis, nos conferem energia e aceleram nosso metabolismo. Alguns exemplos seriam frutas, hortaliças, grãos integrais, leguminosas, oleaginosas e sementes.

Existem dois tipos de carboidratos:
- *Os carboidratos complexos*, que encontrados em hortaliças, oleaginosas, frutas, sementes e grãos, incluem amidos e fibras alimentares. Sua absorção é mais lenta do que a dos carboidratos simples, o que ajuda o corpo a manter níveis de açúcar mais estáveis.
- *Os carboidratos refinados* (conhecidos também como carboidratos ou açúcares simples) são frutas, hortaliças ou grãos que foram processados e não mais se encontram em seu estado natural; por exemplo, farinha branca. O processamento elimina dos carboidratos refinados grande parte de suas vitaminas e minerais.

Fibras – Composto encontrado em alimentos de origem vegetal. A fibra é a parte indigerível das frutas, hortaliças e cereais. Existem dois tipos de fibras:

- *As fibras solúveis*, as quais são decompostas em água, formando um gel espesso. Entre algumas fontes alimentares de fibras solúveis estão maçã, laranja, pêssego, oleaginosas, cevada, beterraba, cenoura, *cranberries*, lentilha, aveia, farelo e ervilha. As fibras solúveis retardam a absorção de alimentos após as refeições e, assim, ajudam a regular os níveis sanguíneos de glicose e insulina, reduzindo o armazenamento de gordura no corpo. Além disso, eliminam toxinas indesejadas, reduzem o colesterol e diminuem o risco de doenças cardíacas e cálculos biliares.
- *As fibras insolúveis,* que não se dissolvem na água, tampouco são decompostas no sistema digestivo. Passam praticamente intactas pelo trato gastrointestinal. Exemplos de fontes alimentares de fibras insolúveis seriam hortaliças

verdes folhosas, sementes e oleaginosas, casca de fruta, casca de batata, casca de hortaliças, farelo de trigo e grãos integrais. As fibras insolúveis não só promovem o emagrecimento e aliviam a constipação, como também auxiliam a eliminação de substâncias cancerígenas da parede intestinal. Ajudam a impedir a formação de cálculos biliares, ligando-se aos ácidos da bile e removendo o colesterol antes da formação de cálculos; por isso, são especialmente benéficas para pessoas com diabetes ou câncer de cólon.

Proteínas – As proteínas são necessárias à estrutura, função e regulação das células, tecidos e órgãos do corpo. São compostas de aminoácidos que executam funções peculiares e fornecem componentes essenciais aos músculos, pele, ossos e ao corpo como um todo. Entre as fontes de proteína, podemos citar leguminosas, ovos, oleaginosas, sementes, aves magras, carne vermelha, peixes e frutos do mar. O consumo adequado de proteína ajuda a preservar massa muscular magra; quanto maior a quantidade de massa muscular magra, mais calorias queimamos, mesmo em repouso. A ingestão de proteína equilibra os níveis de açúcar no sangue, para que não haja grandes alterações na energia ao longo do dia.

Suco verde – Nome que se atribui a uma bebida preparada basicamente com folhas verdes. Os sucos verdes são ricos em fibras e vitaminas e têm poucas calorias. Ajudam a desintoxicar e limpar o sistema, emagrecer, ter mais energia e alcalinizar o organismo. Quando tomamos sucos verdes, os nutrientes chegam rapidamente às células, fortalecendo o organismo.

Toxina – Qualquer substância que irrite ou crie feitos danosos no corpo ou na mente. As toxinas estão por toda parte e, sem termos consciência, todos os dias enchemos nosso corpo de toxinas. Existem dois tipos de toxinas: as toxinas ambientais e as toxinas internas.

- *As toxinas ambientais* são encontradas fora do corpo/mente e incluem poluentes, *smog*, medicamentos, hormônios/anticoncepcionais orais, produtos de limpeza doméstica, aditivos alimentares e pesticidas.

- *As toxinas internas* são encontradas dentro do corpo/mente e incluem supercrescimento de bactérias/fungos/leveduras, infecções por parasitas, preocupação ou medo crônicos, alergias alimentares e implantes dentários ou médicos, como implantes de cirurgias estéticas, próteses articulares ou obturações de mercúrio.

Bibliografia

Bach, Peter B. (2010). "Postmenopausal Hormone Therapy and Breast Cancer". *JAMA* 304(15):1719–1720.

Baillie-Hamilton, Paula F. (2002). "Chemical Toxins: A Hypothesis to Explain the Global Obesity Epidemic". *The Journal of Alternative and Complementary Medicine* 8(2).

Bonds, Denise E; Zaccaro, Daniel J., Karter, Andrew J., Selby, Joe V. Saad, Mohammed e Goff, Jr. David C. (2009). "Ethnic and Racial Differences in Diabetes Care: The Insulin Resistance Atherosclerosis Study". Wake Forest University School of Medicine, Medical Center Boulevard, Winston-Salem.

Braun, Barry (fevereiro de 2010). "Low Intensity Ambulation". *Newsletter* do American College of Sports Medicine.

Burroughs, Stanley (1976). *The Master Cleanser: With Special Needs and Problems*. Reno, NV: Burroughs Books.

Church, Timothy S., Earnest, Conrad P., Skinner, James S. e Blair, Steven (2007). "Effects of Different Doses of Physical Activity on Cardiorespiratory Fitness Among Sedentary, Overweight or Obese Postmenopausal Women with Elevated Blood Pressure". *JAMA* 297(19):2081–2091.

Cloud, John (agosto de 2009). "Why Exercise Won't Make You Thin". *Time*.

Glickman, Peter, e Garcia, Carlos (2011). *Lose Weight, Have More Energy and Be Happier in 10 Days: Take Charge of Your Health with the Master Cleanse*. Clearwater, FL: Peter Glickman.

Hill, James O. et. al. (2003). "Obesity and the Environment: Where Do We Go from Here?". *Science* 299 (5608):853–855.

Holford, Patrick, e Joyce, Fiona McDonald (2010). *The 9-Day Liver Detox Diet: The Definitive Diet that Delivers Results*. Nova York: Crown Publishing Group.

Imbeault, P. (2002). "Weight-Loss induced in plasma pollutant is associated with reduced skeletal muscle oxidative capacity". *American Journal of Physiology-Endocrinology and Metabolism* 282(3):E574–79.

Katzmarzyk, Peter T. (2011). "Black women can carry more weight than white women and still be considered healthy". *Reuters Health*.

Kendrick, Alex, e Kendrick, Stephen. (2008). *The Love Dare*. TN: B&H Books.

Koh-Banerjee. (2004). "Whole grains and less weight gain". *American Journal of Clinical Nutrition*, 80:1237–1245.

Kuk, Jennifer L., Katzmarzyk, Peter T., Nichaman, Milton Z., Church, Timothy S., Blair, Steven N. e Ross, Robert (2006). "Visceral Fat Is an Independent Predictor of All-cause Mortality in Men". *Obesity*.

Lee, Dr. John, e Hopkins, Virginia (2006). *Dr. John Lee's Hormone Balance Made Simple: The Essential How-to Guide to Symptoms, Dosage, Timing, and More*. Nova York: Grand Central Life & Style.

Lenoir, M., Serre, F., Cantin, L., e Ahmed, S. H. (2007). "Intense sweetness surpasses cocaine reward". *PLoS ONE* 2: e698.

Ogden, C., Fryar, C., Carroll, M., e Flegal, K. (2004). "Mean body weight, height, and body mass index in the United States, 1960–2002: Advanced Data from Vital and Health Statistics". *National Center for Health Statistics*.

Pelletier, C. (2002). "Toxicological Sciences: Associations between weight-loss induced changes in plasma organochlorine concentrations, serum t3 concentration, and resting metabolic rate".

Pestic, Monit J. (1986). Environmental Protection Agency National Human Adipose Tissue Survey. *National Human Adipose Tissue Survey Specimens Volume III*. 6 de setembro (2):84–88.

Platt, Michael B. (2007). *The Miracle of Bio-Identical Hormones*. CA: Claney Lane Publishing.

Rahman, Mahbubur, e Berenson, Abbey. (2010). Accuracy of current body mass index obesity classification for white, black and Hispanic reproductive-age women. *Obstet Gynecol* 115(5): 982–988.

Robinson, Jo (2000). *Why Grassfed Is Best! The Surprising Benefits of Grassfed Meats, Eggs, and Dairy Products*. WA: Vashon Island Press.

Somers, Suzanne (2006). *Ageless: The Naked Truth About Bioidentical Hormones*. Nova York: Crown Publishing Group.

Somers, Suzanne, e Greene, Robert A. (2005). *The Sexy Years: Discover the Hormone Connection: The Secret to Fabulous Sex, Great Health, and Vitality for Women and Men*. Nova York: Crown Publishers.

Watson, Brenda (2007). *The Fiber35 Diet: Nature's Weight Loss Secret*. Nova York: Free Press.

Wurtman, R. J., e Wurtman, J. (1995). "Brand serotonin, carbohydrates, obesity, and depression." *Obesity Research* 4: 477S–480S.

Agradecimentos

Mamãe e papai, obrigada por me dar todas as oportunidades para ter sucesso na vida. Vocês dois me deram sabedoria, força e coragem, e me fizeram conhecer a Deus quando eu era pequena, querendo ou não. Mãe, você me oferece o modelo de uma linda rainha todos os dias. Não mude nunca!

A Todd, meu grande e melhor amigo, a quem amo tanto. Ninguém fora de toda a minha família me amou tanto quanto você. Se só existe um único grande amor para toda a vida para mim: é você!

Aos meus irmãos, Jay e Johnny, e minha prima, Troy, obrigada por amar e me proteger durante toda a minha vida. Jay, obrigada especialmente por sempre me encorajar em tudo que faço; você sempre me apoiou e me encorajou, e nunca me julgou – e algumas das ideias que tive eram BEM loucas!

A meus tios – Thomas, Edward e Spencer. Todos vocês me mostraram o que é prover e cuidar de uma família.

A minhas tias – Elsie, Aggie, Sandy, Maggie, Connie, Theresa e Judy. Todas vocês me mostraram como amar e cuidar de um homem. As minhas tias e meus tios me mostraram amor desde o dia em que nasci.

A minhas primas, que cresceram comigo como irmãs – Karen, Tina, Vickie, Darlene, Tiffany, Lashanda, Rhonda, Cheryl e Cassandra. Alguns dos meus momentos mais memoráveis na vida foram com todas vocês. Obrigada a todos os meus outros primos e dois muito especiais, Kenny e Kathy, que me amaram, apoiaram e me encorajaram durante toda a vida.

Aos "Fellas"; que fazem todos os dias no trabalho divertidos e agradáveis: Eric B., Mike C., Russ B., Jesse K. e Bruce T. Obrigada por sua amizade. Vocês todos me divertem e cuidam de mim todos os dias. São uma verdadeira família estendida para toda a vida.

A minha melhor amiga, Bridget. Você tornou a jornada da vida ao longo dos anos divertida e agradável. Cada parte da minha vida tem sido influenciada e melhorada por você.

A toda a minha família na Intact, tenho a sorte de ter tido a oportunidade de trabalhar com algumas das pessoas mais inteligentes que já conheci – Todd, Jesse, Derek, Sherrie, Brandon e todos os outros membros da equipe Intact.

Agradeço à minha supertalentosa editora, Carrie Cantor, que superou e excedeu constantemente minhas expectativas. Meu apreço também a minha talentosa designer de capa e miolo, Irene Archer. Para Roy Cox, meu incrível fotógrafo, que não apenas tirou fotos de mim, mas também me fez sentir uma *supermodel*. Obrigada tornar a sessão de fotos uma experiência memorável.

Às mulheres que nunca conheci, mas que me inspiram todos os dias – Oprah Winfrey, Michelle Obama e Hillary Clinton.

E, por último, porém não menos importante, graças ao meu Senhor e Salvador, Jesus Cristo, por me dar uma vida plena!

Impressão e Acabamento:
GRÁFICA STAMPPA LTDA.